High Top

3권

정답과 해설

Ⅰ 생명 과학의 이해

1. 생명 과학의 이해

01 생물의 특성

탐구 확인 문제 1권 16쪽

01 ② 02 물질대사

01 생물인 강아지와 비생물인 강아지 로봇은 모두 공을 던지면 물어 오거나 주인의 말에 반응을 보이는 등 자극에 대한 반응을 나타낸다.

바로 알기 생장하고 물질대사가 일어나며, 세포로 구성되어 있는 것, 생식과 유전이 일어나는 것은 모두 생물인 강아지만이 가진 특성이다.

02 자동차의 엔진에서는 연료의 연소를 통해 자동차가 달리는 데 필요한 에너지를 얻는다. 이는 생물이 물질대사(세포 호흡)를 통해 생명 활동에 필요한 에너지를 얻는 것과 비슷하다.

개념 모아 정리하기 1권 17쪽

❶세포	❷단세포	❸다세포	❹조직
❺기관	❻개체	❼동화	❽이화
❾동화	❿이화	⓫자극	⓬항상성
⓭발생	⓮생장	⓯생식	⓰유전
⓱적응	⓲진화	⓳핵산	⓴돌연변이

개념 기본 문제 1권 18쪽~19쪽

01 ㄱ, ㄴ, ㅁ **02** ㄱ, ㄷ, ㅁ **03** (1) ㄴ (2) ㄹ (3) ㄱ (4) ㅁ **04** (1) 물질대사 (2) ㉠ 동화 작용, ㉡ 이화 작용 (3) 효소 **05** (1) 자극 (2) 반응 (3) 항상성 **06** (1) 물질대사 (2) 동화 작용(광합성) (3) 이화 작용(세포 호흡) **07** 유전 **08** ㄴ, ㄷ **09** (1) 비 (2) 생 (3) 생 (4) 생 (5) 비 **10** ㄴ

01 생물은 비생물과 달리 세포로 구성되어 있고, 생식을 통해 자신과 닮은 자손을 남기며, 체내외의 환경 변화에 관계없이 체온, 혈당량, 삼투압과 같은 체내의 상태를 일정하게 유지하려는 항상성이 있다.

바로 알기 ㄷ. 강아지 로봇이나 자동차와 같은 비생물도 외부에서 공급되는 에너지를 이용하여 움직일 수 있다.
ㄹ. 비생물도 모두 여러 가지 원소로 구성되어 있다.

02 생물의 특성 중 하나의 개체가 살아 있는 상태를 유지하는 것과 관련된 특성에는 세포로 구성되어 있는 것과 물질대사, 자극에 대한 반응과 항상성, 발생과 생장이 있다.

바로 알기 ㄴ, ㄹ. 생물의 종족 유지는 자신과 닮은 자손을 남겨 종을 유지하는 것뿐만 아니라 환경에 적응하는 과정에서 유전자가 다양해져 새로운 종으로 분화되는 것까지 포함한다. 따라서 생식과 유전, 적응과 진화는 종족 유지 특성에 해당한다.

03 (1) 식물이 빛에너지를 흡수하여 이산화 탄소와 물을 재료로 포도당을 합성하는 것은 광합성이며, 광합성은 물질대사 중 동화 작용에 해당한다.
(2) 개구리 알이 올챙이를 거쳐 어린 개구리로 되는 것은 하나의 세포인 수정란이 완전한 하나의 개체로 되는 과정인 발생에 해당하며, 어린 개구리가 성체 개구리로 자라는 것은 생장에 해당한다.
(3) 사막에 사는 선인장의 잎이 가시로 변해 있는 것은 건조한 환경에서 수분의 손실을 최소화하기 위한 것으로, 적응과 진화에 해당한다.
(4) 창가에 둔 식물은 줄기가 빛이 드는 창 쪽으로 굽어 자라는데, 이는 자극(빛)에 대한 반응에 해당한다.

04 (1) 광합성이나 세포 호흡과 같이 생명체에서 물질이 합성되고 분해되는 모든 화학 반응을 물질대사라고 한다.
(2) 물질대사 중 광합성과 같이 작고 간단한 물질을 크고 복잡한 물질로 합성하는 반응을 동화 작용이라 하고, 세포 호흡과 같이 크고 복잡한 물질을 작고 간단한 물질로 분해하는 반응을 이화 작용이라고 한다.
(3) 물질대사를 촉진하는 생체 촉매를 효소라고 한다.

05 (1) 온도, 빛 등 생물의 생명 활동에 영향을 미치는 체내외의 환경 변화를 자극이라고 한다.
(2) 체내외의 환경 변화, 즉 자극에 대응하여 나타나는 생명체의 변화를 반응이라고 한다.
(3) 환경 변화에 관계없이 체온과 같은 체내의 상태를 일정하게 유지하려는 성질을 항상성이라고 한다.

06 (1) (가)와 (나)는 '생명체에서는 물질대사가 일어난다.'는 것을 전제로 화성 토양에 생명체가 존재하는지를 알아보기 위한 실험이다.

(2) 실험 (가)는 화성 토양에 동화 작용인 광합성을 하는 생명체가 있는지 알아보기 위한 실험이다. 화성 토양에 광합성을 하는 생명체가 있다면 ^{14}C를 함유한 유기물이 합성된 후 가열 과정에서 휘발되어 방사성 기체가 검출될 것이다.

(3) 실험 (나)는 화성 토양에 이화 작용인 세포 호흡을 하는 생명체가 있는지 알아보기 위한 실험이다. 화성 토양에 세포 호흡을 하는 생명체가 있다면 ^{14}C를 함유한 유기 양분이 분해되어 $^{14}CO_2$가 방출되므로 방사성 기체가 검출될 것이다.

07 어머니가 적록 색맹이면 아들은 어머니에게서 적록 색맹 유전자를 물려받아 적록 색맹을 나타내고, 주름진 완두는 주름진 모양의 유전자만 가지므로 주름진 완두끼리 교배하면 자손은 모두 주름진 모양의 유전자만 물려받아 주름진 완두만 나타난다. 이와 같이 어버이의 형질이 자손에게 전달되는 것은 유전에 해당한다.

08 ㄴ. 바이러스는 크기가 세균보다 훨씬 작아 세균 여과기를 통과한다.

ㄷ. 바이러스는 유전 물질인 핵산과 이를 둘러싸고 있는 단백질 껍질로 구성되어 있다.

바로 알기 ㄱ. 바이러스는 생장하지 않는다.

ㄹ. 바이러스는 살아 있는 숙주 세포 내에서만 증식할 수 있으므로 지구에 나타난 최초의 생명체로 볼 수 없다.

09 (1), (5) 모든 생물은 세포로 구성되어 있으며, 스스로 물질대사를 통해 물질과 에너지를 얻어 생명을 유지한다. 따라서 바이러스가 세포 구조가 아닌 것과 스스로 물질대사를 하지 못하는 것은 비생물적 특성에 해당한다.

(2), (3), (4) 유전 물질을 가지고 있어 증식하며, 이 과정에서 돌연변이를 통해 적응과 진화 현상을 나타내는 것은 바이러스의 생물적 특성에 해당한다.

10 ㄴ. 바이러스와 동물 세포는 모두 유전 물질인 핵산을 가지고 있다.

바로 알기 ㄱ. 동물 세포는 세포막이 있지만, 바이러스는 세포막이 없는 등 세포 구조를 갖추지 못하였다.

ㄷ. 동물 세포는 자신의 효소가 있어 이를 이용하여 스스로 물질대사를 하지만, 바이러스는 물질대사에 필요한 효소가 없어 숙주 세포 내에서 숙주 세포의 효소를 이용하여 물질대사를 한다.

개념 적용 문제

1권 20쪽~23쪽

01 ④ **02** ② **03** ② **04** ① **05** ③ **06** ④ **07** ③ **08** ②

01 ㄱ. A는 고분자 물질인 포도당을 저분자 물질인 CO_2와 H_2O로 분해하는 세포 호흡으로, 이화 작용에 해당한다.

ㄴ. 포도당을 CO_2와 H_2O로 완전히 분해하려면 산소가 필요하다.

ㄷ. B는 저분자 물질인 아미노산을 고분자 물질인 단백질로 합성하는 동화 작용이다.

바로 알기 ㄹ. 광합성은 식물 세포에서는 일어나고 동물 세포에서는 일어나지 않지만, 세포 호흡(A)과 단백질 합성(B)은 동물 세포와 식물 세포에서 모두 일어난다.

02 ㄱ. 소나무는 빛에너지를 흡수하여 양분을 합성하는 광합성을 하며, 사람의 근육에서는 포도당을 분해하여 근육 수축에 필요한 ATP를 얻는 세포 호흡이 일어난다. 광합성과 세포 호흡은 물질대사에 해당한다.

ㄷ. 선인장의 잎이 가시로 변해 있는 것은 건조한 환경에, 사막여우와 북극여우의 귀와 몸집 크기가 다른 것은 온도에 적응하고 진화한 결과이다.

바로 알기 ㄴ. 식물의 줄기가 빛을 향해 굽어 자라는 것은 광합성에 필요한 빛을 얻기 위한 것으로 자극에 대한 반응에 해당하고, 눈신토끼의 털색이 겨울에 흰색으로 바뀌는 것은 천적으로부터 몸을 보호하기 위한 것으로 적응과 진화에 해당한다.

ㄹ. 대나무와 감자가 땅속줄기로 번식하는 것은 생물의 특성 중 생식에 해당하고, 장구벌레가 번데기 시기를 거쳐 모기가 되는 것은 발생에 해당한다.

03 ㄴ. 죽순은 물질대사를 통해 몸을 구성하는 물질을 합성하여 세포의 크기가 커지거나, 세포 분열을 통해 세포 수를 늘려 자란다.

바로 알기 ㄱ. 생물인 죽순은 물질대사와 세포 분열을 통해 자라지만, 석순은 비생물로 물질대사가 일어나지 않는다.

ㄷ. 석순은 외부에서 탄산 칼슘이 추가로 붙어서 자라는 것이지 외부에서 획득한 물질을 이용하여 스스로 탄산 칼슘을 합성함으로써 자라는 것은 아니다.

04 ㄱ. 제시된 실험 장치는 화성 토양에 호흡을 통해 양분을 분해하는 생명체가 존재하는지 알아보기 위한 것이다. 용기 속 기체 성분의 변화 여부를 확인함으로써 호흡에 의해 기체 교환이 일어났는지의 여부를 알 수 있다.

바로 알기 ㄴ. 이화 작용인 호흡이 일어나는지 알아보기 위한 실험 장치이다.

ㄷ. 기체 분석기는 기체의 성분을 분석하는 장치이다. 방사성 기체의 발생 여부를 통해 호흡이 일어났는지를 확인하려면, 방사성 동위 원소인 ^{14}C를 함유한 유기 양분을 공급한 후 방사성 기체의 발생 여부를 방사능 계측기로 확인해야 한다.

05 ㄱ. '몸의 크기가 자란다.'는 강아지와 강아지 로봇 중 강아지만 가지는 특징이므로 ㉠에 해당한다.

ㄴ. 생물인 강아지는 물론이고 비생물인 강아지 로봇도 센서가 있어 굴러다니는 공을 인식하여 공놀이를 하는 등 자극에 대한 반응을 나타낸다. 따라서 '자극에 반응한다.'는 강아지와 강아지 로봇의 공통점인 ㉡에 해당한다.

바로 알기 ㄷ. 강아지 로봇은 배터리에서 공급된 전기 에너지로 움직이므로 에너지 전환이 일어난다. 강아지에서도 세포 호흡을 통해 유기물에 저장된 화학 에너지가 열에너지와 ATP의 화학 에너지로 전환되고, ATP를 이용하여 다양한 생명 활동을 할 때에도 여러 가지 에너지 전환이 일어난다. 따라서 '에너지 전환이 일어난다.'는 강아지와 강아지 로봇의 공통점인 ㉡에 해당한다.

06 ㄱ, ㄷ. 생명체 X는 동물 세포 밖에서도 개체 수가 증가하므로 스스로 물질대사를 하고, 자신의 유전 물질을 가지고 증식한다는 것을 알 수 있다.

바로 알기 ㄴ. 생명체 X는 독자적 증식이 가능하므로 바이러스가 아니라 생물이다. 모든 생물은 세포로 구성되어 있다.

07 독감을 일으키는 병원체인 인플루엔자 바이러스는 생물과 비생물의 경계에 있는 형태이고, 결핵을 일으키는 병원체인 결핵균은 생물이다.

ㄱ. 제시된 특징 중 '핵산을 가지고 있다.'는 인플루엔자 바이러스와 결핵균의 공통점인 ㉡에 해당하고, '동물 세포 내에서만 증식할 수 있으며, 돌연변이가 일어난다.'는 인플루엔자 바이러스만의 특성인 ㉠에 해당한다. 따라서 이 두 가지 특성을 모두 가진 A가 인플루엔자 바이러스이고, B가 결핵균이다.

ㄴ. B는 세균의 한 종류인 결핵균이므로 바이러스와 달리 자신의 효소를 이용하여 물질대사를 한다.

바로 알기 ㄷ. 바이러스도 단백질 껍질을 가지므로, '단백질을 가지고 있다.'는 인플루엔자 바이러스와 결핵균의 공통점인 ㉡에 해당한다.

08 ㄴ. 박테리오파지는 세균에 기생하는 바이러스이므로 물질대사에 필요한 효소가 없어 스스로 물질대사를 하지 못한다. 반면에, 동물인 강아지와 식물인 강아지풀은 자신의 효소를 이용하여 물질대사를 한다. 따라서 '자신의 효소를 이용하여 물질대사를 하는가?'는 (나)에 해당한다.

바로 알기 ㄱ. 박테리오파지는 바이러스이므로 세포로 구성되어 있지 않다. 따라서 (가)가 '세포로 구성되어 있는가?'이면 '아니요'에 해당하는 것이 로봇과 박테리오파지 두 가지이므로, '세포로 구성되어 있는가?'는 (가)에 해당하지 않는다.

ㄷ. 동물인 강아지에서도 단백질 합성 등 동화 작용이 일어난다. 따라서 '동화 작용이 일어나는가?'는 (다)에 해당하지 않는다.

02 생명 과학의 특성과 탐구 방법

집중 분석

1권 31쪽

유제 ②

유제 ㄴ. 병의 입구를 막지 않고 열어 둔 (가)가 인위적인 조작을 가하지 않은 대조군이고, 얇은 천으로 병의 입구를 막아 둔 (나)가 실험군이다.

바로 알기 ㄱ. 레디는 실험군과 대조군을 설정하여 대조 실험을 하였으므로 연역적 탐구 방법을 이용한 것이다.

ㄷ. 레디의 실험에서 조작 변인은 '얇은 천으로 병의 입구를 막았는지의 여부', 즉 생선 도막에 '파리의 접근이 가능한지의 여부'이고, 종속변인은 '구더기의 발생 여부'이다. 따라서 레디가 설정한 가설은 '생선 도막에 발생한 구더기는 저절로 생긴 것이 아니라 파리가 알을 낳아서 생겼을 것이다.'이다.

개념 모아 정리하기

1권 33쪽

❶생명 현상 ❷군집 ❸생물권 ❹물리학 ❺페니실린 ❻관찰 주제 선정 ❼가설 ❽탐구 설계 및 수행 ❾대조군 ❿실험군 ⓫조작 변인

개념 기본 문제

1권 34쪽~35쪽

01 ㄱ, ㄷ **02** ㄴ, ㄷ **03** ㄱ, ㄴ, ㄹ, ㅁ **04** (1) ㄷ (2) ㄴ (3) ㄹ **05** (다) → (라) → (바) → (가) → (마) → (나) **06** ㄱ, ㄴ, ㄷ **07** (1) (라) → (다) → (가) → (마) → (바) → (나) (2) (마) (3) (가) (4) 가설을 수정하여 새로운 탐구를 설계하고 수행한다. **08** ㄱ, ㄷ **09** (1) 집단 B는 대조군으로, 실험군의 결과와 비교하기 위해 필요하다. (2) 조작 변인: 탄저병 백신 주사 여부, 종속변인: 탄저병 발병 여부 (3) 탄저병을 예방한다. **10** (1) (가) 귀납적 탐구 방법, (나) 연역적 탐구 방법 (2) 귀납적 탐구 방법에는 가설 설정 단계가 없지만, 연역적 탐구 방법에는 가설 설정 단계가 있다.

01 ㄱ. 생명 과학은 생명 현상에 중점을 두고, 그 본질을 밝히고자 하는 학문이다.

ㄷ. 생명 과학은 통합적 학문으로, 다른 과학 분야의 연구 성과를 활용하여 발전하였다.

바로 알기 ㄴ. 생명 과학은 그 연구 성과를 인류 복지 향상을 위해 어떻게 이용할 것인지까지 다루는 종합 학문이다.

02 ㄴ, ㄷ. 생명 과학은 생물을 구성하는 아주 작은 분자에서부터 세포, 조직, 기관, 개체는 물론 개체군, 군집, 생태계, 생물권에 이르기까지 생명 현상과 관련이 있는 모든 단계를 연구 대상으로 한다.

바로 알기 ㄱ. 생물을 구성하는 분자는 생명 과학의 연구 대상이다.

03 연구 대상에 따른 생명 과학의 세부 학문 분야에는 세포학, 형태학, 발생학, 생리학, 유전학, 분류학, 해부학, 생태학 등이 있다.

바로 알기 ㄷ. 결정학은 X선 회절 장치 등을 이용하여 결정의 기하학적 특징 및 내부 구조와 그에 따라 나타나는 성질에 관해 연구하는 자연 과학의 한 분야이다. 결정학은 오랫동안 광물학의 한 분과로 연구되어 왔으나, 지금은 결정학적인 연구 방법이 광물학뿐만 아니라 물리학, 화학, 금속학, 생물학 등에 광범위하게 적용되어 연구되고 있다.

04 (1) 화학적 연구 성과와 연계하여 생겨났으며, 세포에서 일어나는 단백질 합성과 DNA 복제에 대한 연구 등 분자 수준에서 일어나는 현상에 중점을 두고 있는 통합 학문은 분자 생물학이다.

(2) 역학의 연구 성과와 연계하여 생겨났으며, 동물의 움직임을 분석하거나 운동선수의 부상 방지 방법 등을 연구하는 학문은 생물 역학이다.

(3) 생명 과학에 대한 연구에 컴퓨터를 이용하게 되면서 등장한 통합 학문은 생물 정보학이다.

05 귀납적 탐구 과정은 (다)자연 현상 관찰 → (라)관찰 주제 선정 → (바)관찰 방법과 절차의 고안 → (가)관찰 수행 → (마)관찰 결과 해석 → (나)결론 도출의 순서로 진행한다.

06 귀납적 탐구 방법을 통해 밝혀진 생명 과학 이론에는 세포설, 다윈의 진화론, 사람 유전체 사업 등이 있다.

바로 알기 ㄹ, ㅁ. 플레밍의 페니실린 발견, 파스퇴르의 탄저병 백신 개발 등에는 연역적 탐구 방법이 이용되었다.

07 (1) 연역적 탐구 과정은 (라)자연 현상 관찰 → (다)문제 인식 → (가)가설 설정 → (마)탐구 설계 및 수행 → (바)결과 정리 및 해석 → (나)결론 도출 → 일반화의 순서로 진행한다.

(2) 설정한 가설을 검증하기 위해 탐구 설계 및 수행 단계에서 대조군을 설정하여 실험군과 비교하는 대조 실험을 한다. 대조 실험을 통해 실험 결과의 타당성을 높일 수 있다.

(3) 생명 현상을 관찰하는 과정에서 생긴 의문에 대한 잠정적 결론을 가설이라고 한다.

(4) 실험 결과가 가설과 일치하지 않아 가설이 옳지 않은 것으로 밝혀지면 가설을 수정하여 새로운 탐구를 설계하고 수행해야 한다.

08 ㄱ. A와 B를 비교하거나 C와 D를 비교할 때, 가설을 검증하기 위해 실험에서 의도적으로 변화시킨 변인인 조작 변인은 빛이다. 따라서 '빛은 강낭콩의 발아에 영향을 준다.'는 철수가 설정한 가설이 될 수 있다.

ㄷ. A와 C를 비교하거나 B와 D를 비교할 때 조작 변인은 온도이다. 따라서 '강낭콩의 발아는 온도의 영향을 받는다.'는 철수가 설정한 가설이 될 수 있다.

바로 알기 ㄴ. A, B, C, D에서 pH는 모두 7로 일정하게 통제되고 있다. 따라서 '강낭콩의 발아는 pH의 영향을 받는다.'는 철수가 설정한 가설이 될 수 없다.

09 (1) 탄저병 백신을 주사하지 않은 집단 B의 양은 대조군으로, 탄저병 백신을 주사한 실험군(집단 A)의 결과와 비교하기 위한 기준이 된다. 이와 같이 대조 실험을 해야 실험 결과의 타당성을 높일 수 있다.

(2) 조작 변인은 실험군에서 의도적이고 체계적으로 변화시키는 독립변인으로, 대조군과 실험군에서 다르게 처리한 탄저병 백신 주사 여부가 조작 변인이다. 그리고 종속변인은 조작 변인의 영향을 받아 변하는 변인으로, 실험 결과에 해당하므로 탄저병 발병 여부가 종속변인이다.

(3) 파스퇴르가 실시한 실험의 결론은 탄저병 백신을 주사하면 탄저병에 걸리지 않는다는 것이므로, 탄저병 백신의 효과는 탄저병을 예방하는 것이다.

10 (1) (가)에서는 관찰 결과를 종합하여 결론을 내렸으므로 귀납적 탐구 방법이 이용되었다. (나)에서는 대조 실험을 한 후 그 결과를 해석하여 결론을 내렸으므로 연역적 탐구 방법이 이용되었다.

(2) 연역적 탐구 방법은 귀납적 탐구 방법과 달리 관찰을 통해 생긴 의문이나 문제를 해결하기 위해 잠정적 결론인 가설을 세우고, 실험을 통해 이를 검증하는 탐구 방법이다. 따라서 연역적 탐구 방법과 귀납적 탐구 방법의 가장 큰 차이점은 가설 설정 단계의 유무이다.

개념 적용 문제

1권 36쪽~38쪽

01 ③ **02** ① **03** ① **04** ② **05** ③ **06** ①

01 생명 과학은 지구에 사는 생물의 특성과 다양한 생명 현상을 연구하는 학문이다. 또, 생명 과학은 통합적 학문으로 다른 과학 분야의 연구 성과를 활용하여 발전하였으며, 생명 과학의 발전으로 다른 과학 분야의 연구 범위도 넓어졌다.

바로 알기 학생 C: 인류의 생존과 복지 향상을 위해 연구 성과를 응용하는 것도 생명 과학의 연구 대상이다.

02 ㄱ. 관찰을 통해 인식한 문제에 대한 잠정적 결론인 가설을 설정하는 단계와 이를 검증하는 대조 실험 없이 체계적인 관찰을 통해 결론을 도출하였으므로 귀납적 탐구 방법이 이용되었다.

바로 알기 ㄴ. (가)에서 핀치의 부리 모양과 크기가 다른 것을 관찰하고, '핀치의 부리 모양과 크기는 왜 서로 다를까?'라는 의문을 가졌으므로, (가)는 귀납적 탐구의 첫 단계인 '자연 현상 관찰 및 관찰 주제 선정' 단계이다.

ㄷ. 대조군과 실험군을 설정하여 수행하는 대조 실험은 연역적 탐구 과정의 탐구 설계 및 수행 단계에서 이루어진다. 귀납적 탐구 과정에서는 관찰 주제를 선정한 후 (나)와 같이 관찰 방법과 절차를 고안하여 관찰을 수행한다.

03 ㄱ. 탐구 설계 및 수행 단계와 가설이 옳은지를 확인하는 단계가 있으므로 그림은 연역적 탐구 방법의 과정을 나타낸 것이다.

ㄴ. (가)는 인식한 문제에 대한 잠정적 결론인 가설을 설정하는 단계이다.

바로 알기 ㄷ. 탐구 결과 얻은 자료로부터 경향성이나 규칙성을 알아내는 것은 결과 정리 및 해석 단계이고, (나)는 가설이 옳은 것으로 검증되었을 때 결론을 도출하는 단계이다.

ㄹ. 가설이 옳지 않은 것으로 확인되면 가설 설정(가) 단계로 되돌아가 가설을 수정한 후 새로운 탐구를 설계하고 수행한다.

04 ㄴ. 각기병 증세를 보이던 닭들이 처음에 먹었던 백미를 모이로 준 집단 A가 대조군이고, 현미를 모이로 준 집단 B가 실험군이다.

바로 알기 ㄱ. 모이의 종류는 실험군과 대조군에서 다르게 처리하였으므로 조작 변인이다.

ㄷ. (가)에서 인식한 문제가 각기병이 낫게 된 까닭이므로 가설 ㉠은 '현미에는 각기병을 치료하는(예방하는) 물질이 들어 있을 것이다.'이고, 결론 ㉡은 '현미에는 각기병을 치료하는(예방하는) 물질이 들어 있다.'이다.

05 ㄱ. 실험 결과를 나타낸 자료를 보면 앤더슨은 수컷 천인조를 4개의 집단으로 나눈 후 각 집단 천인조의 꼬리 길이를 다르게 하고, 암컷이 어느 집단의 수컷을 가장 많이 선택하는지를 조사하는 대조 실험을 하였다. 따라서 연역적 탐구 방법이 이용되었음을 알 수 있다.

ㄴ. 조작을 가하지 않고 자연 상태로 둔 첫 번째 천인조 집단은 대조군이다.

바로 알기 ㄷ. 수컷 천인조의 꼬리 길이는 조작 변인이고, 꼬리 길이에 따른 암컷의 수컷 선택의 상대적인 비가 종속변인이다.

06 ㄱ. 시험관 Ⅰ에는 증류수만 첨가했으므로 실험군과 비교하기 위한 대조군이다.

ㄴ. 가설에서 추출한 조작 변인이 소화 효소 X의 첨가 여부이므로 실험군인 시험관 Ⅱ에 첨가한 ㉠은 '증류수+소화 효소 X'이다. 이때 증류수를 넣는 까닭은 시험관 Ⅰ과 Ⅱ에서 통제 변인에 해당하는 용액의 전체 부피와 녹말 용액의 농도를 같게 유지하기 위해서이다.

ㄷ. 가설을 설정하고 대조 실험을 하였으므로, 철수는 연역적 탐구 방법을 이용한 것이다.

바로 알기 ㄹ. 온도가 변인 통제의 대상인 것은 맞지만, ㉡과 ㉢은 소화 효소의 최적 온도인 37 ℃ 정도로 유지해야 한다.

통합 실전 문제

1권 40쪽~43쪽

01 ③	02 ④	03 ④	04 ②	05 ③	06 ③
07 ②	08 ④				

01 ㄱ. (가)는 $^{14}CO_2$를 이용하여 ^{14}C를 함유한 유기물이 합성되는 광합성(동화 작용)이 일어나는지 알아보기 위한 실험 장치이다.

ㄴ. (나)에서 방사성 기체인 $^{14}CO_2$가 검출되면 세포 호흡에 의해 ^{14}C를 함유한 유기 양분이 분해되어 $^{14}CO_2$가 방출된 것이므로, 화성 토양에 세포 호흡을 하는 생명체가 존재하는 것이다.

바로 알기 ㄷ. (가)에서는 광합성, 즉 동화 작용이 일어나면 화성 토양에 생명체가 존재하는 것으로 보고, (나)에서는 세포 호흡, 즉 이화 작용이 일어나면 화성 토양에 생명체가 존재하는 것으로 본다. 광합성과 세포 호흡은 물질대사이므로, 제시된 실험에서 전제하고 있는 생물의 특성은 '생물은 물질대사를 한다.'는 것이다.

02 세균에서 돌연변이가 일어나 항생제 내성균이 생겨났고, 항생제를 자주 사용하는 환경에서 항생제 내성 세균이 생존에 유리하여 증식한 것이므로 이는 생물의 특성 중 적응과 진화에 해당한다.

④ 살충제를 살포하면 살충제 저항성 모기가 증가하는 것도 적응과 진화의 예이다.

바로 알기 ①은 생식, ②는 물질대사, ③은 자극에 대한 반응, ⑤는 항상성의 예이다.

03 ㄱ. 곤충을 소화하는 것은 생물의 특성 중 물질대사에 해당한다.
ㄴ. 곤충이 감각모에 닿으면 잎을 닫아 곤충을 잡는 것은 생물의 특성 중 자극에 대한 반응에 해당한다.
ㄹ. 파리지옥은 곤충을 잡아 소화한 다음, 토양에 부족한 질소 화합물과 같은 양분을 흡수함으로써 질소원이 부족한 척박한 지역에서도 살 수 있다. 이것은 생물의 특성 중 적응과 진화에 해당한다.

바로 알기 ㄷ. 발생은 하나의 수정란이 세포 수를 늘리고 조직과 기관을 형성함으로써 완전한 하나의 개체로 되는 것이고, 생장은 어린 개체가 세포 수를 늘려 성체로 자라는 것이다. 제시된 자료에는 이와 관련한 내용이 나타나 있지 않다.

04 ㄷ. 박테리오파지는 대장균에 기생하는 바이러스로, 세균보다 크기가 훨씬 작고 세포 구조를 갖추지 못한 상태이다.

바로 알기 ㄱ. 바이러스는 숙주 세포 밖에서는 핵산을 단백질 껍질이 싸고 있는 형태의 결정체로 존재한다. 또, 숙주 세포 안에서는 자신의 유전 물질(핵산)을 복제하고 단백질 껍질을 만들어 증식하므로 모양과 크기가 일정하며 생장하지 않는다.
ㄴ. 박테리오파지와 같은 바이러스는 자신의 유전 물질인 핵산을 숙주 세포 안에 주입한 다음, 숙주 세포의 효소를 이용하여 증식한다.

05 ㄴ. 연역적 탐구 방법인 (나)의 경우, 탐구 설계 및 수행 단계에서 실험군과 대조군을 설정하여 실험하는 대조 실험을 한다.
ㄹ. 귀납적 탐구 방법인 (가)의 ㉠은 관찰 주제 선정 단계이고, 연역적 탐구 방법인 (나)의 ㉡은 문제 인식 단계이다. 즉, ㉠과 ㉡은 모두 관찰한 자연 현상에 대해 의문을 제기하는 단계이다.

바로 알기 ㄱ. 가설 설정 단계가 있는 (나)가 연역적 탐구 방법이다.
ㄷ. 인식한 문제에 대한 잠정적 결론은 가설이며, 가설 설정 단계는 연역적 탐구 방법인 (나)에만 있다.

06 ㄷ. 실험군에 해당하는 ㉡ 집단의 쥐에서만 폐렴 증세가 나타나고, 폐렴 증세가 나타난 쥐에서 세균 A가 발견되면 가설이 옳은 것으로 검증되는 것이다.

바로 알기 ㄱ. '세균 A가 생쥐에게 폐렴을 일으킬 것이다.'라는 가설을 설정하고, (다)와 같이 대조 실험을 하였다. 따라서 연역적 탐구 방법이 이용되었다.
ㄴ. 세균 A의 접종 여부는 조작 변인이고, 폐렴의 발병 여부가 종속변인이다.

07 ㄱ. (나)와 (다)에서 60 % 에탄올과 항생 물질 X의 추출액에 각각 담가 두었던 거름종이 A와 B를 세균 Y를 배양 중인 배지 위에 놓았으므로 대조 실험을 실시한 것이다.
ㄷ. (라)에서 측정한 세균 Y가 사멸된 범위의 지름은 실험 결과이므로 종속변인에 해당한다.

바로 알기 ㄴ. 조작 변인은 거름종이 A와 B를 60 % 에탄올과 항생 물질 X의 추출액에 각각 담가 두었던 것이고, 거름종이 A와 B의 크기와 모양은 일정하게 유지해야 하는 통제 변인에 해당한다.
ㄹ. 60 % 에탄올에 담가 두었던 거름종이 A 주변에서보다 항생 물질 X의 추출액에 담가 두었던 거름종이 B 주변에서 세균 Y가 사멸된 범위가 커야 항생 물질 X가 세균 Y를 제거하는 효과가 있다는 가설이 옳은 것으로 입증된다.

08 (나) 대조 실험이 아니라 과학자들이 수행한 관찰 결과를 종합하여 결론에 해당하는 세포설이 도출된 것이므로 귀납적 탐구 방법이 이용되었다.
(라) 대조 실험이 아니라 다양한 생물을 관찰하고 채집하여 얻은 자료를 종합함으로써 결론에 해당하는 진화론이 도출된 것이므로 귀납적 탐구 방법이 이용되었다.

바로 알기 (가) 플레밍은 '푸른곰팡이가 세균 증식을 억제하는 물질을 만들 것이다.'라는 가설을 설정한 후 이를 검증하는 대조 실험을 통해 푸른곰팡이가 세균 증식을 억제하는 물질(페니실린)을 만든다는 것을 확인하였다. 따라서 연역적 탐구 방법이 이용되었다.
(다) 파스퇴르는 방치해 두었던 닭 콜레라균을 접종한 닭이 닭 콜레라를 가볍게 앓고 곧 회복되는 것을 관찰하고, '탄저병 백신을 주사하면 탄저병을 예방할 수 있을 것이다.'라는 가설을 설정하였다. 그리고 이를 검증하는 대조 실험을 통해 탄저병 백신의 효과를 입증하였다. 따라서 연역적 탐구 방법이 이용되었다.

사고력 확장 문제

1권 44쪽~47쪽

01 (가)는 강아지 로봇에는 없고, 바이러스, 아메바, 강아지에는 공통적으로 있는 특성이므로 '유전 물질인 핵산을 가지고 있는가?'가 될 수 있다.
(나)는 단세포 생물인 아메바와 다세포 생물인 강아지에는 있고 바이러스에는 없는 특성이므로, '세포로 구성되어 있는가?', '스스로 물질대사를 하는가?', '자극에 반응하는가?', '항상성을 유지하는가?' 등이 될 수 있다.
(다)는 다세포 생물인 강아지에는 있지만, 단세포 생물인 아메바에는 없는 특성이므로, '발생을 하는가?', '세포 수를 늘려 생장하는가?' 등이 될 수 있다.

모범 답안 (가) 유전 물질인 핵산을 가지고 있는가?
(나) 세포로 구성되어 있는가?, 스스로 물질대사를 하는가?, 자극에 반응하는가?, 항상성을 유지하는가? 등에서 한 가지
(다) 발생을 하는가?, 세포 수를 늘려 생장하는가? 등에서 한 가지

채점 기준	배점(%)
(가), (나), (다)에 해당하는 특성을 모두 옳게 서술한 경우	100
(가), (나), (다)에 해당하는 특성 중 두 가지를 서술한 경우	60
(가), (나), (다)에 해당하는 특성 중 한 가지만 서술한 경우	30

02 (가)에서 휘발유와 같은 연료가 연소되면 이산화 탄소와 물이 생성되고, 에너지가 발생한다. 이는 물질대사와 유사하다. (나)에서 비정상적인 조작은 자극에 해당하고, 경보음을 내거나 경고 메시지를 보내는 것은 반응에 해당한다.
(다)에서 자동차가 수많은 부속품으로 구성되어 있는 것은 다세포 생물이 수많은 세포로 구성되어 있는 것과 유사하다.

모범 답안 (가) 물질대사를 한다. (나) 자극에 반응한다. (다) 세포로 구성되어 있다.

채점 기준	배점(%)
(가), (나), (다)와 유사성이 높은 생물의 특성을 모두 옳게 서술한 경우	100
(가), (나), (다)와 유사성이 높은 생물의 특성 중 두 가지를 서술한 경우	60
(가), (나), (다)와 유사성이 높은 생물의 특성 중 한 가지만 서술한 경우	30

03 (1) ㉠은 바이러스가 가진 비생물적 특성으로 세포 구조가 아니라는 것, 숙주 세포 밖에서는 결정체로 존재하며 독자적인 효소가 없어 스스로 물질대사를 하지 못한다는 것 등이 여기에 해당한다. ㉡은 바이러스가 가진 생물적 특성으로 유전 물질인 핵산을 가지고 있다는 것, 숙주 세포에 기생할 때에는 물질대사를 하고 증식하며, 유전 현상이 나타나고 돌연변이를 통해 적응하고 진화한다는 것 등이 여기에 해당한다. ㉢은 바이러스에는 없는 생물의 특성으로 세포로 구성되어 있다는 것, 자극에 반응한다는 것, 항상성을 유지한다는 것, 발생과 생장을 한다는 것, 스스로 물질대사를 한다는 것 등이 여기에 해당한다.
(2) 바이러스는 살아 있는 숙주 세포에 기생해야 물질대사를 하고 증식할 수 있으므로 비생물이 생물로 진화하는 경계에 있는 것으로 볼 수는 없다. 그래서 과학자들은 바이러스가 다른 생물의 세포에 기생해서 살다 보니 생물적 특성의 일부를 잃어버려 원래 생물이었던 것이 비생물로 퇴화하는 경계에 있는 것으로 본다.

모범 답안 (1) ㉠ 세포 구조가 아니다, 숙주 세포 밖에서는 결정체로 존재한다, 독자적인 효소가 없어 스스로 물질대사를 하지 못한다 중 두 가지
㉡ 유전 물질인 핵산을 가지고 있다, 물질대사를 한다, 증식한다, 유전 현상이 나타난다, 돌연변이를 통해 적응하고 진화한다 중 두 가지
㉢ 세포로 구성되어 있다, 자극에 반응한다, 항상성을 유지한다, 발생과 생장을 한다, 독자적인 효소가 있어 스스로 물질대사를 할 수 있다 중 두 가지
(2) 바이러스는 살아 있는 생물의 세포(숙주 세포)에 기생할 때에만 물질대사를 하고 증식할 수 있기 때문이다.

	채점 기준	배점(%)
(1)	㉠~㉢의 특성 6개를 모두 옳게 서술한 경우	50
	㉠~㉢의 특성 6개 중 5개를 옳게 서술한 경우	40
	㉠~㉢의 특성 6개 중 4개를 옳게 서술한 경우	30
	㉠~㉢의 특성 6개 중 3개를 옳게 서술한 경우	20
	㉠~㉢의 특성 6개 중 2개를 옳게 서술한 경우	10
(2)	바이러스가 다른 생물의 세포에 기생할 때에만 물질대사를 하고 증식할 수 있다는 것을 옳게 서술한 경우	50

04 TMV의 결정 $1\mu g$을 물에 녹여 건강한 담뱃잎에 감염시킨 결과 감염된 담뱃잎에서 처음의 10배에 해당하는 $10\mu g$의 TMV를 얻었으므로, 바이러스가 숙주인 담뱃잎 세포 내에서 증식하였음을 알 수 있다.

모범 답안 TMV에 감염된 담뱃잎에서 TMV의 양이 증가하였으므로, TMV는 숙주 세포 내에서 증식할 수 있음을 알 수 있다. 따라서 이 실험에서 나타난 TMV의 생물적 특성은 '증식한다.'이다.

채점 기준	배점(%)
TMV의 생물적 특성을 그렇게 판단한 까닭을 포함하여 옳게 서술한 경우	100
TMV의 생물적 특성만 서술한 경우	40

05 (1) 탐구 설계 및 수행 단계를 보면 국화 A와 B에 빛을 비춘 시간만 다르고, 다른 환경 요인들은 모두 일정하게 유지해 주었으므로 조작 변인은 빛을 비춘 시간, 즉 일조 시간(낮의 길이)이다. 그리고 결과를 보면 종속변인은 국화의 개화 여부이다. 따라서 영희가 설정한 가설은 '국화가 가을에 꽃이 피는 것은 일조 시간(낮의 길이)이 짧아지기 때문일 것이다.'가 적합하다.
(2) 가을이 되면 일조 시간이 짧아질 뿐만 아니라 온도가 낮아지고 빛의 세기가 약해진다. 따라서 온도 또는 빛의 세기가 국화의 개화에 영향을 주는 것으로 보는 가설도 가능하다.

모범 답안 (1) 국화가 가을에 꽃이 피는 것은 일조 시간(낮의 길이)이 짧아지기 때문일 것이다.
(2) 국화가 가을에 꽃이 피는 것은 온도가 낮아지기 때문일 것이다. 국화가 가을에 꽃이 피는 것은 빛의 세기가 약해지기 때문일 것이다.

	채점 기준	배점(%)
(1)	영희가 설정한 가설을 옳게 서술한 경우	50
(2)	두 가지 가설을 모두 옳게 서술한 경우	50
	두 가지 가설 중 한 가지만 서술한 경우	30

06 (1) (가)는 자연 현상 관찰 및 문제 인식 단계이고, (나)와 (라) 중 인식한 문제에 대한 잠정적 결론을 제시한 (라)가 가설 설정 단계이며, 단정적인 답을 제시한 (나)가 결론 도출 단계이다. (다)는 결과 정리 및 해석 단계이고, (마)는 탐구 설계 및 수행 단계이다.

(2) 연역적 탐구 방법은 가설을 설정한 후 이를 검증하기 위해 대조 실험을 한다는 것이 귀납적 탐구 방법과 다르다. 철수의 탐구를 보면 가설 설정 단계가 있고, 그에 따라 대조 실험을 하는 탐구 설계 및 수행 단계가 있다. 따라서 철수는 연역적 탐구 방법을 이용한 것이다.

모범 답안 (1) (가) 자연 현상 관찰 및 문제 인식 → (라) 가설 설정 → (마) 탐구 설계 및 수행 → (다) 결과 정리 및 해석 → (나) 결론 도출

(2) 철수의 탐구 과정에는 가설 설정 단계가 있고, 그에 따라 대조 실험을 하는 탐구 설계 및 수행 단계가 있으므로, 철수는 연역적 탐구 방법을 이용하였다.

	채점 기준	배점(%)
(1)	각 단계의 이름과 탐구 과정의 순서를 모두 옳게 쓴 경우	40
	각 단계의 이름은 옳게 썼지만, 탐구 과정의 순서 일부를 잘못 나열한 경우	20
	탐구 과정의 순서는 옳게 나열했지만, 각 단계의 이름의 일부를 잘못 쓴 경우	20
(2)	연역적 탐구라는 것을 그 까닭 두 가지를 모두 포함하여 옳게 서술한 경우	60
	연역적 탐구라는 것은 썼지만, 그 까닭을 한 가지만 서술한 경우	40
	연역적 탐구라는 것만 쓴 경우	20

07 (1) (가)문제 인식 단계에 이어지는 (나)는 가설 설정 단계이다. (다)에서 단백질이 주요 성분인 달걀흰자에 배즙을 넣고 아미노산 검출 반응으로 결과를 확인하고 있으므로 가설은 '배즙에는 단백질을 분해하는 효소가 있을 것이다.'가 적합하다.

(2) 대조군인 A에는 증류수만 넣고, 실험군인 B에는 증류수와 배즙을 넣었으므로 조작 변인은 배즙의 첨가 여부이다. 그리고 (라)에서 아미노산의 검출 여부를 확인하므로 종속변인은 단백질의 분해 여부이다.

모범 답안 (1) 가설 설정 단계, 배즙에는 단백질을 분해하는 효소가 있을 것이다.

(2) 조작 변인은 배즙의 첨가 여부이고, 종속변인은 단백질의 분해 여부이다.

	채점 기준	배점(%)
(1)	가설 설정 단계를 쓰고, 가설을 옳게 서술한 경우	50
	가설만 옳게 서술한 경우	30
	가설 설정 단계만 쓴 경우	20
(2)	조작 변인과 종속변인을 모두 옳게 서술한 경우	50
	조작 변인과 종속변인 중 한 가지만 서술한 경우	30

08 (1) 백신은 질병을 예방하기 위한 것이므로 건강한 동물 집단 A와 B 중 한 집단에만 백신을 주사한 다음, 두 집단 모두에 질병 X를 유발하는 세균을 주사해야 한다. 이후 두 집단에서 질병 X의 발병률을 비교하여 백신을 주사한 집단에서 발병률이 유효할 정도로 낮게 나타나는지 확인해야 한다.

(2) 치료제는 질병을 치료하기 위한 것이므로 질병 X에 걸린 동물 집단 C와 D 중 한 집단에만 치료제를 주사한 다음, 두 집단에서 질병 X가 치유된 비율을 비교하여 치료제를 주사한 집단에서 치유된 비율이 유효할 정도로 높게 나타나는지 확인해야 한다.

모범 답안 (1) 건강한 동물 집단 A와 B를 대상으로 하고, A와 B 중 한 집단에만 백신을 주사한 후 두 집단 모두에 질병 X를 유발하는 세균을 주사한다. 그 후 두 집단에서 질병 X의 발병률을 확인한다.

(2) 질병 X에 걸린 동물 집단 C와 D를 대상으로 하고, C와 D 중 한 집단에만 치료제를 주사한 후 두 집단에서 질병 X가 치유된 비율을 확인한다.

	채점 기준	배점(%)
(1)	어느 동물 집단을 대상으로 어떤 처리를 해야 하며, 확인해야 할 실험 결과가 무엇인지 모두 옳게 서술한 경우	50
	어느 동물 집단을 대상으로 어떤 처리를 해야 하는지는 옳게 서술하였지만, 확인해야 할 실험 결과를 잘못 서술한 경우	30
	확인해야 할 실험 결과만 서술한 경우	20
(2)	어느 동물 집단을 대상으로 어떤 처리를 해야 하며, 확인해야 할 실험 결과가 무엇인지 모두 옳게 서술한 경우	50
	어느 동물 집단을 대상으로 어떤 처리를 해야 하는지는 옳게 서술하였지만, 확인해야 할 실험 결과를 잘못 서술한 경우	30
	확인해야 할 실험 결과만 서술한 경우	20

Ⅱ 사람의 물질대사

1. 사람의 물질대사

01 세포의 물질대사와 에너지

탐구 확인 문제 1권 56쪽

01 ①, ④

02 (1) A (2) 알코올(또는 술) 냄새

01 ① 효모는 포도당을 호흡 기질로 이용하여 세포 호흡을 함으로써 ATP를 합성한다. 효모는 산소가 있을 때에는 산소 호흡으로, 산소가 없을 때에는 무산소 호흡인 알코올 발효로 포도당을 분해하여 ATP를 합성한다.

④ 수산화 칼륨(KOH)은 아래와 같은 반응을 일으켜 이산화 탄소를 흡수하는 성질이 있다.

$$2KOH + CO_2 \longrightarrow K_2CO_3(\text{흰색 침전물}) + H_2O$$

바로 알기 ② 효모는 산소가 있으면 산소 호흡을 하고, 산소가 없으면 알코올 발효를 한다.

③ 발효관의 맹관부에 모이는 기체는 산소가 아니라 이산화 탄소(CO_2)이다.

⑤ 포도당 함량이 높을수록 효모의 세포 호흡이 많이 일어나 이산화 탄소(CO_2)가 많이 발생하므로 맹관부에 더 많은 기체가 모인다.

02 (1) 유료수의 당 함량이 높을수록 기체(이산화 탄소)가 많이 발생한다. B를 넣은 발효관의 맹관부보다 A를 넣은 발효관의 맹관부에 기체(이산화 탄소)가 더 많이 모였으므로, A가 B보다 당 함량이 높다.

(2) 발효관 입구를 솜마개로 막았기 때문에 발효관에서는 무산소 호흡인 알코올 발효가 일어나 에탄올과 이산화 탄소가 생성된다. 따라서 발효관의 솜마개를 열면 에탄올 때문에 알코올(또는 술) 냄새가 난다.

개념 모아 정리하기 1권 59쪽

❶ 효소	❷ 에너지	❸ 이화	❹ 동화
❺ ATP	❻ 미토콘드리아	❼ 이산화 탄소	❽ ATP
❾ 아데노신	❿ 저장(흡수)	⓫ 방출	⓬ 화학
⓭ 기계적	⓮ 화학		

개념 기본 문제 1권 60쪽~61쪽

01 ㄱ, ㄹ **02** ㄱ, ㄷ **03** (1) ㉠ 산소(O_2), ㉡ 이산화 탄소(CO_2) (2) 세포 내에서 유기 영양소를 분해하여 ATP를 합성하는 과정이다. **04** ㄱ, ㄴ **05** ㄱ, ㄴ, ㄷ **06** ㄴ, ㄷ **07** (1) (가) (2) Ⓐ 아데닌, Ⓑ 리보스 (3) ㉠ (4) ⓑ, ⓒ **08** (1) 미토콘드리아, 세포 호흡 (2) (나) ADP, (다) ATP (3) ㄱ, ㄴ, ㄹ **09** (1) 용액의 포도당 함량(또는 포도당 수용액 농도)이 높을수록 효모에 의한 기체(CO_2) 발생량이 많다. (2) 이산화 탄소(CO_2)

01 물질 합성은 동화 작용, 물질 분해는 이화 작용에 해당한다.

ㄱ. 단당류인 포도당을 포도당의 중합체인 글리코젠으로 합성하는 것은 동화 작용이다.

ㄹ. 암모니아와 이산화 탄소를 요소로 합성하는 것은 동화 작용이다.

바로 알기 ㄴ. 아미노산의 중합체인 단백질을 아미노산으로 분해하는 것은 이화 작용이다.

ㄷ. 알코올(C_2H_5OH)을 이산화 탄소(CO_2)와 물(H_2O)로 분해하는 것은 이화 작용이다.

02 ㄱ. (가)와 (나)는 세포에서 일어나는 물질대사이므로 둘 다 효소가 관여한다.

ㄷ. (가)는 포도당이 산소(O_2)와 반응하여 이산화 탄소(CO_2)와 물(H_2O)로 분해되는 세포 호흡이다. 세포 호흡 과정에서 방출된 에너지는 ATP(물질 ㉠)에 저장되었다가 (나) 단백질 합성과 같은 세포의 생명 활동에 사용된다.

바로 알기 ㄴ. (가)는 포도당이 산소(O_2)와 반응하여 이산화 탄소(CO_2)와 물(H_2O)로 분해되는 과정이므로 이화 작용이다. (나)는 아미노산 여러 분자가 결합하여 단백질로 합성되는 과정이므로 동화 작용이다.

03 (1) 세포 호흡 과정에서 포도당은 산소(㉠)와 반응하여 이산화 탄소(㉡)와 물로 분해된다.

(2) 세포 호흡은 포도당과 같은 유기 영양소에 저장된 에너지를 생명 활동에 직접 이용되는 에너지원인 ATP에 나누어 저장하는 과정이다.

04 ㄱ, ㄴ. (가)는 빛에너지를 흡수하여 이산화 탄소(CO_2)와 물(H_2O)을 포도당으로 합성하는 광합성 과정이고, (나)는 포도당이 산소(O_2)와 반응하여 이산화 탄소(CO_2)와 물(H_2O)로 분해되는 세포 호흡 과정이다. 광합성은 동화 작용, 세포 호흡은 이화 작용에 해당한다.

바로 알기 ㄷ. (가) 광합성은 엽록체에서 일어나고, (나) 세포 호흡은 주로 미토콘드리아에서 일어난다.

05 ㄱ, ㄷ. 그림은 포도당이 산소(O_2)와 반응하여 이산화 탄소(CO_2)와 물(H_2O)로 분해되는 세포 호흡 과정을 나타낸 것이다. 세포 호흡과 같은 물질대사는 효소의 작용으로 일어난다.

ㄴ. 세포 호흡은 포도당이 이산화 탄소(CO_2)와 물(H_2O)로 분해되는 과정이므로 이화 작용이다.

바로 알기 ㄹ. 세포 호흡 과정에서 방출된 에너지 중 일부만 ATP 합성에 사용되어 ATP에 저장되고, 나머지는 열로 방출된다.

06 ADP와 무기 인산(P_i)이 결합하여 ATP로 합성되므로 ㉠은 ADP, ㉡은 ATP이다.

ㄴ. (가)는 ATP(㉡)가 ADP(㉠)와 무기 인산(P_i)으로 분해되는 과정이므로 이화 작용이다.

ㄷ. ADP와 무기 인산(P_i)이 결합하여 ATP로 합성되는 (나) 과정에서 에너지가 흡수되고, ATP가 ADP와 무기 인산(P_i)으로 분해되는 (가) 과정에서 에너지가 방출된다.

바로 알기 ㄱ. ㉠은 ADP이다.

ㄹ. 세포 호흡이 일어날 때에는 ADP와 무기 인산(P_i)이 결합하여 ATP가 합성되는 (나) 과정이 주로 일어난다.

07 (1), (2) 아데닌(Ⓐ)과 리보스(Ⓑ)가 결합한 아데노신에 인산기 3개가 결합한 (가)는 ATP이고, 아데노신에 인산기 2개가 결합한 (나)는 ADP이다.

(3) ATP가 ADP와 무기 인산(P_i)으로 분해되는 ㉠ 과정에서 에너지가 방출된다.

(4) ATP에서 고에너지 인산 결합은 인산기와 인산기 사이의 결합이므로 ⓑ와 ⓒ가 고에너지 인산 결합에 해당한다.

08 (1) 세포 내에서 포도당이 산소와 반응하여 이산화 탄소와 물로 분해되면서 에너지를 방출하여 ATP를 합성하는 작용은 세포 호흡이며, 주로 미토콘드리아(가)에서 일어난다.

(2) (나)와 무기 인산(P_i)이 결합하여 (다)가 생성되므로, (나)는 ADP, (다)는 ATP이다.

(3) ATP가 ADP와 무기 인산(P_i)으로 분해되는 (라) 과정에서 방출된 에너지는 근육 수축, 물질 합성, 능동 수송 등의 생명 활동에 사용된다. Na^+-K^+ 펌프에 의한 물질 이동은 능동 수송에 해당한다.

바로 알기 ㄷ. 확산은 농도가 높은 곳에서 낮은 곳으로 물질이 이동하는 현상이므로 ATP 에너지가 쓰이지 않는다.

09 (1) 발효관 B, C, D에서 포도당 수용액의 농도를 달리하였으므로 이 실험의 조작 변인은 용액의 포도당 함량(또는 포도당 수용액 농도)이다. 그리고 맹관부에 모인 기체의 부피를 측정하였으므로 실험 결과에 해당하는 종속 변인은 효모에 의한 기체(CO_2) 발생량이다. 따라서 이 실험을 통해 검증하고자 한 가설은 '용액의 포도당 함량(또는 포도당 수용액 농도)이 높을수록 효모에 의한 기체(CO_2) 발생량이 많다.'이다.

(2) 발효관 내에서는 효모가 포도당을 이용하여 세포 호흡을 하므로, 이산화 탄소(CO_2)가 발생한다. 따라서 맹관부에 이산화 탄소(CO_2)가 모인다.

개념 적용 문제

1권 62쪽~65쪽

01 ② 02 ③ 03 ① 04 ③ 05 ④ 06 ②
07 ② 08 ④

01 (가)는 글리코젠이 단위체인 포도당으로 분해되므로 이화 작용이다. 이화 작용에서는 크고 복잡한 물질이 작고 간단한 물질로 분해되면서 에너지가 방출된다. 따라서 생성물보다 반응물에 저장된 에너지양이 많다.

바로 알기 ③ (나)는 아미노산이 아미노산 중합체인 단백질로 합성되므로 동화 작용이다. 동화 작용이 일어날 때에는 에너지가 흡수된다.

④ (나)에서는 작고 간단한 아미노산 여러 분자가 결합하여 크고 복잡한 단백질로 합성된다.

⑤ 생물체 내에서 일어나는 모든 물질대사에는 효소가 관여한다. 효소 없이는 물질대사가 일어나지 못한다.

02 ㄱ. (나)는 포도당이 산소(O_2)와 반응하여 이산화 탄소(CO_2)와 물(H_2O)로 분해되는 세포 호흡 과정이며, (라)는 ATP가 ADP와 무기 인산(P_i)으로 분해되는 과정이므로 (나)와 (라)는 모두 이화 작용이다.

ㄴ. ADP와 무기 인산(P_i)이 결합하여 ATP로 합성되는 (다) 과정이 진행될 때에는 에너지가 흡수되며, 이 에너지는 포도당이 분해되는 (나) 과정에서 공급된다.

바로 알기 ㄷ. (가)는 빛에너지를 흡수하여 이산화 탄소(CO_2)와 물(H_2O)을 포도당으로 합성하는 광합성 과정이다. 사람의 근육 세포에서는 광합성이 일어나지 않는다.

03 ㄱ. 세포 호흡에서 포도당은 ㉠ 산소(O_2)와 반응하여 ㉡ 이산화 탄소(CO_2)와 물로 분해된다.

바로 알기 ㄴ. 포도당이 완전히 분해되면 이산화 탄소(㉡)와 물이 생성된다. 암모니아(NH_3)는 단백질이 세포 호흡의 호흡 기질로 이용되었을 때 생성된다.

ㄷ. 포도당에는 다량의 에너지가 들어 있는데, 생명 활동에는 소량의 에너지를 필요로 하는 경우가 많다. 따라서 포도당에 저장되어 있는 많은 양의 에너지를 ATP에 소량씩 나누어 저장하면 에너지를 효율적으로 사용할 수 있다.

04 ① (가)는 염기인 아데닌이다.

② (나)는 리보스로, 탄수화물(단당류)의 한 종류이다.

④ 인산기와 인산기 사이의 결합이 고에너지 인산 결합이므로, ADP는 고에너지 인산 결합이 1개 있고 ATP는 고에너지 인산 결합이 2개 있다. 따라서 ATP가 ADP보다 더 많은 양의 에너지를 저장하고 있다.

⑤ 인산기와 인산기 사이의 결합은 끊어질 때 비교적 많은 양의 에너지가 방출되기 때문에 고에너지 인산 결합이라고 한다.

바로 알기 ③ ADP에는 2개의 인산기가 있으므로 1개의 고에너지 인산 결합이 있다.

05 ATP가 ADP와 무기 인산(P_i)으로 분해되는 (가) 반응에서 에너지가 방출되고, ADP와 무기 인산(P_i)이 결합하여 ATP가 합성되는 (나) 반응에서 에너지가 흡수된다.

ㄴ. 근육이 수축할 때에는 에너지가 소모되며, 이 에너지는 ATP가 ADP와 무기 인산(P_i)으로 분해되는 (가) 반응을 통해 공급된다.

ㄷ. (나)는 ADP와 무기 인산(P_i)이 결합하여 ATP가 합성되는 반응이므로 동화 작용이다.

ㄹ. 미토콘드리아에서 세포 호흡이 진행되면서 방출된 에너지의 일부가 (나) 반응에 공급되어 ATP가 합성된다.

바로 알기 ㄱ. ATP가 ADP와 무기 인산(P_i)으로 분해되는 (가) 반응에서는 고에너지 인산 결합이 끊어져 에너지가 방출된다.

06 ㄷ. ATP의 화학 에너지는 ATP가 ADP와 무기 인산(P_i)으로 분해될 때 방출된 후 다른 물질의 화학 에너지, 기계적 에너지, 전기 에너지, 열에너지 등 다양한 형태의 에너지로 전환되어 여러 생명 활동에 이용된다.

바로 알기 ㄱ. 포도당의 화학 에너지는 세포 호흡을 통해 ATP의 화학 에너지로 전환되고, ATP의 화학 에너지가 생명 활동에 이용된다.
ㄴ. (가) 과정에서 세포 호흡으로 방출되는 에너지 중 일부가 ATP에 저장되고, 나머지는 열로 방출된다.

07 ㄱ. 소화는 고분자 영양소가 저분자 영양소로 분해되는 이화 작용이다.

ㄴ. 동물 세포에서 세포 호흡 같은 이화 작용만 일어나는 것은 아니다. 동물 세포에서는 물질대사에 필요한 효소 합성, 생장에 필요한 단백질이나 지방 합성 등의 동화 작용도 일어난다.

ㄹ. 세포 내에서는 ATP의 에너지를 이용하여 단백질, 지방 등의 물질 합성이 일어난다. 이런 경우 ATP의 에너지가 세포 내 영양소의 화학 에너지로 전환된다.

바로 알기 ㄷ. 포도당과 같은 세포 내 영양소의 화학 에너지는 세포 호흡을 통해 ATP의 화학 에너지로 전환되고, ATP의 화학 에너지가 다양한 형태의 에너지로 전환되어 생명 활동에 이용된다.

08 ㄱ. 발효관의 입구를 솜으로 막아 효모에 산소가 공급되지 않으므로 효모는 무산소 호흡인 알코올 발효를 한다.

ㄷ. 발효관 속의 효모가 알코올 발효를 하여 음료수 속에 든 당을 에탄올과 이산화 탄소(CO_2)로 분해하고, 그 결과 발효관의 맹관부에 이산화 탄소(CO_2)가 모인다. 따라서 맹관부에 모인 기체(CO_2)의 부피가 클수록 음료수에 당이 많이 포함된 것이다.

바로 알기 ㄴ. 맹관부에 모인 기체는 효모의 알코올 발효로 생성된 이산화 탄소(CO_2)이다.

02 기관계의 통합적 작용

탐구 확인 문제 1권 **74**쪽

01 ③, ⑤
02 요소를 암모니아와 이산화 탄소로 분해한다.
03 비커 B와 D에서 콩즙을 넣은 지 10분이 지난 후에도 용액의 색깔이 콩즙을 넣기 전과 같게 유지된다.

01 ③ BTB 용액은 pH에 따라 색이 변하는 산염기 지시약이다.

⑤ 비커 D에서 콩즙을 넣은 지 10분이 지난 후 용액의 색깔이 황록색~청록색에서 청록색~파란색으로 변하였다. 따라서 오줌에 콩즙을 넣으면 콩즙 속 효소의 작용으로 염기성 물질이 생성된다는 것을 알 수 있다.

바로 알기 ① 요소 수용액이 든 비커 B에 BTB 용액을 넣었을 때 청록색을 띠는 것으로 보아 요소는 중성에 가깝다.
② 암모니아수가 든 비커 C에 BTB 용액을 넣었을 때 파란색을 띠는 것으로 보아 암모니아는 염기성을 띤다.
④ 요소 수용액과 오줌이 각각 든 비커 B와 D에서 콩즙을 넣기 전 용액의 색깔은 각각 청록색과 황록색~청록색이므로 요소 수용액보다 오줌의 pH가 약간 낮거나 비슷하다는 것을 알 수 있다. 이러한 실험 결과로 볼 때 염기성 물질인 암모니아가 원래 오줌 속에 들어 있다고 보기는 어렵다. 오줌에 암모니아가 들어 있다고 해도 이 실험 결과로 확인할 수 없다.

02 콩즙 속에 들어 있는 효소는 유레이스이다. 유레이스는 요소를 암모니아와 이산화 탄소(CO_2)로 분해한다.

03 콩을 삶으면 콩 속에 들어 있는 효소가 변성되어 요소를 분해하지 못하므로 암모니아가 생성되지 않는다. 따라서 날콩 대신 삶은 콩으로 만든 콩즙을 사용하면 비커 B와 D에서 콩즙을 넣은 지 10분이 지나도 용액의 색깔은 변하지 않고 콩즙을 넣기 전과 같게 유지될 것이다.

탐구 확인 문제 1권 75쪽

01 ㄹ
02 식사 전: 높아진다. 식사 후: 낮아진다.
03 4회

01 ㄹ. 대정맥에는 온몸을 돌면서 조직 세포로부터 이산화 탄소를 받아 온 혈액이 흐르고, 대동맥에는 폐에서 이산화 탄소를 내보낸 혈액이 흐르므로, 혈액 속 이산화 탄소 농도는 대동맥보다 대정맥에서 높다.

바로 알기 ㄱ. 간에서 암모니아가 요소로 전환되어 혈액으로 방출되므로, 혈액이 간을 통과하면 요소 농도가 높아진다.
ㄴ. 콩팥에서는 혈액 속 요소를 걸러 내어 오줌으로 배출하므로, 혈액이 콩팥을 통과하면 요소 농도가 낮아진다.
ㄷ. 온몸을 돌고 온 혈액은 폐동맥을 통해 폐로 들어가서 폐에서 산소를 공급받고 폐정맥으로 나온다. 따라서 혈액 속 산소 농도는 폐동맥보다 폐정맥에서 높다.

02 식사 전 공복 상태일 때는 간에서 글리코젠을 포도당으로 분해하여 혈액으로 방출하고, 식사 후에는 간에서 혈액이 운반해 온 포도당의 일부를 글리코젠으로 합성하여 저장한다. 따라서 소장에서 간으로 이동한 혈액이 식사 전에 간을 통과하면 혈당량이 높아지고, 식사 후에 간을 통과하면 혈당량이 낮아진다.

03 팔 부위의 조직 세포에서 세포 호흡 결과 생성된 암모니아는 간으로 가서 요소로 전환된 후 콩팥에서 걸러져 오줌으로 배설되며, 그 경로는 다음과 같다. 따라서 심장을 최소 4회 거친다.
조직 세포 → 대정맥 → 심장 → 폐동맥 → 폐 → 폐정맥 → 심장 → 대동맥 → 간(암모니아가 요소로 전환) → 대정맥 → 심장 → 폐동맥 → 폐 → 폐정맥 → 심장 → 대동맥 → 콩팥

집중 분석 1권 76쪽

유제 ㄱ

유제 영양소를 흡수하는 (가)는 소화계, 오줌을 배출하는 (나)는 배설계, 산소(O_2)와 이산화 탄소(CO_2)의 교환이 일어나는 (다)는 호흡계, 기관계와 조직 세포 사이에서 물질을 운반하는 (라)는 순환계이다.
ㄱ. (가) 소화계에서 일어나는 소화는 이화 작용에 해당한다.

바로 알기 ㄴ. 콩팥은 (나) 배설계에 속하지만, 간은 (가) 소화계에 속한다.
ㄷ. 조직 세포에서 생성된 질소 노폐물은 ㉡ 방향으로 이동하여 (라) 순환계에 의해 (나) 배설계로 이동한다.

개념 모아 정리하기 1권 77쪽

❶ 세포 호흡 ❷ 영양소 ❸ 산소 ❹ 포도당
❺ 모노글리세리드 ❻ 모세 혈관 ❼ 암죽관
❽ 암모니아 ❾ 요소 ❿ 날숨 ⓫ 단백질
⓬ 암모니아 ⓭ 요소 ⓮ 순환계 ⓯ 배설계

개념 기본 문제 1권 78쪽~79쪽

01 (1) 영양소, 산소 (2) 이산화 탄소, 물, 질소 노폐물 (3) (가) 호흡계, (나) 배설계, (다) 순환계, (라) 소화계 (4) 간-(라), 폐-(가), 심장-(다), 콩팥-(나) **02** ㄱ, ㄴ **03** (1) ㉠ 물(H_2O), ㉡ 암모니아(NH_3), ㉢ 요소 (2) 폐: 날숨, 콩팥: 오줌 **04** (1) A: 간, B: 심장, C: 폐, D: 콩팥 (2) ㄴ, ㄷ **05** (1) A: 소화계, B: 배설계 (2) ㉡, 폐정맥 (3) (가) 2회, (나) 1회 **06** (1) < (2) > (3) < (4) <, > **07** (1) 요소 (2) (가) ㄴ, (나) ㄷ, (다) ㄹ, (라) ㄱ **08** (1) (가) 소화계, (나) 호흡계, (다) 배설계 (2) 이산화 탄소(CO_2), 물(H_2O), 암모니아(NH_3) (3) 요소, 간

01 (1) 조직 세포로 공급되는 영양소와 산소가 세포 호흡에 필요한 물질이다.
(2) 조직 세포에서 내보내는 이산화 탄소, 물, 질소 노폐물은 세포 호흡 결과 생성되어 몸 밖으로 배출되어야 할 노폐물이다.
(3) 산소와 이산화 탄소 교환이 일어나는 (가)는 호흡계, 과잉의 물과 질소 노폐물을 몸 밖으로 내보내는 (나)는 배설계, 영양소를 흡수하는 (라)는 소화계이다. 그리고 기관계와 조직 세포 사이에서 물질을 운반하는 (다)는 순환계이다.
(4) 간은 쓸개즙을 생성하여 소화에 관여하므로 소화계(라)에 속한다. 폐는 호흡계(가), 심장은 순환계(다), 콩팥은 배설계(나)에 각각 속한다.

02 ㄱ. 산소는 호흡계에서 흡수된 후 순환계에 의해 조직 세포로 운반된다.

ㄴ. 영양소는 소화계에서 흡수된 후 순환계에 의해 조직 세포로 운반된다.

바로 알기 ㄷ. 순환계가 작용하지 못하면 소화계와 호흡계에서 흡수된 영양소와 산소가 조직 세포에 공급되지 못하고, 조직 세포에서 생성된 이산화 탄소, 물, 질소 노폐물이 호흡계와 배설계로 운반되지 못하여 이산화 탄소, 물, 질소 노폐물 등을 몸 밖으로 내보내지 못한다.

03 (1) 지방산, 글리세롤, 포도당이 세포 호흡으로 분해되면 이산화 탄소(CO_2)와 물(H_2O)이 생성되며, 물(H_2O)은 폐와 콩팥을 통해 몸 밖으로 배출된다. 따라서 ㉠은 물(H_2O)이다. 아미노산이 세포 호흡으로 분해되면 이산화 탄소(CO_2), 물(H_2O)과 함께 질소 노폐물인 암모니아(NH_3)가 생성되며, 암모니아는 간에서 요소로 전환된 후 콩팥을 통해 몸 밖으로 배출된다. 따라서 ㉡은 암모니아(NH_3), ㉢은 요소이다.

(2) 폐에서는 날숨으로 이산화 탄소(CO_2)와 물(H_2O)을 배출하고, 콩팥에서는 오줌으로 요소와 물(H_2O)을 배출한다.

04 (2) ㄴ. (나) 순환계는 혈액을 순환시켜 물질을 몸의 각 부위로 운반하는 작용을 한다.

ㄷ. (다) 호흡계에서는 기체 교환이 일어나 산소(O_2)를 몸속으로 흡수하고 이산화 탄소(CO_2)를 몸 밖으로 내보낸다.

바로 알기 ㄱ. 이자는 이자액을 생성·분비하여 소화에 관여하므로 (가) 소화계에 속한다.

ㄹ. (가) 소화계에서 흡수되지 않은 물질은 항문을 통해 대변으로 배출된다. (라) 배설계를 통해 몸 밖으로 배출되는 물질은 물질대사 결과 생성된 질소 노폐물과 과잉의 물이다.

05 (1) 간(A)은 소화계, 콩팥(B)은 배설계에 속한다.

(2) ㉠은 심장에서 나와 폐로 가는 혈액이 흐르는 폐동맥이고, ㉡은 폐에서 나와 심장으로 들어가는 혈액이 흐르는 폐정맥이다. 폐에서 산소(O_2)가 흡수되므로 ㉠과 ㉡ 중 단위 부피당 산소(O_2)의 양이 더 많은 혈액이 흐르는 혈관은 ㉡ 폐정맥이다.

(3) (가) 소장 융털에서 흡수된 포도당이 다리 근육으로 운반되는 최단 경로는 다음과 같다.

소장 융털의 모세 혈관 → 간 → 대정맥 → 심장(우심방 → 우심실) → 폐동맥 → 폐 → 폐정맥 → 심장(좌심방 → 좌심실) → 대동맥 → 다리 근육

(나) 폐에서 흡수된 산소(O_2)가 다리 근육으로 운반되는 최단 경로는 다음과 같다.

폐의 모세 혈관 → 폐정맥 → 심장(좌심방 → 좌심실) → 대동맥 → 다리 근육

따라서 소장 융털에서 흡수된 포도당과 폐에서 흡수된 산소(O_2)가 다리 근육으로 운반되기까지 심장을 각각 최소 2회와 1회 지나간다.

06 (1) 폐에서 산소(O_2)가 흡수되므로 혈액의 단위 부피당 산소(O_2) 양은 ㉠과 ㉡ 중 ㉡이 더 많다(㉠<㉡).

(2) 폐에서 이산화 탄소(CO_2)가 배출되므로 혈액의 단위 부피당 이산화 탄소(CO_2) 양은 ㉠과 ㉡ 중 ㉠이 더 많다(㉠>㉡).

(3) 식사 전 공복 시에는 간에서 글리코젠이 포도당으로 분해되어 방출되므로 혈당량은 ㉢과 ㉣ 중 ㉣이 더 높다(㉢<㉣).

(4) 간에서 암모니아가 요소로 전환되어 혈액으로 방출되므로 혈액의 요소 농도는 ㉢과 ㉣ 중 ㉣이 더 높다(㉢<㉣). 한편, 콩팥에서 혈액 속 요소를 걸러 내어 오줌으로 배출하므로 혈액의 요소 농도는 ㉤과 ㉥ 중 ㉤이 더 높다(㉤>㉥).

07 (1) 세포 호흡 결과 생성된 암모니아는 간에서 요소(㉠)로 전환된 후 콩팥으로 이동하여 오줌으로 배출된다.

(2) 간에서 암모니아로부터 생성된 요소(㉠)가 콩팥으로 이동하는 경로는 다음과 같다.

간 → (가) 대정맥 → 심장 → (나) 폐동맥 → 폐 → (다) 폐정맥 → 심장 → (라) 대동맥 → 콩팥

08 (1) 단백질과 같은 영양소를 소화·흡수하는 (가)는 소화계, 산소(O_2)와 이산화 탄소(CO_2)의 교환이 일어나는 (나)는 호흡계, 질소 노폐물과 과잉의 물을 배출하는 (다)는 배설계이다.

(2) 조직 세포에서 단백질이 세포 호흡에 이용되면 이산화 탄소(CO_2), 물, 암모니아가 생성되어 순환계로 이동한다.

(3) (다) 배설계에서 몸 밖으로 배출되는 주요 질소 노폐물은 요소이며, 이것은 간에서 암모니아가 전환된 것이다.

개념 적용 문제

1권 80쪽~85쪽

01 ④	02 ②	03 ②	04 ④	05 ②	06 ⑤
07 ②	08 ③	09 ②	10 ②	11 ①	12 ④

01 ① 쓸개즙과 이자액 같은 소화액을 생성하는 간과 이자는 소화계(B)에 속한다.

② 산소는 폐를 포함한 호흡계(C)에서 흡수되어 몸속으로 들어온다.

③ 소화계(B)에서 흡수된 영양소는 순환계(A)에 의해 조직 세포로 운반된다.

⑤ 조직 세포에서 세포 호흡으로 생성된 이산화 탄소는 순환계(A)에 의해 호흡계(C)로 운반되어 날숨의 형태로 몸 밖으로 배출된다.

바로 알기 ④ 암모니아는 소화계(B)에 속하는 간에서 요소로 전환된다.

02 녹말은 (가) 소화계에서 포도당으로 소화된 다음 흡수되고, O_2는 (나) 호흡계에서 흡수된다. 소화계와 호흡계에서 흡수된 포도당과 O_2는 (다) 순환계에 의해 조직 세포로 운반되어 공급된다.

ㄴ. 조직 세포로 공급된 포도당과 O_2는 세포 호흡에 이용되는데, 세포 호흡은 주로 미토콘드리아에서 일어나므로 호흡계에서 흡수된 O_2는 결국 미토콘드리아에서 소비되는 것이다.

바로 알기 ㄱ. (가) 소화계에서 녹말은 아밀레이스에 의해 엿당으로 소화된 후 다시 말테이스에 의해 포도당으로 소화되어 흡수된다.

ㄷ. O_2는 폐포에서 모세 혈관으로 확산하여 이동하며, 확산이 일어날 때에는 ATP 에너지가 쓰이지 않는다.

03 ㄷ. 세포 호흡에 필요한 물질은 산소와 영양소이다. 산소는 호흡계에서 흡수된 후 순환계에 의해 조직 세포로 공급된다. 영양소는 소화계에서 흡수된 후 순환계에 의해 조직 세포로 공급된다.

바로 알기 ㄱ. 세포 호흡으로 방출된 에너지의 일부는 ATP에 저장되었다가 ATP가 분해되면서 방출되어 생활 에너지로 이용된다.

ㄴ. 조직 세포에서 세포 호흡 결과 이산화 탄소, 물, 질소 노폐물이 생성된다. 이 중에서 이산화 탄소는 호흡계를 통해 날숨 형태로 배출된다. 물은 몸속에서 이용되거나 남는 것은 배설계를 통해 오줌 형태로 배출된다. 질소 노폐물인 암모니아는 간에서 요소로 전환된 후 배설계를 통해 오줌 형태로 배출된다.

04 세포 호흡에 필요한 물질(영양소와 산소)의 공급에 관여하는 것은 소화계, 호흡계, 순환계이므로 (라)는 배설계이다. 소화계, 호흡계, 순환계 중 산소의 공급에 관여하는 것은 호흡계와 순환계이므로 (다)는 소화계이다. 호흡계와 순환계 중 세포 호흡에 필요한 산소를 흡수하는 것은 호흡계이므로 (가)는 호흡계, (나)는 순환계이다.

ㄴ. 소장은 소화계(다)에 속한다.

ㄹ. 세포 호흡 결과 생성된 이산화 탄소와 물은 호흡계(가)를 통해 날숨 형태로 배출되고, 질소 노폐물과 과잉의 물은 배설계(라)를 통해 오줌 형태로 배출된다.

바로 알기 ㄱ. (가)는 호흡계이다.

ㄷ. 암모니아를 요소로 전환하는 기관은 간이며, 간은 소화계(다)에 속한다.

05 ㄴ. (가)에서는 폐포와 모세 혈관 사이에서 확산에 의해 산소와 이산화 탄소의 교환이 일어나고, (나)에서는 모세 혈관과 조직 세포 사이에서 확산에 의해 산소와 이산화 탄소의 교환이 일어난다.

바로 알기 ㄱ. 폐에서 몸 밖으로 배출되는 A는 이산화 탄소이고, 폐에서 몸속으로 흡수되는 B는 산소이다.

ㄷ. (가)와 같이 폐에서 일어나는 기체 교환을 외호흡이라 하고, (나)와 같이 조직에서 일어나는 기체 교환을 내호흡이라고 한다.

06 세포 호흡을 통해 아미노산이 산소(㉠)와 반응하여 완전히 분해되면 이산화 탄소, 물, 암모니아가 생성된다. 생성된 물질 중 날숨과 오줌을 통해 몸 밖으로 배출되는 물질 ㉢은 물이고, 질소를 포함한 물질 ㉣은 암모니아이다. 따라서 ㉡은 이산화 탄소이다.

ㄱ. 폐에서는 확산에 의해 산소(㉠)와 이산화 탄소(㉡)의 교환이 일어난다.

ㄴ. 독성이 강한 암모니아(㉣)는 간에서 비교적 독성이 약한 요소로 전환된다.

ㄷ. 세포 호흡에서 방출된 에너지 일부를 저장하여 생명 활동에 공급하는 물질 ㉤은 ATP이다. ATP는 질소를 포함한 염기(아데닌), 당(리보스), 인을 포함한 인산기로 구성되어 있다.

07 ㄱ. 포도당과 같은 수용성 영양소는 융털의 모세 혈관(가)으로 흡수된다. (나)는 지용성 영양소가 흡수되는 암죽관이다.

ㄷ. 암모니아를 요소로 전환시키는 A는 간이다. 간에서는 쓸개즙이 만들어진다.

바로 알기 ㄴ. 지방(㉡)은 세포 호흡을 통해 분해된 결과 물과 이산화 탄소만 생성되므로 질소 성분이 포함되어 있지 않다. 질소 성분이 포함된 물질은 세포 호흡을 통해 분해된 결과 암모니아가 생성되는 아미노산(㉠)이다.

ㄹ. 요소는 콩팥(B)을 통해 배설되고, 이산화 탄소는 폐(C)를 통해 배설된다. 콩팥은 배설계에 속하고, 폐는 호흡계에 속한다.

08 ㄷ. 이산화 탄소는 날숨의 형태로 배설되고, 물은 날숨과 오줌의 형태로 배설된다. 단백질로부터만 생성되는 ㉡은 암모니아이며, 암모니아는 간에서 요소로 전환된 후 오줌의 형태로 배설된다. 따라서 (가)와 (나)에는 각각 날숨과 오줌이 모두 포함된다.

바로 알기 ㄱ. 단백질은 탄소, 수소, 산소, 질소(㉠)로 구성되어 있다.

ㄴ. 단백질이 조직 세포에서 세포 호흡을 통해 분해되면 이산화 탄소, 물, 암모니아(㉡)가 생성된다.

09 ㄴ. 폐에서 O_2가 흡수되므로 단위 부피당 O_2의 양이 가장 많은 혈액은 폐에서 나오는 ㉡이다.

바로 알기 ㄱ. 식사 전 공복 시에는 간에 저장되어 있던 글리코젠이 포도당으로 분해되어 혈액으로 방출된다. 따라서 ⓒ~ⓗ 중 식사 전 공복 시 혈당량이 가장 높은 혈액은 ⓔ이다.
ㄷ. 간에서 암모니아가 요소로 전환되어 혈액으로 방출되므로 요소 농도는 ⓒ보다 ⓔ이 높고, 콩팥에서 요소가 걸러져 오줌으로 배출되므로 요소 농도는 ⓢ보다 ⓞ이 낮다.

10 ㄷ. 혈액의 단위 부피당 CO_2 양은 ㉠~㉣ 중 온몸을 돌고 온 혈액이 흐르는 대정맥(㉠)에서 가장 많다.

바로 알기 ㄱ. 소장 융털의 암죽관으로 흡수된 지용성 영양소는 간(A)을 거치지 않고, 림프관을 통해 이동하다가 혈액에 실려 심장으로 이동한다.
ㄴ. 암모니아는 간(A)에서 요소로 전환된 후 콩팥(B)에서 걸러져 오줌의 성분이 되어 배출된다.

11 ㄱ. 폐를 구성하는 폐포에서 들숨(외부 공기)과 모세 혈관의 혈액 사이에 기체 교환이 일어난다. 따라서 폐에서 외부 환경과 혈액 간의 기체 교환이 일어난다고 할 수 있다.

바로 알기 ㄴ. 소화계에서 흡수되지 않은 물질은 항문을 통해 대변으로 배출된다.
ㄷ. 조직 세포에서 세포 호흡 결과 생성된 질소 노폐물은 암모니아이다. 암모니아는 간에서 요소로 전환된 후 콩팥으로 이동하여 오줌으로 배출된다.

12 ㄴ. 영양소를 흡수하는 (가)는 소화계이고, 소화계에 속하는 간에서 암모니아가 요소로 전환되어 혈액으로 방출된다. 따라서 (가)에서 순환계로 이동하는 ㉠에 요소의 이동이 포함된다.
ㄷ. (나) 배설계에 속하는 콩팥에서 오줌이 생성되는 과정 중에 수분의 재흡수가 일어난다.

바로 알기 ㄱ. 콩팥은 혈액 속의 질소 노폐물을 걸러 내어 오줌으로 배출시키므로, (나) 배설계에 속한다.

03 물질대사와 건강

탐구 확인 문제 1권 93쪽

01 (1) 2450 kcal (2) 에너지 섭취량을 줄여야 한다.

01 (1) 영희의 1일 에너지 섭취량은 다음과 같이 계산한다.
$300 \times 5 + 100 \times 2 + 15 \times 6 + (50 + 125 + 45) \times 3$
$= 2450(\text{kcal})$
(2) 영희의 키와 체중은 한국 청소년 체위 기준에 해당한다. 따라서 영희의 1일 에너지 섭취 기준은 약 2000 kcal이므로 영희의 1일 에너지 섭취량 2450 kcal는 1일 에너지 섭취 기준보다 많다. 이러한 에너지 섭취를 지속하면 영희는 체중이 증가하여 비만에 이를 수 있으므로 에너지 섭취량을 에너지 섭취 기준에 맞춰 줄여야 건강을 유지할 수 있다.

개념 모아 정리하기 1권 95쪽

❶ 영양 부족 ❷ 영양 과다 ❸ 에너지 균형 ❹ 기초 대사량
❺ 1일 대사량 ❻ 물질대사 ❼ 비만 ❽ 당뇨병
❾ 이상 지혈증 ❿ 동맥 경화증 ⓫ 협심증 ⓬ 심근 경색
⓭ 뇌졸중 ⓮ 뇌경색 ⓯ 뇌출혈

개념 기본 문제 1권 96쪽~97쪽

01 (1) (가) 영양 부족, (나) 영양 과다 (2) (가) 감소한다, (나) 증가한다. **02** (1) 1일 대사량(또는 1일 에너지 소비량) (2) 활동 대사량 (3) 식품 이용을 위한 에너지 소비량 (4) 기초 대사량 **03** 기초 대사량 **04** ㄱ, ㄷ **05** ㄱ, ㄷ, ㄹ **06** ㄱ, ㄴ, ㄷ **07** 과체중 **08** (1) 표준 체중: 56.32 kg, 상대 체중: 약 106.5, 비만도: 정상 (2) 표준 체중: 53.76 kg, 상대 체중: 약 111.6, 비만도: 과체중 **09** ㄱ, ㄴ **10** ㄱ, ㄷ, ㄹ, ㅁ **11** (1) 중성 지방, 콜레스테롤 (2) 혈전 (3) 심근 경색, 뇌경색 **12** (1) 뇌출혈 (2) 뇌경색 (3) 심근 경색 (4) 협심증

01 (1) (가)와 같이 에너지 섭취량이 에너지 소비량보다 적은 상태를 영양 부족이라 하고, (나)와 같이 에너지 섭취량이 에너지 소비량보다 많은 상태를 영양 과다라고 한다.
(2) (가)와 같은 영양 부족 상태가 지속되면 몸을 구성하는 단백질이나 지방을 분해하여 에너지를 얻으므로 체중이 감소한다. 반면, (나)와 같은 영양 과다 상태가 지속되면 남은 영양소가 주로 지방의 형태로 저장되므로 체중이 증가한다.

02 (1) 사람이 하루 동안 소비하는 에너지양을 1일 대사량(또는 1일 에너지 소비량)이라고 한다.
(2) 각종 활동을 하는 데 소비하는 에너지양을 활동 대사량이라고 한다.
(3) 섭취한 음식물을 소화·흡수하고 체내에서 이동·대사·저장하는 데에도 에너지가 소비되는데, 이 에너지양을 식품 이용을 위한 에너지 소비량이라고 한다.
(4) 기본적인 생명 유지 활동에 소비되는 최소한의 에너지양을 기초 대사량이라고 한다.

03 1일 대사량은 기초 대사량, 활동 대사량, 식품 이용을 위한 에너지 소비량을 합한 값이다.

04 ㄱ. 철수의 기초 대사량은 $60\times1\times24=1440$(kcal)이고, 영희의 기초 대사량은 $60\times0.9\times24=1296$(kcal)이다. 따라서 철수가 영희보다 기초 대사량이 크다.

ㄷ. 철수와 영희의 기초 대사량 차이는 $1440-1296=144$(kcal)이다.

바로 알기 ㄴ. 영희의 기초 대사량은 1296 kcal이므로 1300 kcal보다 작다.

05 대사성 질환으로는 비만, 당뇨병, 고혈압, 이상 지혈증(또는 고지혈증) 등이 있다. 동맥 경화증, 협심증, 심근 경색, 뇌졸중과 같은 심혈관계 질환도 대사성 질환에 해당된다.

바로 알기 ㄴ. 대사성 질환은 주로 영양 과다 상태가 지속되어 발생하므로 저혈압이 아니라 고혈압이 해당된다.

06 기준치 이상의 허리둘레, 혈압, 공복 혈당, 혈중 중성 지방, 기준치 미만의 혈중 HDL 콜레스테롤 중 세 가지 이상에 해당되면 대사 증후군으로 진단한다.

바로 알기 ㄹ. 혈중 HDL 콜레스테롤은 기준치보다 낮은 경우가 대사 증후군 진단 기준에 해당된다.

07 키가 170 cm(1.7 m)이고 체중이 70 kg인 사람은 BMI가 $\frac{70}{1.7\times1.7}\fallingdotseq24.2$이므로 과체중으로 판정된다.

08 (1) 철수의 표준 체중은 $1.6\times1.6\times22=56.32$(kg), 상대 체중은 $\frac{60}{56.32}\times100\fallingdotseq106.5$이므로 비만도는 정상이다.

(2) 영희의 표준 체중은 $1.6\times1.6\times21=53.76$(kg), 상대 체중은 $\frac{60}{53.76}\times100\fallingdotseq111.6$이므로 비만도는 과체중이다.

09 ㄱ. 제2형 당뇨병은 주로 비만에 의해 인슐린 저항성이 증가하여 발생하는 대사성 질환의 한 종류이다.

ㄴ. 제2형 당뇨병은 인슐린 수용체 이상 등으로 인슐린 저항성이 증가하여 발생하므로, 인슐린을 주사하여도 대부분 효과가 없다.

바로 알기 ㄷ. 이자에서 인슐린이 적게 분비되어 발생하는 것은 인슐린 분비 세포가 파괴되어 발생하는 제1형 당뇨병이다.

10 심혈관계 질환은 심장과 주요 동맥에 발생하는 질환으로, 동맥 경화증, 심장 질환인 협심증과 심근 경색, 뇌혈관 질환, 즉 뇌졸중인 뇌경색과 뇌출혈 등이 있다.

바로 알기 ㄴ. 당뇨병은 대사성 질환이지만 심혈관계 질환은 아니다.

11 (1) 동맥 경화증은 동맥 안쪽 벽에 콜레스테롤과 중성 지방 등이 쌓여 (가)와 같이 동맥이 좁아져 발생한다.

(2) 좁아진 혈관을 막히게 하는 A는 혈관 속에서 혈액이 응고해서 생긴 덩어리인 혈전이다.

(3) 동맥 경화로 좁아진 관상 동맥이 혈전에 의해 막혀 심근 경색이 발생하고, 동맥 경화로 좁아진 뇌혈관이 혈전에 의해 막혀 뇌경색이 발생한다.

12 (1) 뇌에 있는 가는 혈관이 터져 뇌 속에 혈액이 고여 발생하는 질환은 뇌출혈이다.

(2) 뇌혈관이 막혀 뇌에 산소와 영양소가 공급되지 않아 뇌 조직이 괴사하는 질환은 뇌경색이다.

(3) 관상 동맥이 막혀 심장 근육에 산소와 영양소가 공급되지 않아 심장 근육이 괴사하는 질환은 심근 경색이다.

(4) 관상 동맥이 좁아져 심장 근육에 산소와 영양소가 적게 공급되어 가슴을 조이는 듯한 통증을 느끼는 질환은 협심증이다.

개념 적용 문제

1권 98쪽~100쪽

01 ④ **02** ① **03** ② **04** ② **05** ① **06** ①

01 ㄴ. 나이가 같을 경우 체표면적당 평균 기초 대사량은 남자가 여자보다 크다. 따라서 체표면적이 같다면 기초 대사량은 남자가 여자보다 크다.

ㄷ. 체표면적이 $1.5m^2$인 20세 남자의 1일 기초 대사량은 $41(kcal/m^2\cdot h)\times1.5(m^2)\times24(h)=1476$(kcal)로, 1200 kcal보다 크다.

바로 알기 ㄱ. 체표면적당 평균 기초 대사량은 5세 아이가 10세 아이보다 조금 크지만, 10세 아이의 몸집이 5세 아이보다 훨씬 크므로 10세 아이가 체표면적이 넓다. 따라서 1일 기초 대사량은 10세 아이가 5세 아이보다 클 것이다.

02 1일 대사량은 철수가 $1.7\times1.7\times22\times35=2225.3$(kcal)이고, 영희가 $1.7\times1.7\times21\times35=2124.15$(kcal)이다. 그리고 1일 에너지 섭취량은 철수가 $300\times3+100\times5+15\times1+45\times6+125\times3+50\times2=2160$(kcal)이고, 영희가 $300\times2+100\times5+15\times6+45\times6+125\times3+50\times7=2185$(kcal)이다.

ㄱ. 영희의 1일 에너지 섭취량은 2185 kcal로 1일 대사량인 2124.15 kcal보다 많으므로, 영희는 1일 대사량보다 많은 에너지를 섭취하고 있다고 볼 수 있다.

바로 알기 ㄴ. 철수의 1일 에너지 섭취량은 2160 kcal로 1일 대사량인 2225.3 kcal보다 적으므로, 이와 같은 에너지 섭취를 지속할 경우 체중이 증가할 가능성은 없다.
ㄷ. 철수는 곡류에서 900(=300×3) kcal, 유지 · 당류에서 270(=45×6) kcal를 섭취하고 있으며, 영희는 곡류에서 600(=300×2) kcal, 유지 · 당류에서 270(=45×6) kcal를 섭취하고 있다. 따라서 두 사람 모두 유지 · 당류에서보다 곡류에서 에너지를 더 많이 섭취하고 있다.

03 대사성 질환은 과다한 영양 섭취와 운동 부족 등 잘못된 생활 습관으로 영양 과다 상태가 지속된 결과 물질대사에 이상이 생겨 발생한다.

바로 알기 A: 넓은 의미로는 대사성 질환에 유전자 이상으로 발생하는 선천성 대사성 질환도 포함되지만, 대사성 질환은 일반적으로 비만과 이로 인해 유발되는 각종 성인병을 말한다.
C: 대사성 질환으로는 당뇨병, 고혈압, 이상 지혈증 그리고 심혈관계 질환 등이 있으며, 저혈압은 이에 해당하지 않는다.

04 ㄴ. 상대 체중은 '표준 체중에 대한 현재 체중의 백분율'인데, 표준 체중은 키가 같더라도 남녀에 따라 다르다. 따라서 상대 체중에 따른 비만도 판정은 성별을 고려한 방법이다. 그러나 체질량 지수(BMI)는 남녀 모두 $\frac{\text{체중(kg)}}{\text{키(m)} \times \text{키(m)}}$으로 계산하므로, 체질량 지수(BMI)에 따른 비만도 판정은 성별을 고려하지 않는 방법이다.

바로 알기 ㄱ. 표준 체중 계산식이 남자는 '키(m)×키(m)×22', 여자는 '키(m)×키(m)×21'이므로, 키가 같을 경우 표준 체중은 남자가 여자보다 크다. 따라서 상대 체중, 즉 $\frac{\text{현재 체중(kg)}}{\text{표준 체중}} \times 100$은 체중과 키가 같으면 표준 체중이 적게 나가는 여자가 남자보다 크다.
ㄷ. 키가 160 cm이고, 체중이 70 kg인 남자는 체질량 지수(BMI)가 $\frac{70}{1.6 \times 1.6} \fallingdotseq 27.3$이고, 상대 체중은 $\frac{70}{1.6 \times 1.6 \times 22} \times 100 \fallingdotseq 124.3$이다. 따라서 이 남자는 체질량 지수(BMI)와 상대 체중을 기준으로 할 때 모두 비만으로 판정된다.

05 ㄱ. 세포 A는 세포 표면에 인슐린 수용체가 있어 인슐린의 작용을 받아 포도당을 흡수하는 간세포나 근육 세포이다.
ㄷ. 제1형 당뇨병은 인슐린 분비 세포가 파괴되어 인슐린 분비가 저하됨으로써 발생한다.

바로 알기 ㄴ. 혈액 속의 포도당이 세포 A로 흡수되면 혈당량은 감소한다.
ㄹ. 제1형 당뇨병은 인슐린 부족으로 발생하므로 환자에게 인슐린을 주사하면 혈당량을 낮추는 효과가 크다. 그러나 인슐린 수용체 이상으로 발생하는 제2형 당뇨병은 환자에게 인슐린을 주사하더라도 대부분 효과가 작다.

06 ㄱ. 혈관 A는 심장 근육에 산소와 영양소를 공급하는 관상 동맥이다.

바로 알기 ㄴ. 좁아진 혈관 A를 막히게 하는 B는 혈구와 섬유소 등이 엉겨 형성된 덩어리인 혈전이다. 혈액의 액체 성분인 혈장은 응고되지 않는다.
ㄷ. (나)와 같이 관상 동맥이 혈전에 의해 막혀 심장 근육에 혈액이 공급되지 않아 심장 근육이 괴사된 상태를 심근 경색이라고 한다. 협심증은 (가)와 같이 관상 동맥이 좁아져 심장 근육에 산소와 영양소가 적게 공급되어 가슴을 조이는 듯한 통증을 일으키는 질환이다.

통합 실전 문제

1권 102쪽~105쪽

01 ③	02 ④	03 ④	04 ①	05 ③	06 ③
07 ③	08 ①				

01 ㄱ. 세포에서 일어나는 물질대사에는 모두 효소가 관여한다.
ㄴ. (가)는 포도당, 아미노산, 지방산, 글리세롤을 더 작고 간단한 이산화 탄소와 물 등으로 분해하는 과정이므로 이화 작용이다. (나)는 단당류, 아미노산, 지방산과 글리세롤을 더 크고 복잡한 다당류, 단백질, 지방으로 합성하는 과정이므로 동화 작용이다.

바로 알기 ㄷ. (가)는 포도당, 아미노산, 지방산, 글리세롤을 분해하여 에너지를 방출하는 세포 호흡 과정이다. 세포 호흡 결과 이산화 탄소, 물, 암모니아(ⓒ)가 생성되며, 이 과정에서 방출된 에너지는 ATP(㉠)에 저장되었다가 (나)와 같은 물질 합성 등에 이용된다.

02 ㄴ. 세포 호흡에서 방출된 에너지 중 일부는 ADP와 무기 인산(P_i)을 결합시켜 ATP를 합성하는 데 사용된다. 따라서 ㉢은 ATP, ㉣은 ADP이며, ㉢ ATP는 ㉣ ADP보다 에너지를 더 많이 저장하고 있다.
ㄷ. 생장에 필요한 물질을 합성할 때 ATP의 화학 에너지는 합성된 물질의 화학 에너지로 전환되어 저장된다.

바로 알기 ㄱ. 세포 호흡 과정에서 포도당을 분해하는 데 필요한 ㉠은 O_2이고, 세포 호흡 결과 생성된 ㉡은 CO_2이다. O_2는 호흡계에 의해 몸속으로 흡수되고, CO_2는 호흡계에 의해 몸 밖으로 배출된다.
ㄹ. ATP의 에너지가 능동 수송에 사용되는 경우에는 ATP의 화학 에너지가 기계적 에너지로 전환된다.

03 효모는 산소가 있을 때에는 산소 호흡으로 포도당을 이산화 탄소와 물로 분해하여 ATP를 생성하고, 산소가 없을 때에는 알코올 발효로 포도당을 이산화 탄소와 에탄올로 분해하여 ATP를 생성한다. 따라서 세포 호흡 결과 물, 이산화 탄소, ATP가 생성된 Ⅱ가 산소 호흡이고, Ⅰ이 알코올 발효이다.

ㄱ. Ⅰ이 알코올 발효이므로, 물질 X는 에탄올이다.
ㄷ. 산소 호흡(Ⅱ)은 주로 미토콘드리아에서 일어난다.
ㄹ. 알코올 발효에서는 포도당이 많은 에너지를 저장하고 있는 에탄올로 분해되므로 생성되는 ATP의 양은 산소 호흡인 Ⅱ에서가 알코올 발효인 Ⅰ에서보다 많다.

바로 알기 ㄴ. Ⅰ은 산소 없이 포도당을 분해하는 알코올 발효이므로, 산소가 필요 없다.

04 ㄱ. 폐에서 산소가 흡수되므로 혈액의 산소 농도는 (가)와 (나) 중 폐를 지나온 혈액이 흐르는 (나)에서가 더 높다.

바로 알기 ㄴ. 간에서 암모니아가 요소로 전환되어 혈액으로 방출되므로 혈액의 요소 농도는 (다)와 (라) 중 간에서 나오는 혈액이 흐르는 (다)에서가 더 높다. 또, 요소는 콩팥에서 걸러져 배출되므로 혈액의 요소 농도는 (바)와 (사) 중 콩팥으로 들어가는 혈액이 흐르는 (사)에서가 더 높다.
ㄷ. 소장에서 흡수되는 영양소가 없는 공복 상태일 때에는 간에서 저장하고 있던 글리코젠을 포도당으로 분해하여 혈액으로 방출한다. 따라서 (가)~(사) 중 공복 혈당이 가장 높은 혈액이 흐르는 혈관은 간에서 나오는 혈액이 흐르는 (다)이다.

05 ㄱ. 호흡계에서 흡수되어 세포로 공급되는 (가)는 산소이다. 산소는 주로 적혈구에 의해 운반된다.
ㄴ. 세포 호흡 결과 생성되어 호흡계로 운반되는 (나)는 이산화 탄소이다. 심한 운동을 하면 호흡이 빨라지므로 단위 시간당 폐에서 배출되는 이산화 탄소(나)의 양이 증가한다.
ㄷ. 소화계에서 흡수되어 세포로 공급되는 (다)는 포도당이다. 혈액 속 포도당(다)의 농도가 정상치보다 높아지면 혈당량을 낮추는 호르몬인 인슐린의 분비가 증가한다.

바로 알기 ㄹ. 세포 호흡을 통해 포도당(다)에 저장되어 있던 에너지가 방출되어 일부가 ATP에 저장되고 나머지는 열로 방출된다.

06 협심증, 뇌경색, 뇌출혈, 심근 경색 중 동맥 경화로 좁아진 혈관이 갑자기 막혀 발생하는 질환은 뇌경색과 심근 경색이다. 뇌경색과 심근 경색 중 관상 동맥이 막혀 발생하는 질환 (가)는 심근 경색이고, 따라서 (나)는 뇌경색이다. 한편, 협심증과 뇌출혈 중 혈관이 터져 발생하는 질환 (다)는 뇌출혈이고, 따라서 (라)는 협심증이다.
ㄱ. 심장 질환인 협심증과 심근 경색, 뇌혈관 질환인 뇌경색과 뇌출혈은 모두 비만으로 인해 발생하는 대사성 질환에 속한다.
ㄴ. 뇌혈관이 막히거나 터져서 뇌 손상이 발생하는 뇌졸중은 뇌경색(나)과 뇌출혈(다)로 구분된다.

바로 알기 ㄷ. (다) 뇌출혈은 뇌혈관 질환이다. (가) 심근 경색과 (라) 협심증이 대표적인 심장 질환이다.

07 C: 흡연은 심혈관계 질환의 주요 위험 요인이므로 대사성 질환을 예방하기 위해서는 반드시 금연해야 한다. 또, 과도한 음주(알코올 섭취)는 복부 비만을 일으키고 혈압을 상승시키므로 피해야 한다. 그리고 스트레스 호르몬도 복부 비만을 유발하므로 스트레스를 받지 않도록 조절하고, 충분한 수면과 휴식을 취해야 한다.

바로 알기 A: 고탄수화물, 고지방 등 고열량 식품은 대사성 질환을 일으키는 비만의 원인이 되므로 적절하게 섭취해야 한다.
B: 대사성 질환을 예방하기 위해서는 유산소 운동 위주로 규칙적인 운동을 하고, 근력 운동을 병행하는 것이 좋다.

08 ㄱ. (가)는 뇌혈관이 막혀 뇌경색이 발생한 상태를 나타낸 것이고, (나)는 뇌혈관이 터져 뇌출혈이 발생한 상태를 나타낸 것이다.

바로 알기 ㄴ. 혈관벽에 쌓인 B로 인해 좁아진 혈관을 막은 A는 적혈구가 항원 항체 반응으로 응집한 것이 아니고, 혈액이 응고해서 생긴 덩어리인 혈전이다.
ㄷ. B는 혈관벽에 혈장 단백질이 아니라 주로 콜레스테롤과 중성 지방이 쌓인 것이다.

사고력 확장 문제

1권 106쪽~109쪽

01 (1) (가)에서는 ADP가 무기 인산(P_i)과 결합하면서 에너지를 흡수하여 ATP로 합성되고, ATP가 ADP와 무기 인산(P_i)으로 분해되면서 에너지를 방출한다. (나)에서는 방전된 건전지가 에너지를 흡수하여 충전된 건전지로 되고, 충전된 건전지는 에너지를 방출하여 방전된 건전지로 된다. 따라서 에너지를 저장하고 있는 충전된 건전지가 ATP에 해당하고, 에너지를 방출하여 방전된 건전지가 ADP에 해당한다고 볼 수 있다.
(2) 이화 작용이 일어날 때에는 물질이 분해되면서 에너지가 방출되고, 동화 작용이 일어날 때에는 에너지가 흡수되어 물질이 합성된다.

모범 답안 (1) ATP는 ADP보다 에너지를 더 많이 저장한 상태이므로, 에너지를 흡수하여 충전된 건전지가 ATP에 해당하고, 에너지를 방출하여 방전된 건전지는 ADP에 해당한다.
(2) 충전은 에너지를 흡수하여 건전지에 저장하는 과정이므로 물질대사 중 에너지를 흡수하여 물질을 합성하는 동화 작용에 해당한다. 방전은 건전지에 저장된 에너지를 방출하는 과정이므로 물질대사 중 물질을 분해하여 에너지를 방출하는 이화 작용에 해당한다.

	채점 기준	배점(%)
(1)	충전된 건전지와 방전된 건전지가 각각 ATP와 ADP에 해당한다는 것과 까닭을 모두 옳게 서술한 경우	50
	충전된 건전지와 방전된 건전지가 각각 ATP와 ADP에 해당한다고만 서술한 경우	20
(2)	충전과 방전이 각각 동화 작용과 이화 작용에 해당한다는 것과 까닭을 모두 옳게 서술한 경우	50
	충전과 방전이 각각 동화 작용과 이화 작용에 해당한다고만 서술한 경우	20

02 조직 세포에서 세포 호흡이 일어나기 위해서는 영양소와 O_2가 조직 세포로 공급되어야 하고, 세포 호흡 결과 생성된 CO_2, 물, 질소 노폐물 등이 제거되어야 한다. 한편, 그림에서 (가)는 영양소를 몸속으로 흡수하므로 소화계이고, (나)는 O_2와 CO_2의 교환이 일어나므로 호흡계이다. (라)는 과잉의 물과 질소 노폐물을 몸 밖으로 내보내므로 배설계이다. 그리고 소화계(가)와 호흡계(나)로부터 영양소와 O_2를 받아 조직 세포로 전달하고, 조직 세포로부터 CO_2와 질소 노폐물을 받아 호흡계(나)와 배설계(라)로 각각 전달하는 (다)는 순환계이다.

모범 답안 (가)는 소화계이며, 세포 호흡에 필요한 영양소를 소화하여 몸속으로 흡수한다. (나)는 호흡계이며, 세포 호흡에 필요한 O_2를 몸속으로 흡수하고 세포 호흡 결과 생성된 CO_2를 몸 밖으로 배출한다. (다)는 순환계이며, 소화계와 호흡계에서 각각 흡수한 영양소와 O_2를 조직 세포로 운반하고, 조직 세포에서 생성된 CO_2, 물, 질소 노폐물을 호흡계와 배설계로 운반한다. (라)는 배설계이며, 세포 호흡 결과 생성된 과잉의 물과 질소 노폐물을 몸 밖으로 배출한다.

채점 기준	배점(%)
(가)~(라)에 해당하는 기관계의 이름과 역할을 모두 옳게 서술한 경우	100
(가)~(라)에 해당하는 기관계의 이름은 모두 옳게 썼지만, 그 역할은 일부만 옳게 서술한 경우	70
(가)~(라)에 해당하는 기관계의 이름과 역할을 모두 일부만 옳게 서술한 경우	40
(가)~(라)에 해당하는 기관계의 이름만 옳게 쓴 경우	30

03 (1) 탄수화물과 지방은 구성 원소가 C, H, O이기 때문에 조직 세포에서 산소(O_2)와 반응하여 분해되면 이산화 탄소(CO_2)와 물(H_2O)이 생성된다. 단백질은 구성 원소가 C, H, O, N이기 때문에 조직 세포에서 산소(O_2)와 반응하여 분해되면 이산화 탄소(CO_2)와 물(H_2O) 그리고 암모니아(NH_3)가 생성된다.

(2) 단백질(나)로부터 생성되는 A는 암모니아이다. 암모니아는 간에서 요소(D)로 전환된 후 콩팥으로 운반되어 오줌의 형태로 배출된다. 노폐물 중 폐로 운반되어 날숨의 형태로 배출되는 B는 이산화 탄소이고, 폐와 콩팥으로 운반되어 각각 날숨과 오줌의 형태로 배출되는 C는 물이다.

모범 답안 (1) C, H, O로 구성된 탄수화물과 지방은 세포 호흡을 통해 분해되면 노폐물로 이산화 탄소(CO_2)와 물(H_2O)이 생기고, C, H, O, N로 구성된 단백질이 세포 호흡을 통해 분해되면 노폐물로 이산화 탄소(CO_2), 물(H_2O), 암모니아(NH_3)가 생긴다. 따라서 두 종류의 노폐물이 생성되는 (가)는 탄수화물이고, 세 종류의 노폐물이 생성되는 (나)는 단백질이다.

(2) 노폐물 중 암모니아는 간에서 요소로 전환된 후 콩팥을 통해 오줌으로 배출되므로, A는 암모니아, D는 요소이다. 이산화 탄소는 폐를 통해 날숨으로 배출되므로 B는 이산화 탄소이다. 물은 폐와 콩팥을 통해 각각 날숨과 오줌으로 배출되므로 C는 물이다.

	채점 기준	배점(%)
(1)	(가)와 (나)에 해당하는 영양소의 이름과 까닭을 모두 옳게 서술한 경우	50
	(가)와 (나)에 해당하는 영양소의 이름은 옳게 썼지만, 까닭은 한 가지만 옳게 서술한 경우	30
	(가)와 (나)에 해당하는 영양소의 이름만 옳게 쓴 경우	20
(2)	A~D에 해당하는 물질의 이름과 까닭을 모두 옳게 서술한 경우	50
	A~D에 해당하는 물질의 이름은 모두 옳게 썼지만, 까닭을 한두 가지 잘못 서술한 경우	40
	A~D에 해당하는 물질의 이름과 까닭을 모두 한두 가지 잘못 서술한 경우	30
	A~D에 해당하는 물질의 이름만 옳게 쓴 경우	20

04 (1) 음식물 속의 포도당은 소장에서 흡수된 후 혈액에 실려 간을 거쳐 심장으로 들어간다. 이후 심장에서 나와 폐를 거쳐 다시 심장으로 들어갔다가 심장에서 나와 온몸의 조직으로 운반되어 공급된다. 한편, 공기 중의 산소는 폐에서 흡수된 후 혈액에 실려 심장으로 들어갔다가 심장에서 나와 온몸의 조직으로 운반되어 공급된다.

(2) 조직 세포에서 생성된 이산화 탄소는 혈액에 실려 심장으로 들어갔다가 심장에서 나와 폐로 이동한 후 폐에서 날숨으로 배출된다. 한편, 조직 세포에서 생성된 암모니아도 혈액에 실려 심장으로 들어간다. 이후 심장에서 나와 폐를 거치고 다시 심장으로 들어왔다가 심장에서 나와 간으로 가서 요소로 전환된다. 요소는 혈액에 실려 심장으로 들어갔다가 심장에서 나와 폐를 거치고 다시 심장으로 들어간다. 이후 심장에서 나와 콩팥으로 이동하여 오줌으로 배출된다.

모범 답안 (1) 음식물 속의 포도당이 다리 근육으로 공급되는 경로는 '소장 → 간 → 심장 → 폐 → 심장 → 다리 근육'이다. 공기 중의 산소가 다리 근육으로 공급되는 경로는 '폐 → 심장 → 다리 근육'이다. 따라서 포도당과 산소가 다리 근육으로 공급되기까지 심장을 거치는 횟수의 합은 3회이다.
(2) 다리 근육에서 생성된 이산화 탄소가 몸 밖으로 배출되는 경로는 '다리 근육 → 심장 → 폐 → 몸 밖'이고, 암모니아가 요소로 전환되어 몸 밖으로 배출되는 경로는 '다리 근육 → 심장 → 폐 → 심장 → 간 → 심장 → 폐 → 심장 → 콩팥 → 몸 밖'이다. 따라서 이산화 탄소와 암모니아가 몸 밖으로 배출되기까지 심장을 거치는 횟수의 합은 5회이다.

	채점 기준	배점(%)
(1)	포도당과 산소의 이동 경로와 심장을 거치는 횟수의 합을 모두 옳게 서술한 경우	50
	포도당과 산소의 이동 경로만 옳게 서술한 경우	40
	포도당의 이동 경로만 옳게 서술한 경우	30
	산소의 이동 경로만 옳게 서술한 경우	20
(2)	이산화 탄소와 암모니아의 이동 경로와 심장을 거치는 횟수의 합을 모두 옳게 서술한 경우	50
	이산화 탄소와 암모니아의 이동 경로만 옳게 서술한 경우	40
	암모니아의 이동 경로만 옳게 서술한 경우	30
	이산화 탄소의 이동 경로만 옳게 서술한 경우	20

05 (1) 해리스-베네딕트 공식에 따를 때, 체중이 무겁고 키가 클수록 더하는 값이 커지므로 기초 대사량이 증가하고, 나이가 많을수록 빼는 값이 커지므로 기초 대사량은 감소한다. 성별에 따른 기초 대사량은 일정하지 않다. 남자와 여자는 체중과 키가 같더라도 둘 다 낮은 값이면 여자가 남자보다 기초 대사량이 높게 나오고, 체중과 키가 둘 다 높은 값이면 보통 남자가 여자보다 기초 대사량이 높게 나온다. 그래서 이 공식은 보통 성장이 끝난 만 19세 이상인 성인의 기초 대사량을 구할 때 사용한다.

모범 답안 (1) (가)에서 제시된 공식에 따르면 기초 대사량은 체중이 무겁고 키가 클수록 증가하고, 나이가 많을수록 감소한다.
(2) 체중 60 kg, 키 160 cm, 나이 20세, 활동 정도가 보통인 남자의 기초 대사량과 1일 대사량은 다음과 같다.

- 기초 대사량: $66.5+13.8\times60+5\times160-6.8\times20=1558.5$(kcal)
- 1일 대사량: $1558.5\times1.55≒2415.7$(kcal)

체중 60 kg, 키 160 cm, 나이 20세, 활동 정도가 보통인 여자의 기초 대사량과 1일 대사량은 다음과 같다.

- 기초 대사량: $655+9.6\times60+1.8\times160-4.7\times20=1425$(kcal)
- 1일 대사량: $1425\times1.55≒2208.8$(kcal)

	채점 기준	배점(%)
(1)	체중, 키, 나이에 따른 기초 대사량 변화를 모두 옳게 서술한 경우	50
	체중과 키에 따른 기초 대사량 변화만 옳게 서술한 경우	30
	나이에 따른 기초 대사량 변화만 옳게 서술한 경우	20
(2)	남녀의 기초 대사량과 1일 대사량을 모두 옳게 구한 경우	50
	남녀의 기초 대사량만 옳게 구한 경우	30
	남녀 중 어느 한쪽의 기초 대사량과 1일 대사량만 옳게 구한 경우	30
	기초 대사량과 1일 대사량을 구하는 식만 옳게 쓴 경우	20

06 (1) 영희의 1일 에너지 섭취량을 구한 다음, 이 값을 15세~18세 여자의 1일 에너지 섭취 기준인 2000 kcal와 비교하여 에너지 균형을 영양 균형, 영양 과다(또는 에너지 과잉), 영양 부족(또는 에너지 부족) 상태 중 한 가지로 평가한다. 탄수화물과 단백질은 1g당 4 kcal의 에너지를 내고, 지방은 1 g당 9 kcal의 에너지를 내므로, 영희의 1일 에너지 섭취량은 $(350+50)\times4+100\times9=2500$(kcal)으로, 1일 에너지 섭취 기준인 2000 kcal보다 많다.
(2) 우선 영희는 영양 과다 상태이므로 현재와 같은 식생활을 계속하면 체중이 증가하고 비만이 될 수 있다. 그리고 영희는 탄수화물로부터 $350\times4=1400$(kcal), 단백질로부터 $50\times4=200$(kcal), 지방으로부터 $100\times9=900$(kcal)의 에너지를 얻고 있다. 이는 탄수화물, 단백질, 지방으로부터 각각 전체 에너지양의 56 %, 8 %, 36 %의 에너지를 얻는 것이므로, 한국인의 에너지 적정 비율과 비교했을 때 탄수화물과 단백질의 에너지 비율은 적절하고, 지방의 에너지 비율은 높다. 따라서 지방의 섭취량을 줄일 필요가 있다.

모범 답안 (1) 영희의 1일 에너지 섭취량은 $(350+50)\times4+100\times9=2500$(kcal)으로, 15세~18세 여자의 1일 에너지 섭취 기준인 2000 kcal보다 많다. 따라서 영희는 영양 과다(또는 에너지 과잉) 상태로 평가된다.
(2) 영희는 영양 과다 상태이므로 현재와 같은 식생활을 계속하면 체중이 증가하고 비만이 될 수 있다. 그리고 영희는 탄수화물, 단백질, 지방으로부터 각각 전체 에너지양의
$56\ \%\left(=\frac{350\times4}{2500}\times100\right)$, $8\ \%\left(=\frac{50\times4}{2500}\times100\right)$,
$36\ \%\left(=\frac{100\times9}{2500}\times100\right)$에 해당하는 에너지를 얻고 있다. 이를 한국인의 에너지 적정 비율과 비교하면 탄수화물과 단백질의 섭취 비율은 적절하고 지방의 섭취 비율은 높으므로, 영희는 지방의 섭취량을 줄일 필요가 있다.

채점 기준		배점(%)
(1)	1일 에너지 섭취량을 옳게 구하고 이에 따라 에너지 균형을 옳게 평가한 경우	50
	1일 에너지 섭취량만 옳게 구한 경우	30
(2)	몸 상태에 생기는 문제와 3대 영양소 섭취량 조절에 대해 근거를 들어 모두 옳게 서술한 경우	50
	몸 상태에 생기는 문제와 3대 영양소 섭취량 조절에 대해 옳게 서술하였지만 근거를 다소 부족하게 제시한 경우	40
	3대 영양소 섭취량 조절에 대해서만 근거를 들어 옳게 서술한 경우	30
	몸 상태에 생기는 문제만 옳게 서술한 경우	10

07 (1) 제시된 그림에 따르면 인슐린은 간세포의 인슐린 수용체에 결합하여 세포막에 있는 포도당 통로를 열리게 함으로써 포도당 흡수를 촉진하여 혈당량을 낮추는 조절을 한다. 그런데 제1형 당뇨병 환자에서는 인슐린 분비 세포가 파괴되어 인슐린이 제대로 분비되지 않는다. 그 결과 인슐린이 부족해져 간세포에서의 포도당 흡수가 촉진되지 않아 혈당량을 낮추는 조절이 제대로 이루어지지 않는다. 이는 인슐린 부족으로 발생한 것이므로 인슐린 주사의 효과가 나타난다.

(2) 제시된 그림에 따르면 제2형 당뇨병은 인슐린 수용체 이상으로 발생한다. 인슐린 수용체에 이상이 생기면 인슐린이 있어도 인슐린 수용체에 결합하지 못한다. 그 결과 간세포에서의 포도당 흡수가 촉진되지 않아 혈당량을 낮추는 조절이 제대로 이루어지지 않는다. 이러한 경우 인슐린 주사의 효과가 없거나 작다.

모범 답안 (1) 제1형 당뇨병은 인슐린 분비 세포가 파괴되어 인슐린이 부족해진 결과 간세포에서 포도당을 흡수하지 못해 발생한다. 따라서 제1형 당뇨병 환자에서는 인슐린 주사의 효과가 나타난다.

(2) 제2형 당뇨병은 인슐린 수용체 이상으로 인슐린의 효과가 떨어진 결과 간세포에서 포도당을 흡수하지 못해 발생한다. 따라서 제2형 당뇨병 환자에서는 인슐린 주사의 효과가 없거나 작다.

채점 기준		배점(%)
(1)	제1형 당뇨병의 발생 원리와 인슐린 주사 효과를 모두 옳게 서술한 경우	50
	제1형 당뇨병의 발생 원리만 옳게 서술한 경우	30
	인슐린 주사 효과만 옳게 서술한 경우	10
(2)	제2형 당뇨병의 발생 원리와 인슐린 주사 효과를 모두 옳게 서술한 경우	50
	제2형 당뇨병의 발생 원리만 옳게 서술한 경우	30
	인슐린 주사 효과만 옳게 서술한 경우	10

08 (1) 동맥 경화증은 동맥의 안쪽 벽에 콜레스테롤과 중성 지방 등이 쌓여 나타나는 질환이다. 동맥의 안쪽 벽에 콜레스테롤과 중성 지방이 쌓이면 동맥이 좁아지고 탄력성을 잃게 된다. 좁아진 정도가 심해져 혈전에 의해 동맥이 완전히 막히면 그 동맥을 통해 혈액이 공급되는 신체 조직이 괴사하는 증상이 발생할 우려도 있다.

(2) 관상 동맥은 심장 근육에 혈액을 공급하는 동맥이다. 관상 동맥이 (가)처럼 좁아지면 심장 근육으로 공급되는 혈액의 양이 줄어들고, 그로 인해 심장 근육에 공급되는 산소와 영양소의 양이 줄어들어 가슴을 조이는 듯한 통증을 느끼는 협심증이 나타난다.

(3) 동맥이 막혀서 조직으로 혈액이 공급되지 않아 조직이 괴사(생체 내의 세포나 조직의 일부가 죽는 것)하는 것을 경색이라고 한다. 좁아진 관상 동맥이 (나)처럼 혈전에 의해 갑자기 막히면 심장 근육으로 혈액이 공급되지 못한다. 그 결과 심장 근육에 산소와 영양소가 공급되지 못해 심장 근육이 괴사하는 심근 경색이 나타난다.

모범 답안 (1) 동맥 경화증은 동맥 안쪽 벽에 콜레스테롤과 중성 지방 등이 쌓여 동맥이 좁아지고 탄력성을 잃게 되는 질환이다.

(2) 협심증은 관상 동맥이 동맥 경화로 좁아져 심장 근육에 산소와 영양소의 공급이 줄어든 결과 발생하며, 가슴을 조이는 듯한 통증을 느끼게 된다.

(3) 심근 경색은 동맥 경화로 좁아진 관상 동맥이 혈전에 의해 갑자기 막혀 발생하며, 심장 근육에 산소와 영양소가 공급되지 않아 심장 근육이 괴사한다.

채점 기준		배점(%)
(1)	혈관벽에 쌓이는 물질, 동맥이 좁아진다는 점, 동맥이 탄력성을 잃는다는 점을 모두 옳게 서술한 경우	20
	혈관벽에 쌓이는 물질과 동맥이 좁아진다는 점만 서술한 경우	10
	동맥이 좁아지고 탄력성을 잃는다고만 서술한 경우	10
(2)	동맥 경화로 관상 동맥 좁아짐, 산소와 영양소 공급 감소, 가슴 통증을 모두 옳게 서술한 경우	40
	가슴 통증만 빼고 서술한 경우	20
	산소와 영양소의 공급이 줄어든다는 내용만 빼고 서술한 경우	10
(3)	혈전에 의해 관상 동맥 막힘, 산소와 영양소 공급 안 됨, 심장 근육 괴사를 모두 옳게 서술한 경우	40
	혈전에 대한 언급 없이 모두 서술한 경우	30
	심장 근육 괴사만 빼고 서술한 경우	20
	산소와 영양소가 공급되지 않는다는 내용만 빼고 서술한 경우	10

III 항상성과 몸의 조절

1. 항상성과 몸의 기능 조절

01 자극의 전달

집중 분석 1권 123쪽

유제 ②

유제 ㄴ. t_1일 때는 세포막의 안쪽에서 바깥쪽으로 K^+ 통로를 통해 K^+의 확산이 일어나는 재분극 시기이다.

바로 알기 ㄱ. 구간 Ⅰ은 분극 상태이며, 분극 상태에서도 Na^+-K^+ 펌프는 항상 작동한다. 따라서 세포막에 있는 Na^+-K^+ 펌프를 통해 Na^+은 세포 밖으로, K^+은 세포 안으로 이동한다.

ㄷ. ㉠은 K^+의 농도가 높은 세포막의 안쪽이고, ㉡은 K^+의 농도가 낮은 세포막의 바깥쪽이다.

개념 모아 정리하기 1권 125쪽

❶ 말이집 ❷ 랑비에 결절 ❸ 민말이집 ❹ 원심성 ❺ Na^+-K^+ 펌프 ❻ 활동 전위 ❼ Na^+ 통로 ❽ K^+ 통로 ❾ 도약전도 ❿ 신경 전달 물질 ⓫ 축삭 돌기

개념 기본 문제 1권 126쪽~127쪽

01 (1) B, 신경 세포체 (2) A, 가지 돌기 (3) E, 축삭 돌기 (4) C, 말이집 (5) D, 랑비에 결절 **02** (1) B, 연합 뉴런 (2) A, 구심성 뉴런 (3) C, 원심성 뉴런 **03** ㉠ Na^+ 통로, ㉡ 확산, ㉢ 재분극, ㉣ 확산, ㉤ Na^+-K^+ 펌프 **04** ㉡ **05** ㄱ, ㄴ **06** A: Na^+, B: K^+ **07** ㄱ, ㄴ **08** (다)-(나)-(가)-(라) **09** (1) (가) → (나) (2) 시냅스 (3) 이온 통로(㉡)가 열려 Na^+이 세포 안으로 유입된다. **10** ㄱ, ㄴ

01 A는 가지 돌기, B는 신경 세포체, C는 말이집, D는 랑비에 결절, E는 축삭 돌기이다.

(1) 핵과 여러 세포 소기관이 있어 뉴런의 생장과 물질대사를 조절하는 것은 신경 세포체(B)이다.

(2) 다른 뉴런에서 오는 자극을 받아들이는 것은 여러 개의 짧은 돌기인 가지 돌기(A)이다.

(3) 다른 뉴런이나 반응기로 흥분을 전달하는 것은 신경 세포체에서 길게 뻗어 나와 있는 축삭 돌기(E)이다.

(4) 축삭 돌기를 따라 배열된 슈반 세포의 세포막이 축삭을 여러 겹으로 둘러싸서 신호 전달에서 절연체 역할을 하는 것은 말이집(C)이다.

(5) 말이집 신경에서 활동 전위는 말이집과 말이집 사이에 축삭이 노출된 부위인 랑비에 결절(D)에서만 발생한다.

02 A는 구심성 뉴런, B는 연합 뉴런, C는 원심성 뉴런이다.

(1) 중추 신경계인 뇌와 척수를 구성하고, 구심성 뉴런과 원심성 뉴런 사이를 이어 주는 것은 연합 뉴런(B)이다. 연합 뉴런은 가지 돌기의 수가 많고 축삭 돌기가 짧다.

(2) 감각 기관에서 받아들인 자극을 중추 신경계로 전달하는 감각 뉴런은 구심성 뉴런(A)이다. 구심성 뉴런은 신경 세포체가 축삭 돌기의 한쪽 옆에 위치한다.

(3) 중추 신경계의 명령을 근육과 같은 반응기로 전달하는 운동 뉴런은 원심성 뉴런(C)이다. 원심성 뉴런은 축삭 돌기가 길고 신경 세포체가 비교적 크다.

03 탈분극은 세포막에 있는 막단백질인 Na^+ 통로(㉠)를 통해 세포의 바깥쪽에서 안쪽으로 Na^+이 확산(㉡)되면서 일어나고, 재분극(㉢)은 세포막에 있는 막단백질인 K^+ 통로를 통해 세포의 안쪽에서 바깥쪽으로 K^+이 확산(㉣)되면서 일어난다. 휴지 전위의 회복에는 세포막에 있는 막단백질인 Na^+-K^+ 펌프가 관여한다. Na^+-K^+ 펌프에 의해 Na^+은 세포의 안쪽에서 바깥쪽으로, K^+은 세포의 바깥쪽에서 안쪽으로 능동 수송되는데, 이 과정에서 세포 호흡을 통해 얻은 ATP가 소모된다.

04 (나)에서 ㉠은 분극, ㉡은 탈분극, ㉢은 재분극이 일어나는 구간이다. (가)는 Na^+ 통로가 열려 Na^+이 세포의 바깥쪽에서 안쪽으로 확산되는 모습이다. 따라서 Na^+의 유입으로 막전위가 상승하는 탈분극(㉡)에 해당한다.

05 ㄱ. 구간 ㉠은 분극 상태로, Na^+의 농도는 세포 바깥쪽이 안쪽보다 높고, K^+의 농도는 세포 안쪽이 바깥쪽보다 높다.

ㄴ. 구간 ㉡은 탈분극이 일어나는 시기로, Na^+ 통로가 열려 Na^+이 세포의 바깥쪽에서 안쪽으로 확산된다. 확산은 농도가 높은 쪽에서 낮은 쪽으로 일어나므로, 구간 ㉡에서 Na^+의 농도는 세포 바깥쪽이 안쪽보다 높다.

바로 알기 ㄷ. 구간 ⓒ은 재분극이 일어나는 시기로, Na^+ 통로는 닫히고 K^+ 통로가 열려 K^+이 세포의 안쪽에서 바깥쪽으로 농도 경사를 따라 확산된다.

06 (가)에서 자극을 준 후 1 ms까지는 Na^+의 세포 내 유입으로 탈분극이 일어나는 시기이므로, (나)에서 같은 시기에 세포막을 통한 투과도가 크게 증가한 A는 Na^+이다. 또, (가)에서 자극을 준 후 1 ms~2 ms는 K^+의 세포 외 유출로 재분극이 일어나는 시기이므로, (나)에서 같은 시기에 세포막을 통한 투과도가 증가한 B는 K^+이다.

07 ㄱ. (나)는 활동 전위가 발생했을 때의 막전위 변화를 나타낸 것이다. (가)에서 C는 절연체 역할을 하는 말이집이므로 A 지점에 역치 이상의 자극을 주었을 때 C 지점에서는 활동 전위가 발생하지 않으며, 랑비에 결절인 B 지점에서만 활동 전위가 발생한다. 따라서 (나)는 B 지점에서의 막전위 변화이다.

ㄴ. (나)에서 t_1일 때는 Na^+이 세포막의 Na^+ 통로를 통해 세포 안으로 유입되어 탈분극이 일어난다.

바로 알기 ㄷ. (나)에서 t_2일 때는 K^+이 세포막의 K^+ 통로를 통해 세포 밖으로 유출되어 재분극이 일어난다. Na^+ 통로와 K^+ 통로를 통한 이온의 이동은 확산에 의해 일어나므로 ATP가 사용되지 않는다. ATP는 Na^+-K^+ 펌프에 의한 이온의 이동에 사용된다.

08 축삭 돌기의 흥분 전도 속도에 가장 큰 영향을 미치는 것은 말이집의 유무이고, 그 다음으로 영향을 미치는 것은 축삭 돌기의 지름이다. 말이집이 있는 말이집 신경이 말이집이 없는 민말이집 신경보다 흥분 전도 속도가 빠르며, 같은 조건일 때는 축삭 돌기의 지름이 클수록 빠르다. 따라서 흥분 전도 속도가 빠른 것부터 나열하면 (다)-(나)-(가)-(라)이다.

09 (1) (가)는 시냅스 이전 뉴런, (나)는 시냅스 이후 뉴런이다. 흥분은 (가)의 축삭 돌기 말단에서 (나)의 가지 돌기 방향으로 전달된다.

(2) A는 한 뉴런의 축삭 돌기 말단과 다른 뉴런의 가지 돌기가 연접해 있는 시냅스이다.

(3) ㉠은 시냅스 이전 뉴런의 축삭 돌기 말단에 있는 시냅스 소포에서 분비된 신경 전달 물질이다. 신경 전달 물질(㉠)이 시냅스 이후 뉴런의 세포막에 있는 수용체에 결합하면 이온 통로(㉡)가 열려 시냅스 이후 뉴런 안으로 Na^+이 유입되면서 탈분극이 일어나고 활동 전위가 발생한다.

10 ㄱ. A 지점에 역치 이상의 자극을 주었을 때 B 지점에서는 탈분극이 일어나 활동 전위가 발생하였으므로, A에서 B로 흥분이 전도되었다.

ㄴ. A 지점에 역치 이상의 자극을 주었을 때 시냅스 이후 뉴런의 C 지점에서는 막전위 변화가 나타나지 않았으므로, B에서 C로 흥분이 전달되지 않았다.

바로 알기 ㄷ. C 지점에서 막전위가 -70 mV의 분극 상태를 유지하고 있으므로, Na^+-K^+ 펌프가 작동하고 있다.

개념 적용 문제

1권 128쪽~133쪽

01 ④	02 ③	03 ④	04 ②	05 ③	06 ①
07 ⑤	08 ④	09 ⑤	10 ③	11 ③	

01 ㄴ. (나)는 축삭 돌기가 짧고 두 뉴런 사이에 위치한 뉴런이므로 연합 뉴런이다. 연합 뉴런은 중추 신경계인 뇌와 척수를 구성한다.

ㄷ. (다)는 신경 세포체가 축삭 돌기의 한쪽 옆에 있으므로, 감각 뉴런과 같은 구심성 뉴런이다. 랑비에 결절인 A에 역치 이상의 자극을 주면 (다) → (나) → (가)의 방향으로 흥분이 전달된다.

바로 알기 ㄱ. (가)는 신경 세포체가 크고 축삭 돌기가 길며, 가지 돌기가 연합 뉴런과 시냅스를 형성하고 있으므로, 운동 뉴런과 같은 원심성 뉴런이다.

02 ㄱ. (나)에서 뉴런의 막전위가 휴지 전위인 -70 mV를 나타내므로, 분극 상태인 구간 Ⅰ에서의 막전위와 이온 분포에 해당한다.

ㄷ. (나)에서 ㉠은 세포 바깥쪽보다 안쪽의 농도가 높으므로 K^+이고, ㉡은 세포 안쪽보다 바깥쪽의 농도가 높으므로 Na^+이다. 구간 Ⅲ에서는 에너지를 사용하는 Na^+-K^+ 펌프의 작용에 의해 K^+(㉠)의 세포 내 유입과 Na^+(㉡)의 세포 외 유출이 일어나 분극 상태가 유지된다.

바로 알기 ㄴ. 구간 Ⅱ는 재분극이 일어나는 시기로, 세포막의 K^+ 통로를 통해 세포 안쪽에서 바깥쪽으로 K^+이 확산된다. 따라서 이온 통로를 통한 이온의 이동량은 K^+(㉠)이 Na^+(㉡)보다 많다.

03 뉴런에 역치 이상의 자극을 주면 Na^+이 세포 안으로 유입되는 탈분극이 먼저 일어나고, K^+이 세포 밖으로 유출되는 재분극이 나중에 일어난다. 따라서 두 가지 이온 중 막 투과도가 먼저 증가하는 A가 Na^+, 나중에 증가하는 B가 K^+임을 알 수 있다.

ㄴ. 구간 Ⅱ는 재분극이 일어나는 시기이므로, K^+(B)이 세포 밖으로 확산되어 막전위가 하강한다.

ㄷ. 구간 Ⅲ은 재분극이 일어난 후 이온이 원래의 분극 상태로 재배치되는 시기이다. 즉, 탈분극이 일어날 때 세포 안으로 유입된 Na^{+}을 세포 밖으로 내보내고, 재분극이 일어날 때 세포 밖으로 유출된 K^{+}을 세포 안으로 받아들이는 작용이 Na^{+}-K^{+} 펌프를 통해 일어난다. Na^{+}-K^{+} 펌프의 작용에는 세포 호흡을 통해 얻은 ATP가 사용된다.

바로 알기 ㄱ. 구간 Ⅰ은 탈분극이 일어나는 시기이므로, Na^{+}(A)이 세포 안으로 확산되어 막전위가 상승한다. 확산은 농도가 높은 쪽에서 낮은 쪽으로 물질이 농도 경사를 따라 이동하는 현상이므로, Na^{+}이 세포 밖에서 안으로 확산된다 하더라도 세포 안쪽이 바깥쪽보다 Na^{+} 농도가 더 높을 수는 없다.

04 휴지 전위가 -70 mV이므로 막전위가 $+35$ mV이면 탈분극이 일어난 것이고, 막전위가 -80 mV이면 재분극 과정에서 과분극이 일어난 것이다.

ㄴ. d_2 지점은 탈분극이 일어나 막전위가 $+35$ mV까지 상승한 상태이다. 탈분극은 Na^{+}의 농도가 높은 세포 바깥쪽에서 농도가 낮은 세포 안쪽으로 Na^{+}이 확산되어 일어나므로, 세포 안쪽의 Na^{+} 농도가 세포 바깥쪽보다 높아질 것이라고 착각할 수 있다. 그러나 확산은 농도 경사를 따라 일어나는 현상이므로, 세포 안쪽의 Na^{+} 농도가 세포 바깥쪽보다 높아질 수는 없다.

바로 알기 ㄱ. 자극을 준 지점과 가까운 지점일수록 활동 전위가 먼저 발생한다. 따라서 활동 전위가 d_4(분극 회복), d_3(과분극), d_2(탈분극), d_1(분극 유지)의 순서로 발생한다고 유추할 수 있으므로, 자극을 준 지점은 Y이며, 흥분 전도는 Y $\rightarrow d_4 \rightarrow d_3 \rightarrow d_2 \rightarrow d_1 \rightarrow$ X로 진행된다.

ㄷ. d_4에서 분극 상태의 이온 분포를 회복하기 위해 ATP를 사용하는 Na^{+}-K^{+} 펌프의 작용이 활발하게 일어난다. 이 과정에서 Na^{+}은 축삭 돌기의 바깥쪽으로 유출되고, K^{+}은 축삭 돌기의 안쪽으로 유입된다.

05 자극을 준 지점에서부터 탈분극이 시작되어 옆으로 전도되고 탈분극되었던 곳은 재분극이 일어나므로, 흥분이 가장 많이 진행된 곳은 과분극 상태인 d_1이다. d_1은 과분극 상태이고, d_2는 탈분극(활동 전위 발생), d_3는 탈분극 시작, d_4는 아직 흥분이 도착하지 않은 분극 상태이다.

ㄱ. 흥분이 d_1에서 d_4로 이동하므로 자극을 준 지점은 d_1이다.

ㄴ. d_1에서 d_2까지 흥분이 이동하는 데 1 ms가 걸리고 그 거리는 2 cm이므로, 흥분 전도 속도는 2 cm/ms이다.

바로 알기 ㄷ. 자극을 주고 3 ms가 경과하였을 때 d_3는 탈분극이 일어나는 상태이다. 이때에는 Na^{+} 통로가 열려 Na^{+}이 세포 안으로 유입된다.

06 ㄱ. t_1일 때는 재분극이 일어나므로, A에서 K^{+} 통로가 열려 K^{+}이 세포 밖으로 확산되어 나간다.

바로 알기 ㄴ. 구간 Ⅰ은 탈분극이 일어나는 시기이며, 이때 유입된 Na^{+}은 B의 Na^{+} 통로에 영향을 미쳐 탈분극을 유도한다. 세포 안으로 유입된 Na^{+}을 세포 밖으로 다시 내보내는 것은 Na^{+}-K^{+} 펌프의 작용이다.

ㄷ. 뉴런에서 역치보다 약한 자극에 대해서는 활동 전위가 발생하지 않지만, 역치 이상의 자극에 대해서는 활동 전위가 발생하며 그 크기는 항상 일정하다. 더 강한 자극을 줄 경우 활동 전위의 크기는 변하지 않고 활동 전위의 발생 빈도가 증가한다.

07 흥분의 발생은 분극(휴지 상태) → 탈분극 → 재분극 → 과분극 순으로 일어난다. 흥분 전도는 1회만 일어났고 과분극이 가장 마지막에 일어나므로, d_1에서 측정한 막전위는 과분극 상태인 -80 mV(Ⅱ)이다. 흥분은 $d_1 \rightarrow d_4$ 방향으로 전도되고 A에서 d_1 지점의 막전위는 Ⅱ(-80 mV), d_4 지점의 막전위는 Ⅳ(-65 mV)이므로, d_2 지점의 막전위는 Ⅲ($+30$ mV), d_3 지점의 막전위는 Ⅰ(-55 mV)이다. 또, A의 흥분 전도 속도 2 cm/ms와 B의 흥분 전도 속도 3 cm/ms를 고려할 때, A에서 흥분이 d_3 지점에 도달하는 시점과 B에서 흥분이 d_4 지점에 도달하는 시점이 일치함을 알 수 있다. 따라서 t_1일 때 A와 B에서 각 지점의 막전위 변화를 그래프에 표시하면 아래 그림과 같다.

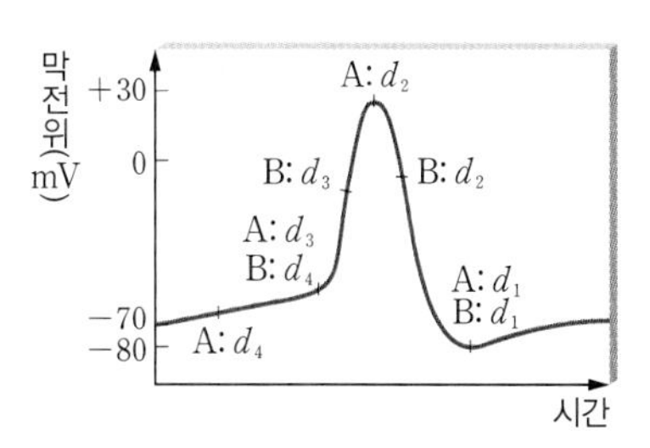

① t_1일 때 d_1 지점에서 측정한 막전위는 Ⅱ이므로, 과분극 상태인 -80 mV이다.

② d_1~d_4에서 각 구간의 거리는 동일하고 A보다 B의 흥분 전도 속도가 빠르므로, 과분극(-80 mV)을 기준으로 A와 B의 막전위 변화를 구분해 보면 Ⅲ($+30$ mV)이 d_2 지점에서 측정한 막전위임을 알 수 있다.

③ t_1일 때 A의 d_3 지점의 막전위는 Ⅰ(-55 mV)이다. 이 시기는 Na^{+}이 세포 안으로 유입되어 탈분극이 진행되는 상태이다.

④ A와 B에서 흥분 전도 속도를 비교할 때 A보다 B가 1.5배 빠르다. 따라서 t_1일 때 A의 d_3 지점(6 cm 거리)에서의 막전위(-55 mV)와 B의 d_4 지점(9 cm 거리)에서의 막전위(㉠)가 동일하므로, ㉠은 -55 mV이다.

바로 알기 ⑤ t_1일 때 B의 d_3 지점(-20 mV)은 탈분극이 일어나는 시기로, Na^+이 세포 안으로 유입되고 있다. K^+이 세포 밖으로 유출되는 재분극 시기에 해당하는 것은 B의 d_2 지점(-10 mV)이다.

08 ㄴ. t_1일 때 C에서는 Na^+이 세포 바깥쪽에서 안쪽으로 확산되면서 탈분극이 일어나고 있다.

ㄷ. t_1일 때 A에서는 재분극이 일어나고 있고, C에서는 탈분극이 일어나고 있다. 이를 통해 흥분의 이동 속도는 구간 B~C에서가 구간 A~B에서보다 느리다는 것을 알 수 있다. 시냅스에서는 신경 전달 물질에 의해 흥분이 전달되므로, 시냅스에서의 흥분 전달 속도가 축삭 돌기를 통한 흥분 전도 속도보다 느리다.

바로 알기 ㄱ. t_1일 때 A에서는 K^+이 세포 안쪽에서 바깥쪽으로 확산되면서 재분극이 일어나고 있다. 그러나 C에서는 탈분극이 시작되고 있어서 K^+ 통로가 대부분 닫혀 있다. 따라서 t_1일 때 K^+의 막 투과도는 A에서가 C에서보다 크다.

09 (가)에서 A는 자극을 준 P 지점이 시냅스 이후 뉴런이므로 Q 지점이 있는 시냅스 이전 뉴런으로 흥분이 전달되지 못하며, 민말이집 신경인 B보다 말이집 신경인 C의 흥분 전도 속도가 훨씬 빠르다. 따라서 A의 막전위 변화는 Ⅲ, B의 막전위 변화는 Ⅱ, C의 막전위 변화는 Ⅰ이다.

① ⓐ는 시냅스 이후 뉴런의 가지 돌기, ⓑ는 시냅스 이전 뉴런의 축삭 돌기 말단이다. 시냅스 소포는 축삭 돌기 말단에만 분포하므로, ⓐ보다 ⓑ에 많다.

② 한 뉴런 내에서는 흥분이 양쪽 방향으로 전도되므로, A의 P 지점에 역치 이상의 자극을 주면 가지 돌기인 ⓐ까지 흥분이 전도된다.

③ 뉴런이 분극 상태를 유지하기 위해서는 Na^+-K^+ 펌프의 작용이 항상 필요하다. 따라서 A의 Q 지점에서 Na^+-K^+ 펌프의 작용으로 에너지가 소모된다.

④ C는 말이집 신경이므로 흥분 전도 속도가 A~C 중 가장 빠르다. 따라서 C의 막전위 변화는 (나)에서 활동 전위가 가장 먼저 발생한 Ⅰ이다.

바로 알기 ⑤ 구간 ㉠은 재분극이 일어나는 시기이므로 K^+이 세포 안에서 밖으로 확산된다. 확산은 농도 경사를 따라 일어나므로, K^+의 농도는 막전위 변화와 상관없이 항상 세포 안쪽이 바깥쪽보다 높다.

10 ㄱ. Ⅰ에서 ㉠에 자극 B를 주면 흥분이 발생하여 축삭 돌기를 따라 흥분이 전도된다. 그러나 ㉡은 축삭 돌기의 말이집이 위치한 구간이므로, 활동 전위가 발생하지 않는다. 말이집 신경에서는 축삭 돌기의 랑비에 결절에서만 활동 전위가 발생하는 도약전도가 일어난다.

ㄴ. Ⅱ에서 구간 ⓐ 동안 막전위 변화는 없지만, ㉣에서는 분극 상태를 유지하기 위해 Na^+-K^+ 펌프가 작동한다. 뉴런에서 Na^+-K^+ 펌프는 세포 호흡이 일어나 ATP가 공급되는 동안에는 항상 작동한다.

ㄹ. Ⅲ에서 구간 ⓑ 동안 막전위가 상승하였으므로, 시냅스 이전 뉴런의 축삭 돌기 말단에서 신경 전달 물질이 분비되어 ㉢에서 흥분 전달이 일어났다. 구간 ⓑ 이후에 활동 전위가 발생하지 못하고 막전위가 다시 하강한 것은 물질 Y에 의해 흥분 전달이 억제되었기 때문으로 볼 수 있다.

바로 알기 ㄷ. 시냅스(㉢)에 물질 X를 처리하면 역치 미만의 자극 A를 주어도 ㉣에서 활동 전위가 발생하는데, 이는 역치 미만의 자극 A 때문이 아니라 시냅스에 처리된 물질 X가 시냅스 이후 뉴런의 Na^+ 통로가 열리게 하여 탈분극을 일으켰기 때문이다.

11 A에 역치 이상의 자극을 주면 C의 막전위가 하강하고, B에 역치 이상의 자극을 주면 C에서 활동 전위가 발생한다. 이는 A의 축삭 돌기 말단에서 분비되는 신경 전달 물질은 시냅스 이후 뉴런에 과분극을 일으켜 활동 전위의 발생을 억제하고, B의 축삭 돌기 말단에서 분비되는 신경 전달 물질은 시냅스 이후 뉴런에 탈분극을 일으켜 활동 전위를 발생시키기 때문이다.

ㄷ. B에 역치 이상의 자극을 주었을 때 C에서 활동 전위가 발생하였으므로, B에서 분비된 신경 전달 물질은 C에서 Na^+ 통로가 열리게 하여 활동 전위의 발생을 유도한다.

바로 알기 ㄱ. 자극을 받아도 A에서 신경 전달 물질이 분비되지 않는다면 C에서 막전위 변화가 없어야 한다. A에 역치 이상의 자극을 주었을 때 C에서 과분극이 발생하였고, A와 B에 동시에 자극을 주었을 때 B로 인한 C의 활동 전위 발생까지 억제되었다. 이러한 결과는 A의 축삭 돌기 말단에서 분비된 신경 전달 물질이 C에서 활동 전위의 발생을 억제하기 때문이다.

ㄴ. A의 축삭 돌기 말단에서는 억제성 신경 전달 물질이 분비되므로, A에 더 강한 자극을 주어도 C에서는 활동 전위가 발생하지 않는다.

02 근육 수축의 원리

개념 모아 정리하기 1권 139쪽

❶ 수의근 ❷ 민무늬근 ❸ 마이오신 ❹ 액틴
❺ I대 ❻ A대 ❼ 활주설 ❽ 변화 없다.
❾ 짧아진다.

개념 기본 문제 1권 140쪽~141쪽

01 (1) (다) (2) (나) (3) (가), (나) (4) (다) **02** (1) ㉣, 근육 원섬유 마디 (2) (가) 마이오신 필라멘트, (나) 액틴 필라멘트 (3) A대: ㉡, I대: ㉠, H대: ㉢ (4) ㉠ 짧아진다. ㉡ 변화 없다. **03** (1) ㉠ (가), ㉡ (나) (2) I대: 짧아진다. H대: 짧아진다. **04** ㄱ, ㄴ **05** A: ㉡, B: ㉠, C: ㉢ **06** ㄱ, ㄴ **07** (다) → (가) → (라) → (나) → (마) **08** (1) (나) (2) (나) (3) 1.8 μm **09** ㄴ, ㄷ

01 (가)는 심장근, (나)는 내장근, (다)는 골격근이다.

(1) 가로무늬근이면서 수의근인 것은 골격근이다.

(2) 민무늬근이면서 불수의근인 것은 내장근이다.

(3) 자율 신경의 조절을 받아 수축이 일어나는 것은 심장근과 내장근이다.

(4) 근육을 구성하는 세포인 근육 섬유가 다핵 세포인 것은 골격근이다.

02 (1) 근육 수축의 기본 단위는 근육 원섬유 마디이며, Z선과 Z선 사이인 ㉣이 해당된다.

(2) 굵은 필라멘트인 (가)는 마이오신 필라멘트이고, 가는 필라멘트인 (나)는 액틴 필라멘트이다.

(3) 가는 액틴 필라멘트만 있어 밝게 보이는 ㉠은 I대, 굵은 마이오신 필라멘트가 있어 어둡게 보이는 ㉡은 A대, A대의 가운데에 마이오신 필라멘트만 있는 ㉢은 H대이다.

(4) 근육 섬유에 활동 전위가 발생하면 근육 원섬유 마디의 길이가 짧아지면서 근육 원섬유가 수축하므로 I대(㉠)와 H대(㉢)의 길이는 짧아지고, 마이오신 필라멘트가 있는 A대(㉡)의 길이는 변하지 않는다.

03 (1) 근육 원섬유 마디의 길이가 긴 (가)는 근육이 이완한 상태이고, 길이가 짧아진 (나)는 근육이 수축한 상태이다. 운동 뉴런의 말단에서 아세틸콜린이 분비되면 근육 수축이 일어나므로 (가)에서 (나)로 변한다.

(2) (가)에서 (나)로 될 때 마이오신 필라멘트 사이로 액틴 필라멘트가 미끄러져 들어가므로, A대는 길이 변화가 없으나 I대와 H대의 길이는 모두 짧아진다.

04 ㄱ. I대는 액틴 필라멘트로 구성되며, A대는 마이오신 필라멘트와 액틴 필라멘트로 구성된다. 따라서 I대와 A대에 모두 액틴 필라멘트가 존재한다.

ㄴ. 골격근의 근육 섬유는 여러 개의 핵을 가진 다핵 세포이다.

바로 알기 ㄷ. 근육 원섬유 마디의 길이는 'I대의 길이+A대의 길이'이다.

05 A는 가는 액틴 필라멘트만 있는 부분이므로, A의 단면은 ㉡이다. B는 굵은 마이오신 필라멘트만 있는 부분이므로, B의 단면은 ㉠이다. C는 액틴 필라멘트와 마이오신 필라멘트가 겹쳐 있는 부분이므로, C의 단면은 ㉢이다.

06 ㄱ. A는 팔의 삼두박근이며, 두 뼈 사이의 관절 운동을 일으키는 골격근은 가로무늬근이다.

ㄴ. B는 팔의 이두박근이며, 골격근은 대뇌의 조절을 받아 수축 · 이완하는 수의근이다.

바로 알기 ㄷ. 팔을 굽힐 때 이두박근(B)은 수축하고 삼두박근(A)은 이완하며, 반대로 팔을 펼 때 이두박근(B)은 이완하고 삼두박근(A)은 수축한다.

07 흥분이 운동 뉴런을 따라 전도되어 활동 전위가 축삭 돌기 말단에 도달하면 시냅스 소포에서 신경 전달 물질인 아세틸콜린이 분비된다. 아세틸콜린이 확산되어 근육 섬유막의 수용체에 결합하면 탈분극이 유도되어 근육 섬유막에서 활동 전위가 발생한다. 활동 전위가 근육 섬유의 근소포체에 도달하면 Ca^{2+} 통로가 열려 근소포체에 저장되어 있던 Ca^{2+}이 세포질로 방출되고, Ca^{2+}이 액틴 필라멘트에 결합하여 마이오신 필라멘트와 결합할 수 있는 부위가 드러난다. 마이오신 필라멘트는 액틴 필라멘트와 결합하여 ATP를 소모하면서 액틴 필라멘트를 끌어당기고, 이에 따라 근육 원섬유 마디의 길이가 짧아지면서 근육 원섬유가 수축한다.

08 (1) 근육이 수축할수록 액틴 필라멘트와 마이오신 필라멘트가 겹치는 부분의 총 길이가 증가한다. (가)에서 액틴 필라멘트와 마이오신 필라멘트가 겹치는 부분의 총 길이는 'A대의 길이−H대의 길이'이므로 $1.3-0.7=0.6(\mu m)$이며, (나)에서는 0.8 μm이므로, (나)는 (가)보다 근육이 더 수축한 상태이다.

(2) (나)는 (가)보다 근육이 더 수축한 상태이므로, (나)에서 I대와 H대의 길이는 (가)에서보다 짧다.

(3) 마이오신 필라멘트의 길이에 해당하는 A대의 길이는 근육 수축에 관계없이 항상 일정하므로, (나)에서 ㉡은 1.3 μm이다. (나)에서 액틴 필라멘트와 마이오신 필라멘트가 겹치는 부분의 총 길이는 0.8 μm이므로 ㉠은 $1.3-0.8=0.5(\mu m)$이다. 따라서 ㉠+㉡$=0.5+1.3=1.8(\mu m)$이다.

09 ㄴ. 골격근에 연결된 운동 뉴런의 축삭 돌기 말단에서 분비되는 신경 전달 물질 ㉠은 아세틸콜린이다.

ㄷ. 아세틸콜린(㉠)에 의해 근육 섬유막이 탈분극되어 활동 전위가 발생하면 근육 수축이 일어나므로 근육 원섬유 마디(B)의 길이는 짧아진다.

바로 알기 ㄱ. 운동 뉴런(A)은 중추의 명령을 근육과 같은 반응기로 전달하는 원심성 뉴런이다. 구심성 뉴런에는 감각 기관에서 중추로 자극을 전달하는 감각 뉴런이 해당된다.

개념 적용 문제 1권 142쪽~145쪽

01 ④ 02 ⑤ 03 ① 04 ④ 05 ③ 06 ④
07 ⑤ 08 ⑤

01 근육 섬유가 근육 전체 길이를 따라 나란히 잘 정렬되어 있고, 가로무늬와 다수의 핵이 관찰되므로 골격근이다.

① 골격근은 밝고 어두운 가로무늬가 반복적으로 관찰되는 가로무늬근이다.

② 골격근을 구성하는 근육 섬유는 여러 개의 핵을 가진 다핵 세포이다.

③ 골격근은 관절을 이루는 두 뼈 사이에 부착되어 관절 운동을 일으킨다.

⑤ 골격근은 대뇌의 조절을 받아 수축·이완이 조절되는 수의근이다.

바로 알기 ④ 골격근은 강한 힘으로 빠르게 수축할 수 있지만, 비교적 쉽게 피로해진다. 이에 비해 내장근은 천천히 수축하지만 쉽게 피로해지지 않아서 지속적으로 운동할 수 있다.

02 ㄱ. ㉠은 가는 필라멘트이므로 액틴 필라멘트이며, ㉡은 굵은 필라멘트이므로 마이오신 필라멘트이다.

ㄴ. (가)는 액틴 필라멘트만으로 이루어져 있으므로, I대의 단면이다. (나)는 마이오신 필라멘트와 액틴 필라멘트로 이루어져 있으므로, A대 중 마이오신 필라멘트와 액틴 필라멘트가 겹쳐 있는 부위의 단면이다. (다)는 마이오신 필라멘트만으로 이루어져 있으므로, H대의 단면이다.

ㄷ. 근육이 수축하면 A대의 길이는 변하지 않지만, I대와 H대의 길이는 모두 짧아진다. 따라서 근육이 수축하면 단면이 (가), (다)와 같은 부위의 길이는 모두 짧아지고, 단면이 (나)와 같은 부위의 총 길이는 길어진다.

03 ㄱ. (가)는 근육 원섬유 마디의 길이가 짧아지는 과정이므로 근육 수축, (나)는 근육 원섬유 마디의 길이가 길어지는 과정이므로 근육 이완이다.

바로 알기 ㄴ. 근육이 수축할 때 ATP가 소모되므로, (가)가 일어날 때 ATP가 필요하다.

ㄷ. (나)가 일어나면 H대와 I대의 길이가 길어지고, A대의 길이는 변화 없다. 따라서 $\frac{\text{H대의 길이}}{\text{A대의 길이}}$는 커진다.

04 ㄴ. (가)에서 근육 ⓐ는 이두박근이며, 팔을 펴는 동안 ⓐ가 이완하므로 근육 원섬유 마디의 길이는 길어진다.

ㄷ. 근육이 이완할 때 근육 원섬유 마디에서 A대의 길이는 변하지 않지만, I대와 H대의 길이는 길어진다. (나)에서 ㉢은 A대이므로, 팔을 펴는 동안 ㉢의 길이는 변하지 않는다.

바로 알기 ㄱ. Z선과 Z선 사이가 하나의 근육 원섬유 마디이며, 근육 원섬유 마디의 중앙에 M선이 위치한다. 따라서 M선을 중심으로 마이오신 필라멘트만으로 구성된 ㉠은 H대이다. ㉡은 액틴 필라멘트만으로 구성된 I대이며, I대 중앙에 Z선이 수직으로 나타난다.

05 ① ⓐ는 굵은 필라멘트이므로 마이오신 필라멘트이다.

② (가)에서 ㉠은 A대, ㉡은 I대이다. 근육 원섬유 마디는 A대와 I대로 구분되므로, 근육 원섬유 마디의 길이는 ㉠+㉡의 길이와 같다.

④ 골격근이 이완하면 액틴 필라멘트가 마이오신 필라멘트 사이에서 나오므로, I대(㉡)와 H대의 길이가 길어진다.

⑤ 골격근이 수축하면 액틴 필라멘트가 마이오신 필라멘트 사이로 미끄러져 들어가므로, I대와 H대의 길이가 짧아지고, A대의 길이는 변화 없다. 따라서 $\frac{\text{A대(㉠)의 길이}}{\text{I대(㉡)의 길이}}$는 커진다.

바로 알기 ③ A는 액틴 필라멘트만으로 이루어진 I대(㉡)의 단면, B는 마이오신 필라멘트만으로 이루어진 H대의 단면, C는 A대 중 액틴 필라멘트와 마이오신 필라멘트가 겹쳐 있는 부분의 단면이다.

06 무릎을 고무망치로 치면 근육 X는 수축하고 근육 Y는 이완하여 다리가 위로 올라간다.

ㄴ, ㄷ. 근육 원섬유 마디에서 A대의 길이는 근육의 수축 전과 후에 변화가 없으므로, ㉡이 A대이다. 따라서 ㉠은 I대이며, I대는 액틴 필라멘트만으로 구성되어 있다.

바로 알기 ㄱ. 근육이 수축하면 I대의 길이가 짧아지고, 근육이 이완하면 I대의 길이가 길어진다. 무릎을 고무망치로 친 후에 I대(㉠)의 길이가 길어졌으므로, 표는 이완하는 근육 Y의 근육 원섬유에 대한 자료이다.

07 ㄱ. ⓐ일 때보다 ⓑ일 때 근육 원섬유 마디 X의 길이가 더 짧으므로, ⓐ일 때보다 ⓑ일 때 근육이 더 수축한 상태이다. 근육이 수축할 때 ATP가 필요하므로, ⓐ에서 ⓑ로 될 때 ATP가 소모된다.

ㄴ. ⓐ일 때 ㉡의 길이+㉢의 길이=0.6 μm이고, H대의 길이는 0.2 μm이다. ⓐ일 때 근육 원섬유 마디 X의 길이는 ㉡의 길이+㉢의 길이+A대의 길이=2.6 μm이므로, ⓐ일 때 A대의 길이(마이오신 필라멘트의 길이)는 $2.6-0.6=2.0(\mu m)$이다.

ⓑ일 때 근육 원섬유 마디 X의 길이가 2.4 μm이고 A대의 길이는 2.0 μm이므로, ㉡의 길이+㉢의 길이는 X의 길이−A대의 길이=2.4−2.0=0.4(μm)이다.

ㄷ. ㉠은 액틴 필라멘트와 마이오신 필라멘트가 겹치는 부분이고, ㉡은 액틴 필라멘트만 있는 부분이므로 '㉠의 길이+㉡의 길이'는 근육 원섬유 마디에서 한쪽 액틴 필라멘트의 길이와 같다. 액틴 필라멘트의 길이(㉠의 길이+㉡의 길이)는 골격근이 수축하거나 이완해도 변하지 않는다.

08 ㄴ. 근육 수축에 직접 이용되는 에너지원은 ATP이다.

ㄷ. 산소 공급이 원활할 때는 산소 호흡이 일어나므로 글리코젠은 포도당을 거쳐 이산화 탄소와 물로 완전히 산화되며, 이 과정에서 다량의 ATP가 합성된다. 그러나 산소 공급이 부족할 때는 무산소 호흡이 일어나므로 글리코젠은 포도당을 거쳐 젖산으로 분해되며, 소량의 ATP가 합성된다.

바로 알기 ㄱ. 운동을 하면 ATP가 ADP로 전환되면서 근육 수축에 필요한 에너지를 공급한다. 이때 부족한 ATP를 신속하게 보충하기 위해 크레아틴 인산이 크레아틴으로 전환되므로, 운동할 때 근육 섬유의 크레아틴 인산은 감소하게 된다.

03 신경계

집중 분석 1권 155쪽

유제 ㄱ, ㄴ

유제 ㄱ. 감각 신경(A)과 골격근의 운동을 일으키는 운동 신경(C)은 모두 말이집 신경이다.

ㄴ. 감각 신경(A)이 흥분한 결과 다리가 올라가는 무릎 반사가 일어나므로 ㉠은 수축하고 ㉡은 이완한다.

바로 알기 ㄷ. B는 연합 신경으로, 척수의 속질에 분포한다. 척수의 속질은 주로 신경 세포체가 모여 있는 회색질이다.

개념 모아 정리하기 1권 157쪽

❶중추 신경계 ❷말초 신경계 ❸회색질 ❹시상 하부
❺연수 ❻대뇌 ❼척수 ❽체성
❾노르에피네프린 ❿아세틸콜린 ⓫촉진
⓬억제

개념 기본 문제 1권 158쪽~159쪽

01 (1) E, 소뇌 (2) A, 대뇌 (3) B, 간뇌 (4) D, 연수 **02** (가) C, 중간뇌, (나) A, 대뇌 **03** D **04** ㄱ, ㄷ **05** (1) B, C (2) A, B, C (3) B **06** (나), (다) **07** (1) 구심성 뉴런인가? (또는 중추 신경계로 흥분을 전달하는가?) (2) A: 부교감 신경, B: 교감 신경 **08** (1) B (2) A, B, C, D (3) B **09** ㄴ, ㄷ **10** ㉠ 확대, ㉡ 촉진, ㉢ 증가 **11** ㄱ, ㄴ

01 A는 대뇌, B는 간뇌, C는 중간뇌, D는 연수, E는 소뇌이다.

(1) 대뇌와 함께 수의 운동을 조절하고 몸의 자세와 평형을 유지하는 중추는 소뇌이다.

(2) 대뇌는 감각과 수의 운동의 중추일 뿐만 아니라, 기억, 사고, 감정, 추리 등 고등 정신 활동의 중추이다.

(3) 혈당량 조절, 체온 조절, 삼투압 조절 등 체내 항상성 유지의 중추는 간뇌의 시상 하부이다.

(4) 심장 박동, 호흡 운동, 소화 작용의 조절 중추이며, 신경의 좌우 교차가 일어나는 부위는 연수이다.

02 (가) 중간뇌가 손상되면 안구 운동 조절과 동공 반사에 장애가 생길 수 있다.

(나) 대뇌가 손상되면 기억, 사고, 감정, 추리, 언어 등 고등 정신 활동에 이상이 생길 수 있다. 특히, 대뇌의 전두엽이 손상되면 감정 조절에 변화가 생겨 성격이 매우 폭력적으로 변할 수 있다.

03 A와 D는 척수의 등 쪽으로 들어가는 신경이므로 감각 신경(후근)이고, B와 C는 척수의 배 쪽으로 나오는 신경이므로 운동 신경(전근)이다. 마비된 부분은 몸의 왼쪽에 있는 감각 기관에서 받아들인 자극을 척수로 전달하는 감각 신경(D)이다. 따라서 D가 마비되면 핀으로 왼팔을 찔러도 아픔을 느끼지 못한다.

04 ㄱ. A는 신경 세포체가 축삭 돌기의 한쪽 옆에 있으므로 감각 신경이며, 감각 신경은 척수의 후근을 형성한다.

ㄷ. C는 척수의 속질로, 주로 신경 세포체가 모여 있는 회색질이다.

바로 알기 ㄴ. B는 운동 신경으로, 척수의 전근을 형성한다. 골격근의 운동을 조절하는 운동 신경은 체성 신경계에 속한다.

05 (1), (2) 뇌와 척수는 중추 신경계에 속하고, A~C는 모두 말초 신경계에 속한다. 감각 기관과 중추 신경계를 연결하는 A는 구심성 뉴런이고, 중추 신경계와 반응기(내장 기관, 골격근)를 연결하는 B와 C는 원심성 뉴런이다.

(3) 원심성 뉴런 중 중추 신경계의 명령을 내장 기관으로 전달하는 B는 자율 신경계에 속하고, 중추 신경계의 명령을 골격근으로 전달하는 C는 체성 신경계에 속한다.

06 (나) 뜨거움을 느끼는 것은 대뇌의 감각령에서 일어나고, (다) 다른 손으로 데인 손을 움켜쥐는 것은 대뇌의 운동령에서 명령을 내린 결과로 일어난다. 따라서 대뇌가 중추가 되어 일어나는 반응은 (나)와 (다)이다.

바로 알기 (가) 자기도 모르게 손을 급히 떼는 반응은 척수 반사이므로, 대뇌와는 관련이 없다.

07 (1) 감각 신경은 구심성 뉴런이고 교감 신경과 부교감 신경은 원심성 뉴런이므로, 이 둘을 구분하는 기준 (가)는 '구심성 뉴런인가?' 또는 '중추 신경계로 흥분을 전달하는가?'가 될 수 있다.

(2) 교감 신경과 부교감 신경 중 신경절 이전 뉴런보다 신경절 이후 뉴런이 짧은 것은 부교감 신경이다. 따라서 A는 부교감 신경이고, B는 교감 신경이다.

08 (1) A는 체성 신경계의 운동 신경, B는 자율 신경계 중 교감 신경의 신경절 이전 뉴런, C는 자율 신경계 중 부교감 신경의 신경절 이전 뉴런, D는 부교감 신경의 신경절 이후 뉴런이다.

(2) 뉴런의 말단에서 신경 전달 물질로 아세틸콜린이 분비되는 것은 운동 신경(A), 교감 신경의 신경절 이전 뉴런(B), 부교감 신경의 신경절 이전 뉴런(C), 부교감 신경의 신경절 이후 뉴런(D)이다. 교감 신경의 신경절 이후 뉴런의 말단에서는 노르에피네프린이 분비된다.

(3) 자율 신경계 중 교감 신경은 심장 박동을 촉진하고, 부교감 신경은 심장 박동을 억제한다. 따라서 흥분하면 심장 박동이 빨라지는 것은 B이다.

09 A는 연수에서 뻗어 나오며, 신경절 이전 뉴런이 길고 신경절 이후 뉴런이 짧으므로 부교감 신경이다. B는 척수에서 뻗어 나오며, 신경절 이전 뉴런이 짧고 신경절 이후 뉴런이 길므로 교감 신경이다.

ㄴ. 놀라거나 긴장하면 교감 신경이 흥분하므로, ㉡의 분비가 촉진되어 위의 소화 운동이 억제된다.

ㄷ. 부교감 신경(A)은 휴식 때와 같이 몸이 안정된 상태일 때 흥분하여 위의 소화 운동을 촉진한다.

바로 알기 ㄱ. ㉠은 아세틸콜린, ㉡은 노르에피네프린으로, 서로 다른 신경 전달 물질이다.

10 놀란 사람의 체내에서는 교감 신경이 흥분한다.

㉠ 위기 상황에서 교감 신경은 동공을 확대하여 눈으로 들어오는 빛의 양을 증가시킨다.

㉡, ㉢ 위기 상황에서 교감 신경은 골격근의 운동이 활발히 일어날 수 있도록 심장 박동과 호흡 운동을 촉진하고, 혈당량을 증가시킨다.

11 파킨슨병은 중간뇌에서 도파민을 분비하는 뉴런이 파괴되어 나타나는 질환이고, 알츠하이머병은 뇌의 뉴런이 파괴되어 뇌 조직이 수축하면서 인지 장애, 기억 상실 등의 치매 증상이 나타나는 질환이므로, 둘 다 중추 신경계 이상으로 발생한다.

바로 알기 ㄷ. 길랭 · 바레 증후군은 몸의 면역계가 말초 신경계를 잘못 공격하여 뉴런의 축삭을 둘러싸고 있는 말이집을 손상시켜 발생하는 질환이다.

ㄹ. 근위축성 측삭 경화증은 루게릭병이라고도 하며, 운동 신경만 선택적으로 파괴되면서 나타나는 질환이다.

개념 적용 문제

1권 160쪽~165쪽

01 ②	02 ③	03 ③	04 ④	05 ⑤	06 ②
07 ③	08 ⑤	09 ③	10 ③	11 ③	12 ⑤

01 A는 간뇌, B는 중간뇌, C는 연수이다.

ㄷ. 중간뇌(B), 뇌교, 연수(C)를 합쳐서 뇌줄기라고 하며, 뇌줄기는 생명 유지에 중요한 역할을 한다.

바로 알기 ㄱ. ㉠은 동공 반사가 일어남을 의미하며, 이를 통해 중간뇌(B)의 기능이 정상임을 알 수 있다.

ㄴ. ㉡을 조절하는 중추는 연수(C)이며, ㉢을 조절하는 중추는 간뇌(A)이다.

02 ㄱ. (가)에서 들은 단어를 발음할 때 A 부위가 가장 먼저 활동하므로 A는 청각 중추이고, (나)에서 읽은 단어를 발음할 때 B 부위가 가장 먼저 활동하므로 B는 시각 중추이다.

ㄴ. (가)와 (나)에서 공통으로 활동하는 C는 듣거나 읽은 단어의 의미를 파악하는 부위이고, D는 적절한 단어를 만들어 내는 데 관여하는 부위이다.

바로 알기 ㄷ. 가장 나중에 활동하는 E 부위는 발음하도록 운동 신경을 통해 명령을 내리는 운동령이다. 따라서 E가 손상될 경우 단어를 눈으로 읽거나 귀로 듣고 그 의미를 파악할 수 있지만, 발음할 수는 없다.

03 ㄱ. 표에서 A를 자극했을 때는 A와 B에서 모두 활동 전위가 발생하였지만, B를 자극했을 때는 A에서는 활동 전위가 발생하지 않고 B에서만 활동 전위가 발생하였다. 이를 통해 A는 감각 신경, B는 운동 신경임을 알 수 있다. 감각 신경(A)의 흥분은 척수에서 운동 신경(B)으로 전달될 뿐만 아니라, 대뇌로도 전달되어 뜨거움을 느끼게 된다.

ㄴ. 운동 신경(B)이 흥분하면 뜨거운 물체에 닿은 손을 떼는 반응이 일어난다.

바로 알기 ㄷ. A는 감각 신경 다발인 후근을 통해 척수와 연결되고, B는 운동 신경 다발인 전근을 통해 척수와 연결된다.

04 ㄴ. B는 감각 신경이므로, B가 마비되면 고무망치에 의한 자극이 척수로 전달되지 못해 무릎 반사와 대뇌에서의 감각이 모두 일어나지 않는다. 그러나 A(대뇌의 연합 신경)의 명령에 따라 다리를 움직이는 수의 운동은 가능하다.

ㄷ. 고무망치로 무릎뼈 바로 아래를 가볍게 치면 고무망치에 의한 자극이 감각 신경(B) → 척수의 연합 신경(C) → 운동 신경(D) 순으로 전달되어 다리가 저절로 올라가는 무릎 반사가 일어난다.

바로 알기 ㄱ. 고무망치에 의한 자극은 B를 통해 척수에 도달한 후 C로 전달되어 무릎 반사가 일어날 뿐만 아니라, 대뇌(A)로도 전달되어 고무망치로 무릎뼈 아래를 친 것을 느끼게 된다.

05 ① A는 감각 기관에서 받아들인 자극을 중추인 척수로 전달하는 감각 신경이므로, 구심성 뉴런에 해당한다.

② 감각 신경인 A와 골격근에 연결된 운동 신경인 C는 말초 신경계에 속한다.

③ B는 연합 신경으로, 척수의 속질에 분포한다.

④ 고무망치로 무릎뼈 아래를 치면 다리가 저절로 올라가는 무릎 반사가 일어나므로, ⓐ는 수축, ⓑ는 이완한다.

바로 알기 ⑤ 대뇌의 좌우 반구와 몸의 좌우를 연결하는 신경은 대부분 연수에서 교차한다. 따라서 좌반구 운동령 중 ㉠은 오른쪽 무릎에서 의식적인 반응을 일으키는 부위이다. ㉠이 손상되면 오른쪽 다리를 의식적으로 움직일 수 없지만, 무릎 반사의 중추는 척수이므로 오른쪽 다리에서 무릎 반사는 일어난다.

06 중추 신경계에서 나와 심장에 연결된 말초 신경은 자율 신경이다. 심장에 연결된 신경 중 신경절 이전 뉴런의 길이가 긴 A와 B는 부교감 신경이고, 신경절 이전 뉴런의 길이가 짧은 C와 D는 교감 신경이다. 따라서 A는 부교감 신경의 신경절 이전 뉴런, B는 부교감 신경의 신경절 이후 뉴런이고, C는 교감 신경의 신경절 이전 뉴런, D는 교감 신경의 신경절 이후 뉴런이다.

ㄷ. 중추 신경계와 다리 골격근을 연결하는 신경 E는 원심성 뉴런인 운동 신경이다. 다리와 연결된 운동 신경은 척수의 전근을 통해 나온다.

바로 알기 ㄱ. 심장에 분포하는 부교감 신경의 신경절 이전 뉴런(A)의 신경 세포체는 연수에 있고, 교감 신경의 신경절 이전 뉴런(C)의 신경 세포체는 척수의 중간 부분에 있다.

ㄴ. 교감 신경의 신경절 이후 뉴런(D) 말단에서는 노르에피네프린이 분비된다.

07 ㄱ. A는 신경절 이전 뉴런이 길고 신경절 이후 뉴런이 짧으므로 부교감 신경이다. 위와 연결되는 부교감 신경의 신경절 이전 뉴런의 신경 세포체는 연수에 있다.

ㄴ. B는 신경절 이전 뉴런이 짧고 신경절 이후 뉴런이 길므로 교감 신경이다. 교감 신경의 신경절 이전 뉴런의 신경 세포체는 척수의 중간 부분에 있다. 부교감 신경의 신경절 이후 뉴런 말단에서 분비되는 신경 전달 물질 ㉠과 교감 신경의 신경절 이전 뉴런 말단에서 분비되는 신경 전달 물질 ㉡은 모두 아세틸콜린이다.

바로 알기 ㄷ. 교감 신경(B)은 소화 운동을 억제하므로, 교감 신경이 흥분하면 위의 운동이 억제된다.

08 A는 감각 신경이고, B와 C는 부교감 신경이다.

ㄴ. 방광은 교감 신경에 의해 확장되고, 부교감 신경에 의해 수축한다. 따라서 감각 신경(A)이 흥분하면 부교감 신경(B와 C)에 의해 방광이 수축한다.

ㄷ. 부교감 신경에서 신경절 이전 뉴런(B)의 말단과 신경절 이후 뉴런(C)의 말단에서 분비되는 신경 전달 물질은 모두 아세틸콜린이다.

바로 알기 ㄱ. A는 신경 세포체가 축삭 돌기의 한쪽 옆에 있으므로 구심성 뉴런(감각 신경)이다. B는 부교감 신경의 신경절 이전 뉴런, C는 부교감 신경의 신경절 이후 뉴런이다.

09 ㄱ, ㄴ. A를 자극했을 때 활동 전위의 발생 빈도가 증가하였으므로 (가)는 심장 박동이 빨라진 경우이고, B를 자극했을 때 활동 전위의 발생 빈도가 감소하였으므로 (나)는 심장 박동이 느려진 경우이다. 따라서 자율 신경 A는 심장 박동을 촉진하는 교감 신경, 자율 신경 B는 심장 박동을 억제하는 부교감 신경이다. 심장에 분포하는 교감 신경의 신경절 이전 뉴런의 신경 세포체는 척수에 있고, 부교감 신경의 신경절 이전 뉴런의 신경 세포체는 연수에 있다.

바로 알기 ㄷ. 부교감 신경(B)에 더 강한 자극을 주면 신경절 이후 뉴런에서 심장으로 분비되는 아세틸콜린의 양이 증가하여 심장 박동이 더 느려진다.

10 오른쪽 눈에서 받아들인 시각 정보의 일부는 대뇌의 우반구로, 일부는 대뇌의 좌반구로 전달되며, 왼쪽 눈에서 받아들인 시각 정보도 일부는 대뇌의 우반구, 일부는 대뇌의 좌반구로 전달된다. 따라서 A가 절단되면 오른쪽 눈에서 받아들인 시각 정보를 대뇌로 전달할 수 없고, B가 절단되면 오른쪽 눈과 왼쪽 눈에서 받아들인 일부 정보가 대뇌로 전달될 수 있다.

ㄱ. ㉠은 중간뇌와 홍채를 연결하는 부교감 신경이므로, ㉠이 흥분하면 동공의 크기가 작아진다.

ㄴ. A 부위가 절단되더라도 왼쪽 눈에서 수용한 자극이 뇌로 전달되며, 이 과정에 관여하는 신경이 중간뇌에서 양쪽 눈으로 가는 부교감 신경과 시냅스를 형성하고 있다. 따라서 A 부위가 절단된 사람의 왼쪽 눈에 강한 빛을 비추면 양쪽 눈의 동공 크기가 모두 작아진다.

바로 알기 ㄷ. B 부위가 절단되면 왼쪽에 위치한 바나나에 대해 왼쪽 눈과 오른쪽 눈에서 수용한 자극이 우뇌 시각 겉질까지 전달되지 못해 바나나를 볼 수 없다. 그러나 오른쪽에 위치한 포도에 대해 왼쪽 눈과 오른쪽 눈에서 수용한 자극은 좌뇌 시각 겉질까지 전달될 수 있으므로, 포도를 볼 수 있다.

11 A는 중추 신경계의 명령을 골격근으로 전달하는 운동 신경이고, B는 척수로부터 비롯되었고 신경절 이전 뉴런보다 길이가 길므로 교감 신경의 신경절 이후 뉴런이다. C는 자극을 중추 신경계로 전달하는 감각 신경이다.

① 골격근으로 명령을 전달하는 운동 신경(A)과 소장의 근육으로 명령을 전달하는 교감 신경의 신경절 이후 뉴런(B)은 모두 원심성 뉴런이다.

② 운동 신경(A)은 체성 신경계에 속하고, 교감 신경의 신경절 이후 뉴런(B)은 자율 신경계에 속한다.

④ 교감 신경은 소화 작용을 억제하므로 B가 흥분하면 소장에서의 소화 작용이 억제된다.

⑤ C는 소장의 감각 세포에서 받아들인 자극을 중추 신경계로 전달하는 감각 신경이다.

바로 알기 ③ 운동 신경(A)의 축삭 돌기 말단에서 분비되는 신경 전달 물질은 아세틸콜린이고, 교감 신경의 신경절 이후 뉴런(B)의 축삭 돌기 말단에서 분비되는 신경 전달 물질은 노르에피네프린이다.

12 A는 신경절 이전 뉴런이 신경절 이후 뉴런보다 짧으므로 교감 신경이고, B는 이와 반대이므로 부교감 신경이다. 또, ㉠일 때보다 ㉡일 때 심장 박출량과 호흡수가 모두 증가하였으므로, ㉠은 평상시이고 ㉡은 운동 시이다.

ㄱ. 평상시보다 운동 시에 심장 박출량과 호흡수가 모두 증가하므로, 운동 시에 폐포 모세 혈관과 폐포 사이에 산소와 이산화 탄소의 교환이 더 활발하게 일어난다. 따라서 폐포에서 폐포 모세 혈관으로의 산소 이동 속도는 운동 시(㉡)가 평상시(㉠)보다 빠르다.

ㄴ. 교감 신경(A)은 심장 박동과 호흡 운동을 촉진한다. 따라서 단위 시간당 교감 신경의 신경절 이후 뉴런의 활동 전위 발생 횟수는 운동 시(㉡)가 평상시(㉠)보다 많다.

ㄷ. 부교감 신경(B)은 심장 박동과 호흡 운동을 억제한다. 따라서 부교감 신경의 신경절 이후 뉴런에서 분비되는 신경 전달 물질(아세틸콜린)의 양은 평상시(㉠)가 운동 시(㉡)보다 많다.

04 항상성 유지

집중 분석

1권 175쪽

유제 ⑤

유제 ① 간에 작용하여 혈당량을 감소시키는 호르몬 X는 인슐린이고, 혈당량을 증가시키는 호르몬 Y는 글루카곤이다. 즉, 인슐린과 글루카곤은 길항 작용을 한다.

② 인슐린(호르몬 X)은 이자섬의 β세포에서 분비된다.

③ 식사 후에는 소장에서 포도당이 흡수되므로 혈당량이 증가한다. 따라서 혈당량을 감소시키는 인슐린(호르몬 X)의 분비량이 증가한다.

④ 혈당량에 따라 인슐린(호르몬 X)과 글루카곤(호르몬 Y)의 분비량이 음성 피드백에 의해 조절됨으로써 혈당량이 정상 범위로 유지된다.

바로 알기 ⑤ 제1형 당뇨병 환자는 이자섬의 β세포가 파괴되어 인슐린(호르몬 X)을 정상적으로 생성하지 못한다.

개념 모아 정리하기

1권 177쪽

❶ 내분비샘 ❷ 갑상샘 자극 호르몬(TSH) ❸ 에피네프린 ❹ 인슐린 ❺ 글루카곤 ❻ 증가 ❼ 감소 ❽ 당뇨병

개념 기본 문제

1권 178쪽~179쪽

01 ㄱ, ㄴ, ㄷ **02** ㉠ 느리고, ㉡ 넓으며, ㉢ 지속적 **03** (1) C, 갑상샘 (2) B, 뇌하수체 후엽 (3) E, 이자 (4) A, 뇌하수체 전엽 **04** 음성 피드백 **05** (1) 증가한다. (2) 감소한다. **06** (1) 감소한다. (2) 증가한다. **07** (1) A: 인슐린, B: 글루카곤 (2) 교감 신경 (3) A **08** ㄱ **09** (1) 부신 속질 (2) 에피네프린 (3) 피부 근처 혈관이 수축한다. **10** (1) 증가한다. (2) 감소한다. **11** ㄴ, ㄷ **12** (1) 구간 Ⅰ (2) 구간 Ⅲ

01 호르몬은 매우 적은 양으로 생리 작용을 조절하며, 별도로 분비되는 관이 없어 내분비샘에서 혈관으로 직접 분비된다. 또, 혈액을 통해 온몸으로 운반되지만 표적 세포나 표적 기관에서만 기능을 나타낸다.

02 ㉠ 신경계는 뉴런을 통해 신호를 전달하므로 신호 전달 속도가 빠르지만, 호르몬은 혈액을 통해 운반되므로 신호 전달 속도가 느리다.
㉡ 신경계는 뉴런과 연결된 반응기에만 직접 영향을 미치지만, 호르몬은 혈액을 통해 운반되어 다수의 표적 기관에 영향을 미치므로 작용 범위가 넓다.
㉢ 신경계의 효과는 일시적이지만, 호르몬은 표적 기관에 지속적으로 영향을 미친다.

03 A는 뇌하수체 전엽, B는 뇌하수체 후엽, C는 갑상샘, D는 부신, E는 이자이다.
(1) 미역, 다시마 등 해조류에 풍부한 성분인 아이오딘(I)을 함유한 호르몬은 티록신이며, 갑상샘(C)에서 분비된다.
(2) 콩팥에 작용하여 수분 재흡수를 촉진하는 호르몬은 항이뇨 호르몬(ADH)이며, 뇌하수체 후엽(B)에서 분비된다.
(3) 간에 작용하여 혈당량을 낮추는 호르몬은 인슐린이며, 이자(E)에서 분비된다.
(4) 과다 분비되면 거인증을 일으키는 호르몬은 뼈와 근육의 발달을 촉진하는 생장 호르몬이며, 뇌하수체 전엽(A)에서 분비된다.

04 갑상샘에서 티록신이 과다하게 분비되면 시상 하부와 뇌하수체 전엽의 작용이 억제된 결과 티록신의 분비가 억제된다. 이처럼 어떤 원인에 의해 나타난 결과가 원인을 억제하는 방향으로 작용하는 조절 방식을 음성 피드백이라고 한다. 티록신을 비롯한 대부분의 호르몬 분비는 음성 피드백에 의해 조절된다.

05 갑상샘을 제거하면 티록신이 분비되지 못하므로 혈중 티록신 농도가 낮아진다. 그 결과 음성 피드백에 의해 뇌하수체 전엽에서 갑상샘 자극 호르몬(TSH)의 분비가 촉진되므로 혈중 갑상샘 자극 호르몬(TSH)의 농도는 증가한다.

06 혈중 갑상샘 자극 호르몬(TSH)의 농도가 높아지면 갑상샘에서 티록신의 분비량이 증가한다. 그 결과 혈중 티록신의 농도가 높아지면 음성 피드백에 의해 갑상샘 자극 호르몬 방출 호르몬(TRH)의 분비량은 감소한다.

07 (1) 이자섬의 β세포에서 분비되는 호르몬 A는 인슐린이고, α세포에서 분비되는 호르몬 B는 글루카곤이다.
(2) 간뇌의 시상 하부는 교감 신경을 통해 이자섬의 α세포를 자극하여 글루카곤 분비를 촉진하고, 부교감 신경을 통해 이자섬의 β세포를 자극하여 인슐린 분비를 촉진한다.
(3) 당뇨병은 혈당량이 높을 때 나타나는 질환이다. 따라서 혈당량을 낮추는 작용을 하는 인슐린(A)의 분비량이 부족할 때 당뇨병이 발생할 수 있다.

08 ㄱ. 인슐린을 주사하면 혈당량이 낮아진다. 이때 글루카곤과 에피네프린의 혈액 내 농도가 증가하였으므로, 글루카곤과 에피네프린은 모두 혈당량이 낮을 때 분비가 촉진되어 혈당량을 증가시키는 작용을 한다는 것을 알 수 있다.

바로 알기 ㄴ. 간에 저장된 글리코젠이 포도당으로 분해되어 혈액으로 방출될 때 혈당량이 증가한다. 따라서 글루카곤과 에피네프린은 모두 글리코젠의 분해를 촉진한다.
ㄷ. 글루카곤과 에피네프린은 유사한 작용을 하므로 길항 작용에 해당하지 않는다. 인슐린과 글루카곤 또는 인슐린과 에피네프린이 길항적으로 작용한다.

09 (1) 추울 때 시상 하부의 조절을 받는 자율 신경 (가)는 교감 신경이며, 교감 신경의 조절을 받는 내분비샘 A는 부신 속질이다.
(2) 부신 속질(A)에서 분비되는 호르몬은 에피네프린이다.
(3) 추울 때 교감 신경은 열 발산량을 줄여 체온이 높아지도록 작용한다. 따라서 피부 근처 혈관을 수축시켜 혈류량을 줄이도록 한다.

10 혈장 삼투압이 높아지면 체내 수분량을 늘리기 위해 뇌하수체 후엽에서 항이뇨 호르몬(ADH)의 분비량이 증가한다. 항이뇨 호르몬(ADH)은 콩팥에서 수분의 재흡수를 촉진하므로 오줌 생성량이 감소하게 된다. 즉, 삼투압이 높은 진한 오줌을 소량 배설하게 된다.

11 ㄴ. 혈장 삼투압이 높아질수록 항이뇨 호르몬(ADH)의 농도가 높아지므로, 항이뇨 호르몬(ADH)은 혈장 삼투압이 높을 때 분비가 촉진되어 혈장 삼투압을 낮추는 작용을 한다는 것을 알 수 있다.
ㄷ. 구간 Ⅰ에서는 혈장 삼투압이 높아질수록 항이뇨 호르몬(ADH)의 농도가 높아지므로, 콩팥에서 수분의 재흡수가 촉진된다.

바로 알기 ㄱ. 혈압이 낮아질수록 항이뇨 호르몬(ADH)의 농도가 높아진 것은 항이뇨 호르몬(ADH)이 혈압을 높이는 작용을 하기 때문이다. 항이뇨 호르몬(ADH)은 콩팥에서 수분의 재흡수를 촉진하여 혈액량을 증가시키고 혈관을 수축시키기 때문에 혈압이 높아진다.

12 물을 다량 섭취하면 혈장 삼투압이 낮아져 콩팥에서 수분의 재흡수가 억제되고, 그 결과 오줌 생성량이 증가한다.

(1) 항이뇨 호르몬(ADH)의 농도가 높을수록 오줌 생성량이 감소하므로, 혈중 항이뇨 호르몬(ADH)의 농도는 오줌 생성량이 적은 구간 Ⅰ에서가 구간 Ⅱ에서보다 높다.

(2) 혈장 삼투압이 높을수록 오줌 생성량이 적으므로, 혈장 삼투압은 오줌 생성량이 적은 구간 Ⅲ에서가 구간 Ⅱ에서보다 높다.

개념 적용 문제 1권 180쪽~184쪽

01 ④	02 ⑤	03 ①	04 ③	05 ③	06 ①
07 ③	08 ⑤	09 ③	10 ①		

01 항이뇨 호르몬(ADH)은 뇌하수체 후엽에서, 갑상샘 자극 호르몬(TSH)은 뇌하수체 전엽에서, 당질 코르티코이드는 부신 겉질에서 분비되는 호르몬이다.

ㄱ. 세 가지 호르몬 중 뇌하수체에서 분비되지 않는 당질 코르티코이드는 C에 해당한다. 나머지 두 호르몬 중 갑상샘 자극 호르몬만 표적 기관이 내분비샘(갑상샘)이므로, '표적 기관이 내분비샘인가?'는 X가 될 수 있다. 이를 기준으로 하면 A는 갑상샘 자극 호르몬(TSH)이고, B는 항이뇨 호르몬(ADH)이다.

ㄷ. 당질 코르티코이드의 분비는 뇌하수체 전엽의 조절을 받는다. 뇌하수체 전엽에서 부신 겉질 자극 호르몬(ACTH)의 분비량이 증가하면 부신 겉질에서 당질 코르티코이드(C)의 분비량이 증가한다.

바로 알기 ㄴ. 혈장 삼투압에 영향을 미치는 호르몬은 항이뇨 호르몬(ADH)이며, 갑상샘 자극 호르몬(TSH)은 혈장 삼투압에 영향을 미치지 않는다.

02 ㄱ, ㄴ. 시상 하부의 조절을 받는 내분비샘 (가)는 뇌하수체 전엽이고, 뇌하수체 전엽의 조절을 받는 내분비샘 (나)는 갑상샘, 부신 겉질 등이다.

ㄷ. 혈액 내 호르몬 C의 농도가 증가하면 음성 피드백에 의해 호르몬 A와 B의 분비량이 모두 감소한다.

03 ㄱ. 호르몬 A는 간세포로의 포도당 흡수를 촉진하고 포도당을 글리코젠으로 전환하는 과정을 촉진하여 혈당량을 낮추는 작용을 하므로 인슐린이다. 인슐린을 분비하는 내분비 세포 X는 이자섬의 β세포이다.

바로 알기 ㄴ. 이자는 호르몬을 분비하는 내분비샘인 동시에 소화액인 이자액을 분비하는 외분비샘의 역할을 한다. 이자관은 이자액을 십이지장으로 분비하는 분비관이므로, 혈관으로 직접 분비되는 호르몬과는 아무 관련이 없다.

ㄷ. 부신 속질에서 분비되는 에피네프린은 혈당량을 높이는 작용을 하므로, 인슐린(A)과는 작용이 반대이다.

04 ㄱ. 식사 후 (가)와 (나)의 두 그래프를 비교해 보면 혈당량이 높아질 때 호르몬 A의 농도가 감소한다. 이를 통해 이자에서 분비되는 호르몬 A는 혈당량을 높이는 작용을 하는 글루카곤임을 알 수 있다. 글루카곤은 이자섬의 α세포에서 분비된다.

ㄴ. 글루카곤(A)은 혈당량이 낮을 때 분비량이 증가하며, 간세포에서 글리코젠을 분해하여 포도당을 생성하는 반응을 촉진한다.

바로 알기 ㄷ. 구간 Ⅰ에서 혈당량이 증가하는 것은 식사 후 소장에서 포도당이 다량 흡수되었기 때문이며, 이로 인해 글루카곤(A)의 분비량이 감소한다.

05 포도당을 투여하면 혈당량이 증가하는데 이때 호르몬 A의 혈중 농도도 함께 높아지므로, 호르몬 A는 혈당량을 낮추는 작용을 하는 인슐린임을 알 수 있다. 인슐린은 이자섬의 β세포에서 분비된다.

ㄱ. 혈당량을 낮추는 작용을 하는 인슐린(A)의 혈중 농도는 t_2일 때가 t_3일 때보다 높으므로, 혈당량은 t_2일 때가 t_3일 때보다 높다.

ㄴ. 글루카곤은 혈당량이 낮을 때 분비가 촉진되어 혈당량을 높이는 호르몬이며, 인슐린과는 길항 작용을 한다. 따라서 혈중 글루카곤의 농도는 혈당량이 낮은 t_1일 때가 혈당량이 높은 t_2일 때보다 높다.

바로 알기 ㄷ. 인슐린은 간세포에서 포도당을 글리코젠으로 합성하는 반응을 촉진한다. 따라서 간세포의 글리코젠 합성량은 인슐린의 혈중 농도가 높은 t_2일 때가 t_1일 때보다 많다.

06 ㄱ. 체온 조절 중추인 (가)는 간뇌의 시상 하부이다.

바로 알기 ㄴ. ㉠ 과정을 통해 피부 근처 혈관이 수축하여 열 발산량이 감소하므로, ㉠은 교감 신경을 통한 조절 과정이다.

ㄷ. 티록신의 혈중 농도가 증가하면 음성 피드백 조절이 일어나 갑상샘 자극 호르몬 방출 호르몬(TRH)과 갑상샘 자극 호르몬(TSH)의 분비량이 모두 감소한다.

07 감기 등으로 인해 시상 하부에 정상 체온보다 높은 온도가 설정되면 열 발산량 감소와 열 발생량 증가를 통해 시상 하부에 설정된 온도를 맞추려는 조절이 일어난다.

ㄱ. 피부 근처 혈관을 수축시켜 열 발산량을 줄이는 교감 신경의 조절(A)은 구간 Ⅱ에서가 구간 Ⅰ에서보다 활발하다.

ㄷ. A는 교감 신경을 통한 조절이고, B는 호르몬 분비를 통한 조절이다. 신경을 통한 신호 전달이 호르몬을 통한 신호 전달보다 훨씬 빠르다.

바로 알기 ㄴ. 티록신 분비를 통해 조직 세포의 세포 호흡을 촉진하여 열 발생량을 증가시키는 조절(B)은 구간 Ⅱ에서가 구간 Ⅲ에서보다 활발하다. 구간 Ⅲ에서는 시상 하부에 설정된 온도가 낮아지므로 열 발생량을 감소시키고 열 발산량을 증가시켜 체온을 낮추는 조절이 일어난다.

08 ㄱ. 호르몬 A는 뇌하수체 전엽에서 분비되어 갑상샘에 작용하므로 갑상샘 자극 호르몬(TSH)이며, 갑상샘의 티록신 분비를 촉진한다. 더울 때는 열 발생량을 증가시키는 호르몬인 티록신의 분비가 억제되어야 하므로 갑상샘 자극 호르몬(TSH)의 분비량이 감소한다.

ㄴ. 호르몬 B는 뇌하수체 후엽에서 분비되어 콩팥에 작용하므로 항이뇨 호르몬(ADH)이다. 항이뇨 호르몬(ADH)은 혈장 삼투압이 높을 때 분비량이 증가하여 오줌으로 배출되는 물의 양을 줄인다. 땀을 많이 흘리면 혈장 삼투압이 높아지므로 항이뇨 호르몬(ADH)의 분비량이 증가한다.

ㄷ. 항이뇨 호르몬(ADH)의 혈중 농도가 높으면 콩팥에서 수분의 재흡수량이 많아지므로, 오줌 생성량이 감소하고 오줌 삼투압이 높아진다. 따라서 배출되는 오줌의 삼투압은 t_2에서가 t_1에서보다 높다.

09 ㄱ. 항이뇨 호르몬(ADH)은 콩팥에서 수분의 재흡수를 촉진하므로, 항이뇨 호르몬(ADH)의 농도가 높을수록 오줌 생성량이 줄어든다. 따라서 혈중 항이뇨 호르몬(ADH)의 농도는 오줌 생성량이 적은 구간 Ⅰ에서가 오줌 생성량이 많은 구간 Ⅱ에서보다 높다.

ㄷ. 혈장 삼투압이 높으면 항이뇨 호르몬(ADH)의 분비량이 증가하여 오줌 생성량이 줄어들고, 혈장 삼투압이 낮으면 항이뇨 호르몬(ADH)의 분비량이 감소하여 오줌 생성량이 늘어난다. 따라서 콩팥에서 단위 시간당 수분 재흡수량은 오줌 생성량이 적은 구간 Ⅲ에서가 오줌 생성량이 많은 구간 Ⅱ에서보다 많다.

바로 알기 ㄴ. 오줌 생성량은 구간 Ⅱ에서가 구간 Ⅰ에서보다 많으므로, 오줌 삼투압은 구간 Ⅰ에서가 구간 Ⅱ에서보다 높다.

10 ㄱ. X는 뇌하수체 후엽에서 분비되고 혈장 삼투압 조절에 관여하므로 항이뇨 호르몬(ADH)이다. 항이뇨 호르몬(ADH)은 콩팥에서 수분의 재흡수를 촉진하는 작용을 하므로, 항이뇨 호르몬(ADH)의 표적 기관은 콩팥이다.

바로 알기 ㄴ. 다량의 물을 섭취하면 체내 수분량이 증가하여 혈장 삼투압이 낮아지므로 항이뇨 호르몬(ADH)의 분비량이 감소한다. 이에 따라 콩팥에서 수분의 재흡수가 억제되어 오줌 생성량이 증가하고 오줌 삼투압이 낮아진다. 따라서 항이뇨 호르몬(ADH)의 분비량은 구간 Ⅰ에서가 구간 Ⅱ에서보다 적다.

ㄷ. t_1일 때 땀을 많이 흘리면 혈장 삼투압이 높아져서 항이뇨 호르몬(ADH)의 분비량이 증가하므로, 콩팥에서 수분의 재흡수가 촉진된다. 따라서 오줌 삼투압은 높아진다.

통합 실전 문제

1권 186쪽~191쪽

01 ④	02 ③	03 ⑤	04 ④	05 ①	06 ②
07 ①	08 ④	09 ⑤	10 ⑤	11 ④	12 ①

01 (가)에서 t_1은 탈분극, t_2는 재분극이 일어나는 시기이며, 이온의 확산은 항상 농도가 높은 쪽에서 낮은 쪽으로 일어난다. 재분극은 세포의 안쪽에서 바깥쪽으로 K^+의 확산을 통해 일어나므로, (나)에서 ㉠은 세포의 바깥쪽, ㉡은 세포의 안쪽에 해당한다.

ㄴ. 탈분극이 일어나는 t_1일 때 Na^+은 Na^+ 통로를 통해 세포의 바깥쪽(㉠)에서 안쪽(㉡)으로 확산된다.

ㄷ. 분극의 시기뿐만 아니라 활동 전위가 발생하는 탈분극과 재분극 시기에도 Na^+의 농도는 항상 세포 바깥쪽이 안쪽보다 높고, K^+의 농도는 항상 세포 안쪽이 바깥쪽보다 높다. 따라서 t_2일 때 K^+과 Na^+의 $\frac{\text{㉡에서의 농도}}{\text{㉠에서의 농도}}$를 비교해 보면, Na^+의 경우 $\frac{\text{세포 안쪽에서의 } Na^+ \text{ 농도}}{\text{세포 바깥쪽에서의 } Na^+ \text{ 농도}} < 1$이지만, K^+의 경우 $\frac{\text{세포 안쪽에서의 } K^+ \text{ 농도}}{\text{세포 바깥쪽에서의 } K^+ \text{ 농도}} > 1$이다.

바로 알기 ㄱ. 세포막의 K^+ 통로는 탈분극 때는 대부분 닫혀 있고 재분극 때 열려 K^+의 확산이 일어나므로, K^+의 막 투과도는 t_2일 때가 t_1일 때보다 크다.

02 A의 경우 자극을 주고 4 ms가 경과했을 때 d_3에서의 막전위가 −80 mV이므로 d_1에서 d_3까지 흥분이 전도되는 데 1 ms가 걸렸다. d_1에서 d_3까지의 거리가 4 cm이므로 A의 흥분 전도 속도는 4 cm/ms이다. B의 경우 자극을 주고 4 ms가 경과했을 때 d_2에서의 막전위가 −80 mV이므로 d_1에서 d_2까지 흥분이 전도되는 데 1 ms가 걸렸다. d_1에서 d_2까지의 거리가 2 cm이므로 B의 흥분 전도 속도는 2 cm/ms이다.

ㄱ. 자극을 준 후 2 ms일 때 A의 d_1에서의 막전위는 +30 mV이고, d_1으로부터 2 cm 거리인 d_2까지 흥분이 이동하는 데 0.5 ms가 걸린다. 따라서 자극을 준 후 2 ms일 때 A의 d_2에서는 Na^+이 세포 안으로 유입된다.

ㄴ. 자극을 준 후 4 ms일 때 B의 d_1에서의 막전위는 −70 mV이고, d_1으로부터 4 cm 거리인 d_3까지 흥분이 이동하는 데 2 ms가 걸린다. 따라서 자극을 준 후 4 ms일 때 B의 d_3에서의 막전위는 +30 mV이다.

바로 알기 ㄷ. 흥분 전도 속도는 A에서 4cm/ms이고, B에서 2cm/ms이므로, A가 B보다 2배 빠르다.

03 ㄱ. 시냅스를 통해 일어나는 흥분 전달은 축삭 돌기를 따라 일어나는 흥분 전도보다 속도가 느리다. 따라서 B에 자극을 주었을 때 흥분은 C보다 A에 먼저 도달하므로, t_1 시점에서 막전위 변화의 진행이 빠른 ㉡이 A에서의 막전위 변화이다.

ㄴ. t_1일 때 A(㉡)에서 K^+이 세포 안쪽에서 세포 바깥쪽으로 확산되면서 재분극이 일어난다.

ㄷ. t_1일 때 C(㉠)에서 Na^+의 농도는 세포 바깥쪽이 세포 안쪽보다 높다. 따라서 열린 Na^+ 통로를 통해 Na^+이 세포 바깥쪽에서 안쪽으로 확산되면서 탈분극이 일어난다.

04 ㄱ. 근육 원섬유 마디 X의 길이는 'A대의 길이+I대의 길이'이며, 근육 수축 과정에서 A대의 길이는 변하지 않는다. 따라서 ㉠ 시점에서 A대의 길이는 1.6 μm이고, I대의 길이는 2.2−1.6=0.6(μm)이다.

ㄷ. 근육이 수축할 때 에너지가 사용되며, ㉡ 시점이 ㉠ 시점보다 근육이 더 수축한 상태이다. 따라서 ㉠에서 ㉡으로 될 때 ATP가 소모된다.

바로 알기 ㄴ. 그림에서 마이오신 필라멘트와 액틴 필라멘트가 함께 관찰되므로, 그림은 A대 중 마이오신 필라멘트와 액틴 필라멘트가 겹쳐 있는 부분의 단면이다. H대는 A대의 가운데에 마이오신 필라멘트만 있는 부분이다.

05 ㄱ. 골격근(ⓐ)에는 원심성 뉴런(운동 신경)이 연결되어 있다.

바로 알기 ㄴ. ㉠은 액틴 필라멘트만 있는 부분, ㉡은 액틴 필라멘트와 마이오신 필라멘트가 겹쳐 있는 부분, ㉢은 마이오신 필라멘트만 있는 부분이다. t_1일 때 근육 원섬유 마디 X의 길이는 2㉠+2㉡+㉢=2.2 μm이고, ㉠~㉢ 각각의 길이의 합은 ㉠+㉡+㉢=1.2 μm이며, A대의 길이는 2㉡+㉢=1.2 μm이다. 따라서 ㉠의 길이는 0.5 μm, ㉡의 길이는 0.5 μm, ㉢의 길이는 0.2 μm이다. t_2일 때 근육 원섬유 마디 X의 길이가 0.4 μm 길어져 2.6 μm가 되므로, ㉠의 길이는 0.2 μm 길어져 0.7 μm가 되며, 그 길이만큼 A대에서 마이오신 필라멘트와 액틴 필라멘트가 겹쳐 있는 부분(㉡)의 길이는 줄어든다. 즉, ㉡의 길이는 0.2 μm 짧아져 0.3 μm가 되고, A대에서 마이오신 필라멘트로만 구성된 H대의 길이(㉢)는 0.4 μm 길어져 0.6 μm가 된다. 따라서 t_2일 때 ㉠의 길이와 ㉡의 길이의 차는 0.4 μm이다.

ㄷ. t_1일 때 $\frac{\text{㉢의 길이}}{\text{㉠의 길이}}=\frac{0.2\ \mu m}{0.5\ \mu m}$이고, t_2일 때 $\frac{\text{㉢의 길이}}{\text{㉠의 길이}}=\frac{0.6\ \mu m}{0.7\ \mu m}$이므로, t_2일 때가 t_1일 때보다 크다.

06 ㄴ. A는 중간뇌이고, B는 소뇌이다. 중간뇌와 연수는 뇌줄기에 속하고, 소뇌는 뇌줄기에 속하지 않는다. 따라서 '뇌줄기에 속하는가?'는 X에 해당한다.

바로 알기 ㄱ. A는 동공 반사의 중추이므로 중간뇌이다. 동공의 확대는 교감 신경을 통해 일어난다.

ㄷ. 소뇌(B)는 평형 감각의 중추이며, 몸의 자세를 유지하고 대뇌와 함께 수의 운동을 조절한다. 그러나 시각, 청각, 후각, 미각 및 피부 감각의 중추는 대뇌이다.

07 ㄱ. A는 대뇌로, 겉질은 주로 뉴런의 신경 세포체가 모여 있어 회색을 띠는 회색질이고, 속질은 주로 축삭 돌기가 모여 있어 흰색을 띠는 백색질이다.

바로 알기 ㄴ. 자율 신경 (가)는 신경절 이전 뉴런이 길고 신경절 이후 뉴런이 짧으므로 부교감 신경이다. 위와 연결된 부교감 신경의 신경절 이전 뉴런의 신경 세포체는 연수에 있으므로, B는 연수이다.

ㄷ. 부교감 신경이 흥분하면 위의 소화 운동이 촉진된다.

08 ㄴ. B는 체성 신경계를 구성하는 원심성 뉴런(운동 신경)으로 말단에서 아세틸콜린이 분비되며, C는 자율 신경계를 구성하는 부교감 신경의 신경절 이전 뉴런으로 말단에서 아세틸콜린이 분비된다.

ㄷ. D는 부교감 신경의 신경절 이후 뉴런으로, 말단에서 아세틸콜린이 분비되면 방광이 수축한다.

바로 알기 ㄱ. A는 뉴런의 신경 세포체가 축삭 돌기의 한쪽 옆에 있으므로 구심성 뉴런(감각 신경)이며, 척수의 후근을 이룬다.

09 호르몬 A는 시상 하부의 직접적인 조절을 받는 내분비샘에서 분비되므로 에피네프린이고, 호르몬 B는 시상 하부에서 다른 내분비샘(뇌하수체 전엽)을 거쳐 조절하는 내분비샘에서 분비되므로 티록신이다.

ㄱ. 에피네프린(A)은 부신 속질(가)에서 분비되고, 티록신(B)은 갑상샘(나)에서 분비된다.

ㄴ. ㉠은 교감 신경, ㉡은 갑상샘 자극 호르몬 방출 호르몬(TRH), ㉢은 갑상샘 자극 호르몬(TSH)에 의해 일어나는 과정이다.

ㄷ. 티록신(B)이 과다하게 분비되면 음성 피드백에 의해 시상 하부에서 갑상샘 자극 호르몬 방출 호르몬(TRH) 분비와 뇌하수체 전엽에서 갑상샘 자극 호르몬(TSH) 분비가 모두 억제된다.

10 인슐린과 글루카곤은 이자섬에서 분비되는 호르몬이고, 에피네프린은 부신 속질에서 분비되는 호르몬이다. 호르몬의 세 가지 특징 중 부신에서 분비되는 것은 에피네프린이고, 간의 물질대사에 영향을 미치는 것은 인슐린, 글루카곤, 에피네프린이며, 혈당량을 증가시키는 것은 글루카곤, 에피네프린이다. 따라서 특징 ㉡은 '부신에서 분비된다.'이고 ㉡의 ?는 ×이며 A는 에피네프린이다. 에피네프린은 특징 ㉠~㉢을 모두 가지므로 A의 ㉢의 ?는 ○이다. 세 호르몬 모두에 해당하는 특징 ㉢은 '간의 물질대사에 영향을 미친다.'이다. 따라서 '혈당량을 증가시킨다.'는 특징 ㉠에 해당하고 ㉠의 ?는 ×이며, B는 글루카곤, C는 인슐린이다.

ㄱ. 특징 ㉠은 '혈당량을 증가시킨다.'이다.

ㄴ. B는 이자섬의 α세포에서 분비되는 글루카곤이다. 글루카곤은 간에서 글리코젠이 포도당으로 분해되는 과정을 촉진함으로써 혈당량을 높인다.

ㄷ. C는 이자섬의 β세포에서 분비되는 인슐린이다. 인슐린은 간에서 포도당이 글리코젠으로 합성되는 과정을 촉진함으로써 혈당량을 낮춘다.

11 ㄴ. 뇌하수체 전엽에서 분비되는 갑상샘 자극 호르몬(TSH)의 조절을 받는 내분비샘 A는 갑상샘이며, 갑상샘에서는 티록신이 분비된다.

ㄷ. (가)와 (다)는 교감 신경에 의한 신호 전달 경로이고, (나)는 부신 속질에서 분비되는 호르몬인 에피네프린에 의한 신호 전달 경로이다.

바로 알기 ㄱ. 체온, 혈당량, 삼투압 등 항상성 유지의 최고 조절 중추는 간뇌의 시상 하부이다.

12 ㄱ. 호르몬 X는 뇌하수체 후엽에서 분비되고 콩팥에 작용하여 혈장 삼투압을 변화시키므로 항이뇨 호르몬(ADH)이다. 항이뇨 호르몬(ADH)은 혈장 삼투압이 높을 때 분비량이 증가하여 콩팥에서 수분의 재흡수를 촉진한다.

바로 알기 ㄴ. 항이뇨 호르몬(ADH)은 콩팥에서 수분의 재흡수를 촉진하는 작용을 하므로 혈액량이 적을 때 분비량이 증가한다. 따라서 ㉠은 혈액량이 정상일 때보다 감소한 상태이다.

ㄷ. 혈액량이 정상일 때 항이뇨 호르몬(ADH)의 농도는 t_2일 때가 t_1일 때보다 높다. 따라서 콩팥에서 수분의 재흡수는 t_2일 때가 t_1일 때보다 많이 일어나므로, 오줌 생성량은 t_1일 때가 t_2일 때보다 많다. 오줌 생성량이 많을수록 오줌 삼투압은 낮아지므로 오줌 삼투압은 t_2일 때가 t_1일 때보다 높다. 즉, t_1일 때가 t_2일 때보다 묽은 오줌을 많이 배설한다.

사고력 확장 문제

1권 192쪽~195쪽

01 (1) 세포막에 있는 Na^+-K^+ 펌프는 Na^+을 세포의 안쪽에서 바깥쪽으로, K^+을 세포의 바깥쪽에서 안쪽으로 이동시킨다. Na^+-K^+ 펌프에 의한 이온의 이동은 ATP를 소모하여 저농도에서 고농도로 이온의 농도 경사를 거슬러 일어나는 능동 수송에 해당한다.

(2) Na^+-K^+ 펌프의 작동에는 세포 호흡을 통해 공급되는 ATP가 필요하다. 따라서 물질대사 억제제를 투여하여 세포 호흡을 중단시키면 Na^+-K^+ 펌프의 작동이 일어나지 못해 세포막을 경계로 한 Na^+과 K^+의 농도 차이는 없어지게 된다.

(3) 활동 전위가 발생할 때 Na^+이 세포 안쪽으로 유입되는 탈분극이 먼저 일어나고, 이후 K^+이 세포 바깥쪽으로 유출되는 재분극이 일어나므로, A는 Na^+, B는 K^+이다.

(4) 분극 상태에서 Na^+의 농도는 세포막의 바깥쪽이 안쪽보다 10배 정도 높다. 역치 이상의 자극에 의해 세포막에 있는 Na^+ 통로가 열리면 농도 경사를 따라 세포의 바깥쪽에서 안쪽으로 Na^+의 확산이 일어나 활동 전위가 발생한다. Na^+의 세포 내 유입은 농도 차에 따른 확산 현상에 의해 일어나므로, 막전위가 +35mV에 도달한 시점 ㉠에서도 Na^+의 농도는 여전히 세포막의 바깥쪽이 안쪽보다 높은 상태이다.

모범 답안 (1) Na^+-K^+ 펌프가 Na^+을 세포의 바깥쪽으로, K^+을 세포의 안쪽으로 이동시키기 때문이다.

(2) Na^+-K^+ 펌프의 작동에는 ATP가 필요한데, 세포 호흡을 중단시키면 ATP가 공급되지 못해 Na^+-K^+ 펌프가 작동하지 못하기 때문이다.

(3) A: Na^+, B: K^+

(4) 활동 전위가 발생하는 과정에서 Na^+의 이동은 확산에 의해 일어나기 때문이다.

	채점 기준	배점(%)
(1)	Na^+-K^+ 펌프가 Na^+을 세포 밖으로, K^+을 세포 안으로 이동시키기 때문이라고 옳게 서술한 경우	20
(2)	ATP가 공급되지 못해 Na^+-K^+ 펌프가 작동하지 못하기 때문이라고 옳게 서술한 경우	30
	ATP 공급에 대한 설명 없이 Na^+-K^+ 펌프가 작동하지 못하기 때문이라고만 서술하거나, ATP 공급에 대해서만 설명하고 Na^+-K^+ 펌프의 작동에 대해서는 서술하지 못한 경우	15
(3)	A와 B에 해당하는 이온을 각각 옳게 쓴 경우	20
(4)	활동 전위 발생 과정에서 Na^+의 이동은 확산에 의해 일어나기 때문이라고 옳게 서술한 경우	30

02 (1) 뉴런 B에 역치 이상의 자극을 주었을 때 뉴런 C에서 활동 전위가 발생하였으므로, 뉴런 B는 뉴런 C와 흥분성 시냅스를 형성한다. 그러나 뉴런 A에 역치 이상의 자극을 주었을 때 뉴런 C에서는 오히려 과분극이 일어났으므로, 뉴런 A는 뉴런 C와 억제성 시냅스를 형성한다.

(2) 뉴런 A, B에 동시에 역치 이상의 자극을 주면 뉴런 A에서 억제성 신경 전달 물질이 분비되어 뉴런 C에서 Cl^- 통로를 열리게 하고, 뉴런 B에서 흥분성 신경 전달 물질이 분비되어 뉴런 C에서 Na^+ 통로를 열리게 한다. Cl^-과 Na^+의 농도는 모두 세포막의 바깥쪽이 안쪽보다 높아 열린 Cl^- 통로와 Na^+ 통로를 통해 각각 세포의 바깥쪽에서 안쪽으로 확산이 일어난다. 활동 전위가 발생하기 위해서는 양전하를 띤 Na^+의 세포 내 유입이 필요한데, Na^+뿐만 아니라 음전하를 띤 Cl^-까지 세포 안으로 유입되므로 탈분극이 일어나지 못해 활동 전위가 발생하지 않는다.

모범 답안 (1) 뉴런 C와 억제성 시냅스를 형성하는 것은 뉴런 A이다. 뉴런 A에 역치 이상의 자극을 주었을 때 뉴런 C에서 과분극이 일어났기 때문이다.

(2) 세포막의 바깥쪽에서 안쪽으로 양전하를 띤 Na^+뿐만 아니라 음전하를 띤 Cl^-까지 확산되므로 탈분극이 일어나지 못해 활동 전위가 발생하지 않는다.

	채점 기준	배점(%)
(1)	뉴런 C와 억제성 시냅스를 형성하는 것이 뉴런 A라고 쓰고, 근거를 옳게 제시한 경우	50
	뉴런 C와 억제성 시냅스를 형성하는 것이 뉴런 A라고만 쓴 경우	20
(2)	Na^+뿐만 아니라 Cl^-까지 세포 안쪽으로 확산되어 들어와 탈분극이 일어나지 못해 활동 전위가 발생하지 않는다고 옳게 서술한 경우	50

03 (1) 굵은 ㉠은 마이오신 필라멘트이고, 가는 ㉡은 액틴 필라멘트이다. 그림 (가)는 마이오신 필라멘트로만 구성된 H대의 단면, (나)는 액틴 필라멘트로만 구성된 I대의 단면, (다)는 A대 중 마이오신 필라멘트와 액틴 필라멘트가 겹쳐 있는 부분의 단면이다.

(2) 근육이 수축하면 마이오신 필라멘트가 액틴 필라멘트를 끌어당겨 액틴 필라멘트가 마이오신 필라멘트 사이로 미끄러져 들어가 근육 원섬유 마디의 길이가 짧아진다. 그 결과 A대의 길이는 변하지 않고, I대와 H대의 길이는 모두 짧아진다. 따라서 단면이 (가), (나)와 같은 부분의 길이는 모두 짧아지고, 단면이 (다)와 같은 부분의 길이는 길어진다.

모범 답안 (1) ㉠ 마이오신 필라멘트, ㉡ 액틴 필라멘트

(2) 단면이 (가), (나)와 같은 부분의 길이는 짧아지고, 단면이 (다)와 같은 부분의 길이는 길어진다.

	채점 기준	배점(%)
(1)	㉠과 ㉡에 해당하는 필라멘트의 종류를 각각 옳게 쓴 경우	40
(2)	단면이 (가)~(다)와 같은 부분의 길이 변화를 모두 옳게 서술한 경우	60
	단면이 (가)~(다)와 같은 부분의 길이 변화 중 두 가지만 옳게 서술한 경우	30

04 (1) A대의 길이는 근육 수축 전후에 변하지 않으므로 고무망치로 치기 전과 친 후에 길이 변화가 없는 ㉠은 A대이고, ㉡은 I대이다. 근육 원섬유 마디의 길이는 A대의 길이와 I대의 길이를 합한 값이다. 무릎을 고무망치로 친 후 다리가 올라갈 때 근육 원섬유 마디의 길이가 2.0 μm에서 2.4 μm로 길어졌으므로, 표는 이완된 근육 Y에 대한 자료이다.

(2) 근육이 수축할 때 마이오신 필라멘트 사이로 액틴 필라멘트가 미끄러져 들어가므로 마이오신 필라멘트가 있는 A대의 길이는 변하지 않고, 액틴 필라멘트만 있는 I대의 길이는 짧아진다. 따라서 근육 수축 전후에 길이의 변화가 없는 ㉠은 A대, 길이가 변하는 ㉡은 I대이다.

(3) ㉡에서 고무망치로 친 후 I대가 0.4 μm 길어졌으며, 그 길이만큼 A대에서 마이오신 필라멘트와 액틴 필라멘트가 겹쳐 있는 부분의 길이는 줄어든다. 따라서 A대에서 마이오신 필라멘트만 있는 H대의 길이는 0.4 μm 늘어나게 된다. 고무망치로 치기 전 H대의 길이가 0.4 μm이므로, 고무망치로 친 후 H대의 길이는 0.8 μm이다.

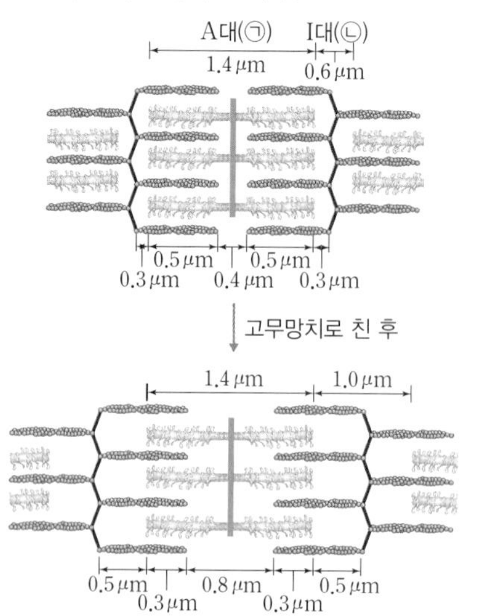

모범 답안 (1) 무릎을 고무망치로 친 후 근육 원섬유 마디의 길이가 길어졌으므로, 표는 이완된 근육 Y에 대한 자료이다.
(2) 근육 수축 전후에 A대의 길이는 변하지 않지만 I대의 길이는 변하므로, 고무망치로 친 후 길이가 길어진 ㉢이 I대에 해당한다.
(3) 0.8 μm

	채점 기준	배점(%)
(1)	근육 Y에 대한 자료라고 쓰고, 근거를 옳게 제시한 경우	30
	근육 Y에 대한 자료라고만 쓴 경우	10
(2)	㉢이 I대라고 쓰고, 근거를 옳게 제시한 경우	40
	㉢이 I대라고만 쓴 경우	20
(3)	H대의 길이를 옳게 쓴 경우	30

05 (1) A~D 중 축삭 돌기의 한쪽 옆에 신경 세포체가 위치한 C는 피부에서 척수로 감각 신호를 전달하는 감각 신경이다. 구심성 뉴런은 신체의 말단에서 중추 신경계로 신호를 전달하는 뉴런이므로, 감각 신경인 C가 해당된다.
(2) 중추 신경계에서 반응기까지 2개의 뉴런이 시냅스를 형성하며 연결된 A, B, D는 자율 신경이다. 이 중에서 신경절 이전 뉴런이 짧고 신경절 이후 뉴런이 긴 B는 교감 신경이고, 신경절 이전 뉴런이 길고 신경절 이후 뉴런이 짧은 A와 D는 부교감 신경이다. 부교감 신경의 신경절 이후 뉴런의 말단 ㉠에서 분비되는 신경 전달 물질은 아세틸콜린이고, 교감 신경의 신경절 이후 뉴런의 말단 ㉡에서 분비되는 신경 전달 물질은 노르에피네프린이다.
(3) 부교감 신경인 A가 흥분하면 눈의 동공 크기가 축소되고 D가 흥분하면 방광이 수축한다. 교감 신경인 B가 흥분하면 심장 박동이 촉진된다.

모범 답안 (1) C
(2) ㉠ 아세틸콜린, ㉡ 노르에피네프린
(3) A: 눈의 동공 크기가 축소된다. B: 심장 박동이 촉진된다. D: 방광이 수축한다.

	채점 기준	배점(%)
(1)	구심성 뉴런에 해당하는 것을 옳게 쓴 경우	30
(2)	㉠과 ㉡에서 분비되는 신경 전달 물질을 모두 옳게 쓴 경우	30
	㉠과 ㉡에서 분비되는 신경 전달 물질 중 한 가지만 옳게 쓴 경우	10
(3)	A, B, D가 각각 흥분할 경우 각 기관에서 나타나는 변화를 모두 옳게 서술한 경우	40
	A, B, D가 각각 흥분할 경우 각 기관에서 나타나는 변화 중 두 가지만 옳게 서술한 경우	20

06 (1) (가) 상태일 때 호르몬 A가 분비되어 간에서 포도당을 글리코젠으로 합성하는 과정을 촉진하여 혈당량을 감소시키므로, (가)는 고혈당 상태일 때의 조절에 해당한다. (나) 상태일 때 호르몬 B와 C가 분비되어 간에서 글리코젠을 포도당으로 분해하는 과정을 촉진하고, 분해된 포도당이 혈액으로 방출되어 혈당량이 증가하게 되므로 (나)는 저혈당 상태일 때의 조절에 해당한다.
(2) A는 이자섬의 β세포에서 분비되므로 인슐린, B는 이자섬의 α세포에서 분비되므로 글루카곤, C는 부신 속질에서 분비되므로 에피네프린이다.

모범 답안 (1) (나) 상태일 때 분비된 호르몬 B와 C가 글리코젠을 포도당으로 분해하는 과정을 촉진하여 혈당량을 증가시키므로, (나)가 저혈당 상태에 해당한다.
(2) A: 인슐린, B: 글루카곤, C: 에피네프린

	채점 기준	배점(%)
(1)	저혈당 상태에 해당하는 것을 쓰고, 근거를 옳게 제시한 경우	60
	저혈당 상태에 해당하는 것만 쓴 경우	20
(2)	호르몬 A~C의 이름을 모두 옳게 쓴 경우	40
	호르몬 A~C의 이름 중 두 가지만 옳게 쓴 경우	20

07 (1) 체온 조절 중추인 (가)는 간뇌의 시상 하부이고, 티록신을 분비하는 내분비샘 (나)는 갑상샘이며, 에피네프린을 분비하는 내분비샘 (다)는 부신 속질이다.
(2) 저온 자극이 주어졌을 때는 교감 신경을 통한 조절이 일어난다.
(3) ㉠은 티록신과 에피네프린이 간에서 세포 호흡을 비롯한 물질대사를 촉진한 결과 열 발생량이 증가하는 것이고, ㉡은 교감 신경이 피부 근처 혈관을 수축시켜 혈류량이 줄어든 결과 체외로 방출되는 열이 감소하는 것이다.

모범 답안 (1) (가) 간뇌의 시상 하부, (나) 갑상샘, (다) 부신 속질
(2) 교감 신경
(3) ㉠ 열 발생량(발열량)이 증가한다. ㉡ 열 발산량(열 방출량)이 감소한다.

	채점 기준	배점(%)
(1)	(가)~(다)에 해당하는 기관을 모두 옳게 쓴 경우	30
	(가)~(다)에 해당하는 기관 중 두 가지만 옳게 쓴 경우	15
(2)	자율 신경 A의 종류를 옳게 쓴 경우	20
(3)	체온 조절의 효과 ㉠과 ㉡을 모두 옳게 서술한 경우	50
	체온 조절의 효과 ㉠과 ㉡ 중 한 가지만 옳게 서술한 경우	20

2. 방어 작용

01 질병과 병원체

탐구 확인 문제 1권 204쪽

01 ⑤

02 (1) 세균의 증식을 억제한다.

(2) 암피실린에 대해 내성(저항성)을 가지고 있다.

01 세균은 유전 물질로 DNA를 가지며, 핵막과 막으로 둘러싸인 세포 소기관이 없다. 세포막 바깥쪽에 세포벽이 있으며, 주로 분열법으로 빠르게 증식한다.

바로 알기 ⑤ 세균은 효소가 있어 스스로 물질대사를 할 수 있다.

02 (1) 항생제는 곰팡이를 비롯한 미생물에 의해 생산된 물질로, 세균의 증식을 억제하는 역할을 한다.

(2) 항생제(암피실린)를 첨가한 고체 배지에서 세균이 증식하는 모습이 관찰되는 것은 이 세균이 항생제(암피실린)에 대한 내성을 가지고 있기 때문이다.

	채점 기준	배점(%)
(1)	세균의 증식을 억제한다고 옳게 서술한 경우	50
(2)	항생제(암피실린)에 대해 내성(저항성)을 가지고 있다고 옳게 서술한 경우	50
	내성(저항성)이란 표현을 쓰지 않고, 단순히 항생제(암피실린)를 처리해도 죽지 않는다고만 서술한 경우	20

개념 모아 정리하기 1권 205쪽

❶ 병원체 ❷ 항생제 ❸ 단백질 ❹ 포자 ❺ 단백질 ❻ 변형 프라이온

개념 기본 문제 1권 206쪽~207쪽

01 (1) (다) (2) (나), (다) (3) (가) (4) (나), (다) (5) (나) **02** (1) A, B, C (2) A (3) B (4) C (5) B, C **03** A: 고혈압, B: 독감, C: 결핵 **04** ㄱ, ㄴ, ㄷ **05** 항생제 **06** ㄱ **07** ㄴ, ㄹ, ㅂ **08** ㄱ, ㄷ, ㄹ **09** ㄴ, ㄹ **10** (1) ㄴ (2) ㄱ (3) ㄷ

01 (가)는 비감염성 질병(당뇨병, 심장병), (나)는 바이러스성 질병(홍역, 소아마비), (다)는 세균성 질병(콜레라, 장티푸스)이다.

(1) 항생제는 세균의 증식을 억제하는 물질이므로, 항생제로 치료가 가능한 질병은 세균성 질병인 (다)이다.

(2) 세균이나 바이러스 등 병원체에 의한 감염성 질병은 (나)와 (다)이다.

(3) 병원체 없이 환경, 생활 방식, 유전 등 여러 가지 원인이 복합적으로 작용하여 발생하며, 다른 사람에게 전염되지 않는 비감염성 질병은 (가)이다.

(4) 감염 경로를 차단함으로써 예방할 수 있는 질병은 병원체에 의한 감염성 질병이므로, (나)와 (다)이다.

(5) 핵산과 단백질 껍질로 구성된 병원체는 바이러스이다. 바이러스가 병원체인 질병은 (나)이다.

02 A는 바이러스, B는 세균, C는 진핵세포이다.

(1) 모든 생물과 바이러스는 유전 물질로 핵산을 가지므로 A, B, C가 모두 해당된다.

(2) 스스로 물질대사를 할 수 없어 살아 있는 숙주 세포에 자신의 유전 물질을 주입하여 증식하는 것은 비세포 구조인 바이러스이므로 A가 해당된다.

(3) 펩티도글리칸은 세균의 세포벽 성분이므로 B가 해당된다.

(4) 핵막과 미토콘드리아, 소포체, 골지체 등 막으로 둘러싸인 세포 소기관이 있는 것은 진핵세포인 C이다.

(5) 세포질에 리보솜이 있어 단백질을 합성할 수 있으며, 스스로 물질대사를 할 수 있는 것은 세포 구조로 된 B와 C이다.

03 고혈압, 독감, 결핵 중 비감염성 질병에 해당하는 것은 고혈압(A)이다. 또, 병원체가 세포 구조를 갖지 않는 것은 바이러스성 질병인 독감(B)이고, 병원체가 세포 구조를 갖는 것은 세균성 질병인 결핵(C)이다.

04 (가)는 폐렴을 일으키는 세균인 폐렴균이고, (나)는 중동 호흡기 증후군(MERS)을 일으키는 바이러스이다.

ㄱ. 세균은 핵막이 없어 핵과 세포질이 구별되지 않는 원핵생물이고, 몸이 하나의 세포로 되어 있는 단세포 생물이다.

ㄴ. 바이러스는 독자적인 효소가 없어 스스로 물질대사를 하지 못하므로, 살아 있는 다른 세포에 들어가 기생할 때에만 증식할 수 있다.

ㄷ. 세균과 바이러스는 감염성 질병을 일으키는 병원체이다.

05 곰팡이를 비롯한 미생물에 의해 생산되며 세균의 증식을 억제하는 물질은 항생제이다. 항생제는 세균이 병원체인 감염성 질병의 치료에 사용된다.

06 결핵, 파상풍, 위궤양, 장티푸스는 모두 세균에 감염되어 발생하는 질병이며, 세균이 다른 사람에게 옮겨 감으로써 전염될 수 있다.

바로 알기 ㄴ. 모기와 같은 매개 곤충에 의해 발생하는 질병에는 말라리아 등이 있다.
ㄷ. 환경이나 생활 방식의 영향으로 발생하는 질병에는 당뇨병, 고혈압 등이 있다.

07 핵산을 단백질 껍질이 둘러싸고 있는 구조로 되어 있고, 스스로 물질대사를 하지 못해 살아 있는 숙주 세포 내에서 기생하는 병원체는 바이러스이다. 바이러스에 의해 발생하는 질병에는 풍진, 에볼라, 대상 포진 등이 있다.

바로 알기 결핵은 세균, 무좀은 곰팡이, 수면병은 원생생물에 의해 발생하는 질병이다.

08 ㄱ, ㄷ. 세균성 질병은 항생제로 치료하는데, 세균의 플라스미드에는 항생제 내성 유전자가 들어 있는 경우가 많으므로, 항생제를 남용하면 항생제에 내성을 가진 세균이 증가할 수 있다.

ㄹ. 바이러스는 돌연변이가 잘 일어나므로, 항바이러스제를 개발하더라도 효과가 낮은 문제점이 있다. 특히 RNA 바이러스는 안정성이 떨어져서 증식 과정에서 돌연변이가 잘 일어나므로, 이를 효과적으로 치료할 수 있는 항바이러스제를 개발하기 어렵다.

바로 알기 ㄴ. 항생제는 원핵세포로 이루어진 세균의 생장을 억제하기 위해 만들어진 것이므로, 진핵세포로 이루어진 병원체에는 효과가 없다.

09 ㄴ. 피부사상균은 곰팡이의 일종이고, 말라리아 원충은 원생생물에 속한다. 둘 다 세포에 핵이 있는 진핵생물이다.

ㄹ. 변형 프라이온은 단백질로만 구성된 입자로, 바이러스보다 크기가 훨씬 작다.

바로 알기 ㄱ. 항생제에 의해 쉽게 제거되는 것은 원핵생물인 세균이다. 피부사상균은 세균이 아니라 곰팡이이다.
ㄷ. 인플루엔자 바이러스는 유전 물질로 RNA를 갖지만, 변형 프라이온은 유전 물질이 없는 감염성 단백질 입자이다.

10 (1) 매개 곤충을 통해 병원체에 감염되는 질병은 말라리아이다. 모기를 통해 말라리아 원충이 사람의 체내에 침입하여 말라리아가 발생한다.

(2) 병원체에 오염된 물을 마셔 소화 기관을 통해 감염되는 수인성 질병은 콜레라이다.

(3) 호흡 기관을 통해 병원체에 감염되는 질병은 독감이다.

개념 적용 문제

1권 208쪽~211쪽

01 ⑤ 02 ④ 03 ⑤ 04 ④ 05 ③ 06 ②
07 ⑤ 08 ②

01 ㄱ. 혈우병은 유전적 원인에 의해 발생하는 질병이므로 감염성이 없고, 파상풍, 독감, 광우병은 감염성 질병이다. 따라서 '감염성 질병인가?'는 (가)에 해당한다.

ㄴ. 파상풍을 일으키는 병원체는 세균이며, 세균은 항생제를 사용하여 치료한다. 따라서 '항생제를 사용하여 치료하는가?'는 (나)에 해당한다.

ㄷ. 독감을 일으키는 병원체는 바이러스이며, 바이러스는 유전 물질로 핵산을 가진다. 광우병은 변형 프라이온에 감염되어 발생하는 질병이며, 변형 프라이온은 별도의 유전 물질이 없다.

02 ① 결핵, 위궤양, 탄저병을 일으키는 병원체는 세균이다.

② 홍역, 간염, 중동 호흡기 증후군을 일으키는 병원체는 바이러스이다. 바이러스는 독자적인 효소가 없어서 스스로 물질대사를 하지 못한다. 따라서 숙주 세포에 침입하여 숙주 세포의 효소와 물질대사 기구를 이용하여 물질대사와 증식을 한다.

③ 세균은 유전 물질로 DNA를 가지고, 바이러스는 유전 물질로 DNA나 RNA를 가진다.

⑤ (가)는 병원체가 세균, (나)는 병원체가 바이러스인 감염성 질병이고, (다)는 환경, 생활 방식, 유전 등의 원인이 복합적으로 작용하여 발생하는 비감염성 질병이다.

바로 알기 ④ (다)는 병원체 없이 발생하는 비감염성 질병이다. 항생제는 세균이 병원체인 질병의 치료에 사용된다.

03 ㄱ. (가)는 병원체 없이 발생하는 비감염성 질병이므로, 뇌졸중이 해당된다.

ㄷ. (다)는 핵산과 세포막은 있지만 핵막이 없는 원핵세포로 이루어진 병원체인 세균이 일으키는 질병이므로, 결핵이 해당된다. 세균은 세포막 바깥쪽에 펩티도글리칸 성분으로 된 세포벽이 있다.

ㄹ. (라)는 핵산과 핵막, 세포막을 모두 가진 진핵세포로 이루어진 병원체가 일으키는 질병이므로, 곰팡이에 의한 무좀이 해당된다. 곰팡이는 포자로 번식한다.

바로 알기 ㄴ. (나)의 병원체는 핵산이 있지만 핵막과 세포막이 없는 비세포 구조이므로, 바이러스이다. 바이러스에 의해 발생하는 질병에는 독감이 있으며, 바이러스성 질병의 치료에는 항바이러스제를 사용한다. 항생제는 세균성 질병의 치료에 사용한다.

04 A는 결핵을 일으키는 세균(결핵균)이고, B는 독감을 일으키는 바이러스(인플루엔자 바이러스)이다.

ㄴ. ㉡은 세균과 바이러스의 공통점이므로, '감염성 질병을 일으킨다.', '유전 물질(핵산)을 가지고 있다.' 등이 해당된다.

ㄷ. ㉢은 바이러스만이 가지는 특징이므로, '살아 있는 숙주 세포 내에서만 물질대사를 한다(스스로 물질대사를 하지 못한다.).', '세포 구조를 갖추고 있지 않다.' 등이 해당된다.

바로 알기 ㄱ. 세균과 바이러스는 모두 유전 물질을 가지고 있으므로, '유전 물질을 가지고 있다.'는 세균과 바이러스의 공통점인 ㉡에 해당한다. ㉠은 세균만이 가지는 특징이다.

05 (가)는 독자적으로 물질대사를 하므로 세균이고, (나)는 독자적인 물질대사를 하지 못하므로 바이러스이다.

ㄱ. 콜레라를 일으키는 병원체는 세균이므로 (가)에 해당한다.

ㄴ. 콜레라균에 오염된 물이나 음식을 섭취하였을 때 콜레라균에 감염될 수 있다. 콜레라는 수인성 질병이다.

바로 알기 ㄷ. 세균은 핵막으로 구분된 핵이 없으므로 원핵생물이지만, 바이러스는 세포 구조를 갖추고 있지 않고 핵산과 단백질 껍질로 구성되어 있다.

06 파상풍은 세균에 의한 질병이고, 당뇨병은 비감염성 질병이며, 대상 포진은 바이러스에 의한 질병이다. (가)의 치료에는 병원체의 DNA 복제를 방해하는 항바이러스제(A)가 사용되고, (나)의 치료에는 병원체의 세포벽 합성을 억제하는 항생제(B)가 사용되므로, (가)는 대상 포진이고 (나)는 파상풍이다. 체세포를 자극해 혈액으로부터 포도당 흡수를 촉진하는 것은 인슐린(C)이므로 (다)는 당뇨병이다.

ㄷ. 당뇨병은 다른 사람에게 전염되지 않는 비감염성 질병이다.

바로 알기 ㄱ. 바이러스는 독자적인 효소가 없어 스스로 물질대사를 하지 못하고, 살아 있는 숙주 세포로 들어가 숙주 세포의 효소와 물질대사 기구를 이용하여 물질대사를 하고 유전 물질을 복제하여 증식한다.
ㄴ. 바이러스와 세균은 모두 유전 물질을 가진다.

07 ㄱ. 변형 프라이온이 소의 체내로 들어오면 신경 세포에 존재하는 정상 프라이온을 변형 프라이온으로 전환시키며, 변형 프라이온이 다량 축적되면 신경 세포를 파괴하여 광우병을 일으키므로 광우병은 감염성 질병이다.

ㄴ. 변형 프라이온과 정상 프라이온이 접촉할 때 정상 프라이온이 변형 프라이온으로 바뀌므로, 변형 프라이온이 정상 프라이온보다 안정적인 구조임을 알 수 있다. 일반적으로 단백질은 열에 약해 가열하면 쉽게 변성되거나 파괴되지만, 변형 프라이온은 매우 안정적인 구조를 하고 있어서 가열해도 파괴되지 않는다.

ㄷ. 정상 프라이온이 변형 프라이온과 접촉하면 변형 프라이온으로 바뀐다.

08 ㄴ. 파상풍을 일으키는 병원체는 세균이다. 세균은 독자적인 물질대사가 가능하므로 숙주 세포 밖에서도 조건만 맞으면 증식할 수 있다.

바로 알기 ㄱ. 무좀을 일으키는 병원체는 피부사상균이라는 곰팡이이다. 곰팡이는 포자를 형성하여 번식한다. 변형 단백질의 접촉에 의해 정상 단백질의 구조가 바뀌어 변형 단백질의 수가 증가하는 것은 프라이온이다.
ㄷ. 말라리아를 일으키는 병원체는 말라리아 원충이라는 단세포 진핵생물이므로, 항바이러스제에 효과가 없다. 후천성 면역 결핍증을 일으키는 병원체는 바이러스이므로, 항바이러스제를 투여하면 바이러스의 증식을 어느 정도 억제하는 효과를 볼 수 있다.

02 우리 몸의 방어 작용

집중 분석

1권 223쪽

유제 ㄱ, ㄴ

유제 ㄱ. 구간 Ⅰ은 항원 X의 침입 후 특이적 방어 작용에 의한 항체 생성이 일어나기 전이다. 항원 침입 후 항체가 생성되기 전에 대식세포, 호중성 백혈구 등에 의한 비특이적 방어 작용이 일어난다.

ㄴ. (가)는 항원 X의 1차 침입에 따른 1차 면역 반응을 나타낸 것이고, (나)는 항원 X의 2차 침입에 따른 2차 면역 반응을 나타낸 것이다. 항체는 형질 세포에서 생성되고 항체의 농도는 t_2에서가 t_1에서보다 높으므로, 항원 X에 대한 형질 세포의 수는 t_2에서가 t_1에서보다 많다.

바로 알기 ㄷ. 항원 X의 2차 침입 시 체내에 존재하던 기억 세포가 신속하게 증식하여 형질 세포로 분화하면서 2차 면역 반응이 일어난다. 따라서 t_3에서 기억 세포는 1차 면역 반응 결과 생성되었던 기억 세포로부터 생성되며, 형질 세포로부터는 생성되지 않는다. 형질 세포는 항체 생성에 적합하도록 분화된 세포이므로, 증식이 가능한 기억 세포로 다시 돌아갈 수는 없다.

탐구 확인 문제

1권 224쪽

01 응집 반응이 일어난다.

02 해설 참조

01 AB형인 혈액의 적혈구에는 응집원 A와 B가 모두 있고, O형인 혈액의 혈장에는 응집소 α와 β가 들어 있으므로, AB형의 적혈구와 O형의 혈장을 섞으면 응집 반응이 일어난다.

02 **모범 답안** 응집소(항체)에는 응집원(항원) 결합 부위가 있는데, 이 부위는 응집소마다 모두 다른 구조를 하고 있어서 이 부위에 맞는 입체 구조를 가진 응집원하고만 결합한다(항원 항체 반응의 특이성). 즉, 응집원 A가 응집소 α의 항원 결합 부위에 맞는 구조이기 때문에 결합할 수 있다.

채점 기준	배점(%)
응집소의 항원 결합 부위, 항원 항체 반응의 특이성에 관한 내용을 모두 포함하여 옳게 서술한 경우	100
응집원 A가 응집소 α의 항원 결합 부위에 맞는 구조이기 때문이라고만 서술한 경우	70

개념 모아 정리하기 1권 225쪽

❶ 라이소자임 ❷ 염증 반응 ❸ 세포독성 T 림프구 ❹ B 림프구 ❺ 항원 항체 ❻ 보조 T 림프구 ❼ 기억 세포 ❽ 1 ❾ 항원 항체 ❿ AB ⓫ O

개념 기본 문제 1권 226쪽~227쪽

01 (1) (가) (2) (나) (3) (가) (4) (나) **02** ㄴ **03** (1) (가) (2) ㉠ 보조 T 림프구, ㉡ 세포독성 T 림프구 (3) ㉠, ㉡ **04** ㄴ, ㄷ **05** 항원 항체 반응의 특이성 **06** ㄱ, ㄴ, ㄷ **07** (1) (다) (2) (나) **08** ㄴ **09** (1) 아버지: AB형, 어머니: O형, 누나: A형, 주영: B형 (2) ㄴ, ㄷ

01 (가)는 비특이적 방어 작용, (나)는 특이적 방어 작용을 나타낸 것이다.

(1) 피부와 점막, 눈물, 식균 작용, 염증 반응과 같은 비특이적 방어 작용은 병원체에 감염된 즉시 일어난다. 특이적 방어 작용은 병원체를 인식하고 림프구가 증식·분화하여 항체를 생성하기까지 시간이 걸리므로, 병원체에 감염된 즉시 일어나지 않는다.

(2) 세포독성 T 림프구에 의한 세포성 면역과 B 림프구에 의한 체액성 면역으로 구분하는 것은 특이적 방어 작용이다.

(3) 병원체에 공통으로 존재하는 특징을 인식하여 일어나는 것은 비특이적 방어 작용이다.

(4) 한 번 침입한 병원체를 기억하여 재침입 때 더욱 신속하고 강력하게 방어 작용을 나타내는 것은 림프구에 의한 특이적 방어 작용이다.

02 ㄴ. (가)는 히스타민의 영향으로 모세 혈관이 확장되는 과정이다. 모세 혈관이 확장되면 혈류량이 증가하고 혈관 벽을 이루는 세포 사이의 틈이 넓어져서 많은 백혈구가 상처 부위로 이동할 수 있다.

바로 알기 ㄱ. 히스타민은 상처 부위의 비만 세포에서 분비하는 화학 물질로, 염증 반응을 일으킨다. 세균의 세포벽을 분해하는 것은 땀이나 점액 등에 포함된 라이소자임이라는 효소이다.

ㄷ. 염증 반응에서 백혈구는 병원체에 공통으로 존재하는 특징을 인식하여 식균 작용을 한다. 따라서 특정 병원체만이 갖는 개별 특징을 인식하여 일어나는 특이적 방어 작용과는 거리가 멀다.

03 (1) (가)는 대식세포의 식균 작용을 나타낸 것이므로, 비특이적 방어 작용에 해당한다. 대식세포는 식균 작용 후 항원 조각을 세포 표면에 제시하여 림프구가 항원을 인식할 수 있도록 해 준다. (나)는 항원에 감염된 세포를 직접 공격하여 파괴하는 세포성 면역으로, 특이적 방어 작용에 해당한다.

(2) 항원에 감염된 세포를 직접 공격하여 파괴하는 ㉡은 세포독성 T 림프구이다. ㉠은 항원을 인식하여 세포독성 T 림프구를 활성화시키는 보조 T 림프구이다.

(3) 골수에서 생성된 후 가슴샘으로 이동하여 성숙하는 림프구는 T 림프구이다. B 림프구는 골수에서 생성된 후 그대로 남아서 성숙한다.

04 ㄴ, ㄷ. 대식세포가 체내에 침입한 항원을 식균 작용으로 제거한 후 항원 조각을 제시하면 보조 T 림프구가 이를 인식하여 B 림프구를 활성화시킨다. 활성화된 B 림프구는 세포 분열을 통해 수많은 동일한 B 림프구로 증식한 후 형질 세포와 기억 세포로 분화한다. 따라서 한 종류의 형질 세포는 해당 항원과 반응하는 한 종류의 항체만을 생성한다.

바로 알기 ㄱ. 대식세포는 항원의 종류를 구분하지 않고 식균 작용을 통해 항원을 제거하므로 비특이적으로 작용한다.

05 특정 항원을 인식하여 활성화된 B 림프구가 형질 세포로 분화한 후 그 항원에 대항하는 항체를 생성하므로, 항체는 해당 항원에만 결합하여 작용할 수 있다. 이러한 항원과 항체 사이의 특성을 항원 항체 반응의 특이성이라고 한다.

06 ㄱ. 항원 X가 2차 침입하였을 때 항체 X가 빠른 속도로 다량 생성되었으므로, 항원 X가 1차 침입하였을 때 항원 X에 대한 기억 세포가 형성되었음을 알 수 있다.

ㄴ. 항원 X가 1차 침입하였을 때는 항체 X가 생성되기까지 시간이 걸리고 소량의 항체가 생성되지만, 항원 X가 2차 침입하였을 때는 항체 X가 빠르게 생성되고 항체 X의 양도 훨씬 많으며 더 오랫동안 유지된다.

ㄷ. 항원 X에 대한 면역 반응과 항원 Y에 대한 면역 반응이 독립적으로 나타나므로, 항체 X와 항체 Y는 서로 다른 종류의 형질 세포에서 생성된다는 것을 알 수 있다. 특정 항원을 인식하여 활성화된 B 림프구가 형질 세포로 분화한 후 그 항원에 대항하는 항체를 생성하므로, 항체는 자신을 만들게 한 항원하고만 결합하는 특성이 있다.

07 (가)에서는 B형 간염의 항원과 항체가 모두 검출되었으므로, (가)는 B형 간염 바이러스에 감염되어 체내에서 면역 반응이 일어나고 있는 환자로 볼 수 있다.

(나)에서는 항원은 없고 항체만 검출되었으므로, 이전에 B형 간염 백신을 접종하였거나 B형 간염을 앓은 적이 있어서 1차 면역 반응이 이루어진 경우이다. 따라서 (나)는 B형 간염에 대한 면역 능력이 있는 사람이다.

(다)에서는 항원과 항체가 모두 검출되지 않았으므로, 이전에 B형 간염 바이러스가 들어온 적이 없는 경우이다. 따라서 (다)는 B형 간염에 대한 면역 능력을 획득하기 위해 B형 간염 백신 접종이 필요한 사람이다.

08 A형인 사람의 혈액에는 응집원 A와 응집소 β가 들어 있고, O형인 사람의 혈액에는 응집원은 없고 응집소 α와 β가 들어 있다. 따라서 두 혈액을 섞으면 응집원 A와 응집소 α 사이에 응집 반응이 일어난다. ㉠은 적혈구에 응집원이 없으므로 O형인 사람의 혈액에 있던 적혈구이고, ㉡은 A형인 사람의 적혈구와 응집 반응을 일으키지 않으므로 응집소 β이다.

09 (1) 항 A 혈청에는 응집소 α가 들어 있고, 항 B 혈청에는 응집소 β가 들어 있다. 아버지는 항 A 혈청과 항 B 혈청에서 모두 응집 반응이 일어났으므로, 적혈구에 응집원 A와 B가 모두 있는 AB형이다. 누나는 항 A 혈청에서만 응집 반응이 일어났으므로 응집원 A만 있는 A형이고, 주영이는 항 B 혈청에서만 응집 반응이 일어났으므로 응집원 B만 있는 B형이다. 또, 가족의 ABO식 혈액형이 모두 다르다고 하였으므로 어머니의 혈액형은 O형이다.

(2) ㄴ. 수혈하는 사람의 응집원과 수혈받는 사람의 응집소 사이에 응집 반응이 일어나지 않으면 소량 수혈이 가능하다. 어머니는 적혈구에 응집원이 없는 O형이므로, 가족 모두에게 소량 수혈할 수 있다.

ㄷ. AB형인 아버지의 적혈구에는 응집원 A와 B가 모두 있고, A형인 누나의 혈장에는 응집소 β가 있다. 따라서 아버지의 적혈구와 누나의 혈장을 섞으면 아버지의 응집원 B와 누나의 응집소 β 사이에 응집 반응이 일어난다.

바로 알기 ㄱ. B형인 주영이의 적혈구에는 응집원 B가, 혈장에는 응집소 α가 있다.

개념 적용 문제

1권 228쪽~232쪽

01 ③ 02 ① 03 ⑤ 04 ③ 05 ⑤ 06 ④
07 ④ 08 ⑤ 09 ⑤ 10 ③

01 ㄱ. (가)에서 세균 X에 감염된 후 비만 세포에서 분비되는 히스타민은 모세 혈관을 확장시켜 상처 부위로 많은 백혈구가 이동할 수 있도록 해 준다.

ㄷ. (나)에서 구간 Ⅰ은 세균 X에 대한 1차 면역 반응, 구간 Ⅱ는 세균 X에 대한 2차 면역 반응의 일부이다. 항체를 생성하여 항원을 제거하는 방어 작용은 체액성 면역에 해당한다.

바로 알기 ㄴ. 세균 X의 1차 침입 때인 구간 Ⅰ과 2차 침입 때인 구간 Ⅱ에서 모두 (가) 작용이 일어난다. 그러나 특이적 방어 작용과 달리 비특이적 방어 작용의 경우 1차 침입 때와 2차 침입 때 방어 작용에 차이가 거의 없다.

02 (가)는 비특이적 방어 작용, (나)는 특이적 방어 작용이며, ㉠은 식균 작용으로 세균을 제거하는 대식세포, ㉡은 대식세포가 제시한 항원을 인식하는 보조 T 림프구, ㉢은 보조 T 림프구에 의해 활성화되는 B 림프구이다.

ㄱ. (가)에서 비만 세포가 분비한 화학 물질은 히스타민이다. 세균이 체내로 침입하면 비만 세포에서 히스타민이 분비되어 모세 혈관을 확장시켜 혈류량을 증가시키고, 모세 혈관 벽을 통해 백혈구가 많이 빠져나가 상처 부위로 이동할 수 있도록 해 준다.

바로 알기 ㄴ. (나)에서 보조 T 림프구(㉡)는 골수에서 생성된 후 가슴샘에서 성숙하며, B 림프구(㉢)는 골수에서 생성되고 성숙한다.

ㄷ. 활성화된 B 림프구(㉢)는 활발하게 증식하면서 일부는 기억 세포로, 나머지는 형질 세포로 분화한다.

03 ㄱ. (가)는 B 림프구가 분화한 형질 세포에서 항체를 생성하여 항원을 제거하므로, 체액성 면역이다. (나)는 세포독성 T 림프구가 직접 항원 X에 감염된 세포를 공격하여 파괴하므로, 세포성 면역이다.

ㄴ. 대식세포는 항원 X를 세포 안으로 끌어들여 분해한 후 항원 조각을 세포 표면에 제시하는데, 보조 T 림프구는 제시된 항원의 종류를 인식하여 활성화된 후 B 림프구와 세포독성 T 림프구를 활성화시킨다.
ㄷ. (가)에서 항원 X가 2차 침입할 경우 항원 X를 기억하는 기억 세포가 신속하게 증식하여 형질 세포로 분화하고 다량의 항체를 생성하는 2차 면역 반응이 일어난다.

04 ㄱ. 항체는 형질 세포(㉡)에서 생성된다. 항체가 항원 항체 반응으로 항원과 결합하면 무력화된 항원이 백혈구의 식균 작용으로 제거되는데, 항원이 제거되면 형질 세포의 수가 줄어들기 때문에 항체의 농도가 낮아진다. 즉, 구간 Ⅰ에서 항체 농도가 감소하는 것은 형질 세포(㉡)의 수가 감소하기 때문이다.
ㄷ. (나)에서 구간 Ⅰ보다 구간 Ⅱ에서 항체 농도가 훨씬 높다. 이를 통해 이 세균과의 항원 항체 반응은 구간 Ⅱ에서가 구간 Ⅰ에서보다 활발한 것으로 추정할 수 있다.

바로 알기 ㄴ. (가)에서 ㉠은 기억 세포, ㉡은 항체를 생성하는 형질 세포이며, (나)에서 구간 Ⅱ는 세균의 2차 침입에 따른 2차 면역 반응 과정의 일부이다. 2차 면역 반응은 1차 면역 반응에서 생성된 기억 세포(㉠)가 빠르게 형질 세포(㉡)로 분화하여 다량의 항체를 생성함으로써 일어난다.

05 정상 생쥐에서는 세균 X에 감염된 후 1차로 대식세포에 의한 비특이적 방어 작용이 일어나고, 2차로 림프구에 의한 특이적 방어 작용이 일어나서 세균 X가 제거된다.
ㄱ. A는 시간이 경과함에 따라 세균 X의 수가 계속 증가하고 방어 작용이 제대로 일어나지 못하고 있으므로, 대식세포가 결핍된 생쥐이다. 대식세포가 결핍되면 비특이적 방어 작용이 일어나지 못할 뿐만 아니라 항원 제시가 이루어지지 않으므로, 림프구가 항원을 인식하지 못해 특이적 방어 작용도 일어나지 못한다.
ㄴ. B는 초반에는 세균 X의 수가 증가하다가 거의 일정해지므로, 대식세포에 의한 비특이적 방어 작용은 일어나지만 림프구가 결핍되어 특이적 방어 작용이 일어나지 못한 생쥐이다. 따라서 구간 Ⅰ에서 B의 체내에서는 식균 작용으로 세균 X가 제거되고 있다.
ㄷ. C는 세균 X의 수가 증가하다가 나중에는 감소하므로, 대식세포에 의한 비특이적 방어 작용과 림프구에 의한 특이적 방어 작용이 모두 일어나는 정상 생쥐이다. 따라서 구간 Ⅱ에서 C의 체내에서는 특이적 방어 작용이 일어나고 있다.

06 혈청 X에는 세균 p에 대한 항체가 들어 있고, 혈청 Y에는 세균 p에 대한 항체가 들어 있지 않다.
ㄴ. 실험 Ⅰ과 Ⅱ를 비교하였을 때 열처리한 혈청 X를 주사한 생쥐에서만 질병 P가 발병하였으므로, 혈청 X에 들어 있는 면역 성분(항체)이 열에 약하다는 사실을 알 수 있다. 혈청에 들어 있는 항체는 γ-글로불린이라는 단백질 성분으로 되어 있어서 열에 약하다.
ㄷ. 세균 p에 감염된 적이 없는 생쥐의 혈청 Y에는 세균 p에 대한 항체가 들어 있지 않아서 열처리 여부에 관계없이 세균 p에 대한 면역 능력이 없다. 따라서 실험 Ⅳ에서는 실험 Ⅱ에서와 같은 결과가 나타나고, 실험 Ⅴ에서는 실험 Ⅰ에서와 같은 결과가 나타나므로, ㉠은 '발병함', ㉡은 '발병 안 함'이다.

바로 알기 ㄱ. 세균 p에 감염된 적이 있는 생쥐의 혈청 X에는 세균 p에 대한 항체가 들어 있다. 혈청은 혈액에서 세포 성분과 피브리노젠을 제거한 것이므로, 기억 세포가 들어 있지 않다.

07 ㄴ. 생쥐 A로부터 추출한 혈청에는 항원 X에 대한 항체는 있지만 보조 T 림프구나 기억 세포가 없다. 따라서 생쥐 B에게 항원 X를 감염시키면 생쥐 B에서는 보조 T 림프구가 처음 항원 X를 인식하여 활성화되며, 보조 T 림프구의 도움으로 B 림프구가 형질 세포로 분화하여 항체를 생성한다. 그러나 1차 면역 반응에는 시간이 걸리고 항체도 소량만 생성되므로 감염 5일 후 측정한 결과에서 살아 있는 항원 X가 검출된다.
ㄷ. 생쥐 C는 이미 1차 면역 반응을 거친 보조 T 림프구를 생쥐 A로부터 전달받았으므로, 항원의 인식이 빨라 면역 작용이 증가했다. 그 결과 감염 5일 후 측정한 결과에서 살아 있는 항원 X가 검출되지 않았다.

바로 알기 ㄱ. 생쥐 B에게 항원 X에 대한 항체가 들어 있는 생쥐 A의 혈청을 주사하면 1차 면역 반응이 일어나지 않는다. 따라서 혈청을 주사한 후 항원 X를 감염시키면 생쥐 B에서는 항원 X에 대한 1차 면역 반응이 천천히 일어나게 된다. 반면, 생쥐 C에게는 항원 X를 기억하고 있는 생쥐 A의 보조 T 림프구를 주사한 후 항원 X를 감염시켰으므로, 신속하게 면역 반응이 일어난다.

08 • 집단 내 학생들의 혈액형을 모두 합하면 다음과 같다.
A형+B형+AB형+O형=100명
• 항 A 혈청에서 응집 반응이 일어난 학생의 혈액형은 A형과 AB형이다.
A형+AB형=36명 …… ⓐ
• 항 B 혈청에서 응집 반응이 일어난 학생의 혈액형은 B형과 AB형이다.
B형+AB형=47명 …… ⓑ

• 항 A 혈청과 항 B 혈청에서 모두 응집 반응이 일어난 학생의 혈액형은 AB형이고, 모두 응집 반응이 일어나지 않은 학생의 혈액형은 O형이다.

AB형+O형=31명 …… ⓒ

• ⓐ, ⓑ, ⓒ를 모두 더하면 A형+B형+3AB형+O형=114명이고, 학생 집단의 수는 A형+B형+AB형+O형=100명이므로, 2AB형=14명이 된다. 따라서 AB형은 7명이다. 종합하면 A형이 29명, B형이 40명, AB형이 7명, O형이 24명이다.

ㄱ. 혈장에 응집소 β가 있는 혈액형은 A형과 O형이므로, 그 수는 53명이다.

ㄴ. 적혈구에 응집원 A가 있는 혈액형은 A형과 AB형이므로, 그 수는 36명이다. 적혈구에 응집원 A가 없는 혈액형은 B형과 O형이므로, 그 수는 64명이다.

ㄷ. 혈장에 응집소 α와 β가 모두 있는 혈액형은 O형이다. O형인 사람에게는 O형의 혈액만 수혈할 수 있으므로, 이 학생 집단에서는 24명이 해당된다.

09 ㄱ. 구간 Ⅰ에서 물질 X와 물질 Y에 대한 항체 농도가 모두 증가하였으므로, 생쥐 A에서는 물질 X, 생쥐 B에서는 물질 Y에 대한 체액성 면역 반응이 각각 일어났다.

ㄴ. 구간 Ⅱ에서 물질 Y에 대한 항체 농도 변화는 1차 주사 때와 거의 같지만, 물질 X에 대한 항체 농도는 급격히 증가하였다. 이를 통해 구간 Ⅱ에서 생쥐 A에서는 물질 X에 대한 기억 세포가 형질 세포로 분화하여 다량의 항체를 생성하는 2차 면역 반응이 일어난 것으로 추정할 수 있다.

ㄷ. 백신은 기억 세포 형성을 통해 실제 병원체의 침입 시 2차 면역 반응을 유도할 수 있는 물질이어야 한다. 물질 Y의 경우 2차 주사 때도 1차 면역 반응과 같은 수준의 항체 농도를 나타냈다. 이는 물질 Y를 1차 주사했을 때 항체는 생성되었지만, 기억 세포는 형성되지 않았다는 것을 의미한다. 따라서 백신으로서의 효과는 물질 X가 물질 Y보다 크다.

10 항 Rh 혈청에서 응집 반응이 일어나지 않은 (가)는 적혈구에 Rh 응집원이 없는 Rh^-형이고, 응집 반응이 일어난 (나)는 적혈구에 Rh 응집원이 있는 Rh^+형이다.

ㄷ. Rh 응집원이 없는 (가)는 Rh 응집소가 없는 (나)에게 수혈해도 응집 반응이 일어나지 않으므로 수혈이 가능하다.

바로 알기 ㄱ. Rh 응집원(Rh 항원)은 토끼 A가 아니라 붉은털원숭이의 적혈구에 있다. 붉은털원숭이의 적혈구를 토끼 A에게 주사하면 체액성 면역 반응이 일어나 토끼 A의 혈장에 Rh 응집원(Rh 항원)에 대한 항체, 즉 Rh 응집소(Rh 항체)가 생성된다.

ㄴ. Rh^-형인 (가)는 Rh 응집원과 Rh 응집소가 모두 없으며, Rh 응집원에 노출될 경우에만 Rh 응집소가 생성된다. Rh^+형인 (나)는 Rh 응집원만 있고 Rh 응집소는 없다.

통합 실전 문제

1권 234쪽~237쪽

01 ④	02 ①	03 ④	04 ③	05 ③	06 ④
07 ①	08 ③				

01 결핵의 병원체는 세균, 홍역의 병원체는 바이러스, 무좀의 병원체는 곰팡이이다. (나)의 특징 중 '감염성 질병이다.'는 질병 A~C에 모두 해당하므로 ㉠이며, 특징 ㉠의 ?는 '○'이다.

ㄴ. (나)의 세 가지 특징을 모두 갖는 것은 결핵뿐이므로 B가 결핵이고, 특징 ㉡의 ?는 '○'이다. 결핵은 백신을 사용하여 예방할 수 있다.

ㄷ. '감염 시 항생제를 사용하여 치료한다.'는 병원체가 세균인 결핵에만 해당되므로 특징 ㉢이다.

바로 알기 ㄱ. 병원체가 독립적으로 물질대사를 하는 것은 결핵과 무좀이므로, ㉡은 '병원체가 독립적으로 물질대사를 한다.'이고, 특징 중 한 가지만 갖는 질병 A는 홍역, 특징 중 두 가지를 갖는 질병 C는 무좀이다. 홍역은 병원체가 바이러스여서 감염 시 항생제를 사용하여 치료할 수 없으므로, ⓐ는 '×'이다.

02 ㄱ. B 림프구로부터 분화된 세포 ㉠은 병원체 X에 대한 기억을 가져 병원체 X의 2차 침입에 대비하는 기억 세포이다.

바로 알기 ㄴ. (가)는 대식세포에 의한 식균 작용으로 비특이적 방어 작용이고, (나)는 림프구에 의한 체액성 면역으로 특이적 방어 작용이다. 따라서 (가)는 다양한 항원에 대해 공통으로 일어나고, (나)는 특정 항원에 대해서만 일어난다.

ㄷ. 병원체 X가 침입하였을 때 (가)는 즉시 일어나며, (나)는 대식세포의 항원 제시 후에 일어난다. 따라서 방어 작용이 일어나는 데 걸리는 시간은 (가)에서가 (나)에서보다 짧다.

03 (가)는 형질 세포의 항체 생성, (나)는 보조 T 림프구(㉠)가 B 림프구(㉡)를 활성화시키는 과정, (다)는 대식세포(㉢)의 식균 작용, (라)는 대식세포(㉢)가 제시한 항원을 보조 T 림프구(㉠)가 인식하는 과정이다.

ㄴ. (다)는 항원 X에 대한 대식세포(㉢)의 식균 작용을 나타낸 것이므로, 비특이적 방어 작용에 해당한다.

ㄷ. 세포 ㉠은 보조 T 림프구, 세포 ㉡은 B 림프구, 세포 ㉢은 대식세포이다. 림프구와 대식세포를 포함한 모든 백혈구는 골수에서 생성된다.

바로 알기 ㄱ. 방어 작용은 '(다) 항원 X에 대한 대식세포의 식균 작용 → (라) 대식세포의 항원 제시 및 보조 T 림프구의 항원 인식 → (나) 활성화된 보조 T 림프구에 의한 B 림프구의 활성화 → (가) 형질 세포의 항체 생성'의 순서로 일어난다. 따라서 방어 작용은 (다) → (라) → (나) → (가)의 순서로 진행된다.

04 ㄱ. ㉠은 항원 X에 감염된 세포를 직접 공격하여 파괴하므로 세포독성 T 림프구이며, ㉠에 의한 반응을 세포성 면역이라고 한다. T 림프구는 골수에서 생성되고 가슴샘에서 성숙한다.

ㄴ. ㉡은 형질 세포로 분화하여 항체를 생성하므로 B 림프구이다. 항체는 체액(혈액, 림프, 조직액 등)에서 항원 항체 반응을 통해 항원을 제거하므로, B 림프구(㉡)에 의한 면역 반응을 체액성 면역이라고 한다.

바로 알기 ㄷ. 항체 ⓐ는 항원 X와 특이적으로 결합하는 항원 항체 반응을 하지만, 항원 X에 감염된 세포에 결합하지는 않는다. 항원 X에 감염된 세포는 세포성 면역을 통해 제거된다.

05 ㉠은 항체를 생성하여 분비하므로 형질 세포이고, ㉡은 항원 X를 기억하는 기억 세포이다.

ㄱ. 형질 세포(㉠)는 단백질 성분의 항체를 생성하여 분비하므로, 세포질에 소포체와 골지체가 발달해 있다. 따라서 형질 세포(㉠)는 기억 세포(㉡)보다 단백질의 합성과 분비가 활발하다.

ㄴ. 기억 세포(㉡)는 세포 분열 능력이 있어서 항원 X가 2차 침입할 경우 신속하게 증식하여 다량의 형질 세포와 기억 세포로 분화한다.

바로 알기 ㄷ. 실험 결과 (나)의 생쥐 Ⅱ에서 2차 면역 반응이 일어났으므로, 생쥐 Ⅱ에게 주사한 것은 기억 세포(㉡)이다.

06 혈액에서 혈구(세포)를 제외한 액체 성분을 혈장이라 하고, 혈장에서 혈액 응고를 일으키는 단백질 성분인 피브리노젠을 제거한 것을 혈청이라고 한다. 따라서 혈청에는 림프구가 들어 있지 않고 항체가 들어 있다.

ㄴ. 구간 Ⅰ에서 항체 농도가 증가하였으므로, 항원 X에 대한 체액성 면역 반응이 일어났음을 알 수 있다. 이는 1차 면역 반응에 해당한다.

ㄷ. 구간 Ⅱ에서 항체 농도가 급격히 증가하였으므로, 항원 X에 대한 2차 면역 반응이 일어났음을 알 수 있다. 2차 면역 반응에서 다량의 항체를 생성하는 형질 세포는 1차 면역 반응에서 생성된 기억 세포로부터 분화된 것이다.

바로 알기 ㄱ. 생쥐 A에서 분리한 혈청(㉠)에는 생쥐 A에서 생성된 항원 X에 대한 항체가 들어 있다. 따라서 생쥐 B에게 이 혈청을 주사했을 때 초기에는 항체가 있으나 시간이 지날수록 항체 농도가 낮아진다. 백신은 기억 세포의 생성을 유도할 수 있는 항원이어야 하므로, 혈청(㉠)을 백신으로 사용할 수는 없다. 백신으로는 독성을 제거한 항원 X를 사용할 수 있다.

07 ㄱ. 알레르기는 항원 항체 반응을 통해 일어나므로, 특이적 방어 작용에 해당한다.

바로 알기 ㄴ. 항체를 생성하는 세포 ㉠은 B 림프구가 분화한 형질 세포이다.

ㄷ. 비만 세포에서 분비되어 알레르기 반응을 일으키는 물질 ⓐ는 히스타민이다. 꽃가루(항원)와 항원 항체 반응을 하는 것은 형질 세포에서 생성되어 비만 세포의 세포막에 결합하고 있던 항체 A이다.

08 영희는 B형이므로 응집원 B와 응집소 α를 가지고 있다.

ㄱ. ㉠은 철수의 응집소, ㉡은 영희의 응집소이다. ㉠은 B형인 영희의 적혈구와 응집하였으므로 응집소 β이다. 즉, 철수의 혈장에는 응집소 β가 있고, 철수의 적혈구는 영희의 응집소 α(㉡)와 응집하였으므로 철수의 적혈구에는 응집원 A가 있다. 따라서 철수는 A형이다.

ㄴ. 학급 전체 학생 수는 25명이므로, A형+B형+AB형+O형=25명이다. 응집소 β(㉠)와 응집 반응이 일어나는 혈액형은 B형과 AB형이므로, B형+AB형=11명이다. 응집소 α(㉡)와 응집 반응이 일어나는 혈액형은 A형과 AB형이므로, A형+AB형=13명이다. 응집소 α, β와 모두 응집 반응이 일어나는 혈액형은 AB형이며 4명이다. 따라서 A형은 9명, B형은 7명, O형은 5명이다.

바로 알기 ㄷ. 응집소 α(㉡)가 있는 혈액형은 B형과 O형이므로 12명이다.

사고력 확장 문제

1권 238쪽~241쪽

01 독감은 병원체가 바이러스, 결핵은 병원체가 세균, 무좀은 병원체가 곰팡이이며, 혈우병은 병원체 없이 발생하는 유전병이다. 따라서 혈우병을 다른 세 가지 질병과 구분할 수 있는 기준은 감염성 여부이므로, (가)에 알맞은 기준은 '감염성 질병인가?'이다. 또, 병원체가 세포 구조를 갖지 않는 것은 병원체가 바이러스인 독감이므로 ㉠은 독감이고, 병원체가 세포 구조인 것은 결핵과 무좀이므로 ㉡은 무좀이다. 세균은 원핵생물이고 곰팡이는 진핵생물이므로, (나)에 알맞은 기준은 '병원체가 핵막으로 둘러싸인 뚜렷한 핵을 가지는가?'이다.

모범 답안 (1) ㉠ 독감, ㉡ 무좀

(2) (가) 감염성 질병인가?, (나) 병원체가 핵막으로 둘러싸인 뚜렷한 핵을 가지는가?

	채점 기준	배점(%)
(1)	㉠, ㉡에 해당하는 질병을 모두 옳게 쓴 경우	30
(2)	구분 기준 (가)와 (나)를 모두 옳게 서술한 경우	70
	구분 기준 (가)와 (나) 중 한 가지만 옳게 서술한 경우	30

02 폐렴을 일으키는 병원체 A는 세균, 독감을 일으키는 병원체 B는 바이러스이다. ㉠은 세균만이 갖는 특징이고, ㉢은 바이러스만이 갖는 특징이며, ㉡은 세균과 바이러스가 공통으로 갖는 특징이다.

모범 답안 ㉠ 세포 구조이다. / 스스로 물질대사와 증식을 한다.

㉡ 유전 물질(핵산)을 가지고 있다. / 감염성 질병을 일으키는 병원체이다.

㉢ 비세포 구조이다. / 스스로 물질대사를 하지 못해 살아 있는 숙주 세포 내에서만 증식한다.

채점 기준	배점(%)
㉠~㉢에 해당하는 특징을 모두 옳게 서술한 경우	100
㉠~㉢에 해당하는 특징 중 두 가지를 옳게 서술한 경우	60
㉠~㉢에 해당하는 특징 중 한 가지만 옳게 서술한 경우	30

03 (1) (가)는 염증 반응을 나타낸 것으로 병원체의 종류를 구분하지 않고 일어나는 비특이적 방어 작용이며, (나)는 병원체의 특징을 인식하여 선별적으로 일어나는 특이적 방어 작용이다. 따라서 (가)와 (나) 방어 작용의 주된 차이점은 병원체의 종류를 구분하는지의 여부이다.

(2) (가)에서 화학 물질 ㉠은 상처 부위의 비만 세포에서 분비된 히스타민이다. 히스타민은 모세 혈관을 확장시켜 혈류량을 증가시키고, 대식세포를 비롯하여 식균 작용을 하는 백혈구가 혈관 벽을 쉽게 통과하여 상처 부위로 이동할 수 있도록 해 준다.

(3) B 림프구는 보조 T 림프구의 도움으로 형질 세포와 기억 세포로 분화하며, 형질 세포는 항체를 생성하여 병원체를 제거한다. 따라서 세포 ⓐ는 기억 세포, 세포 ⓑ는 형질 세포이다. 세포 소기관 중에서 소포체는 물질이 이동하는 통로이고, 골지체는 물질의 저장과 분비에 관여한다. 리보솜에서 합성된 단백질은 소포체를 통해 이동하다가, 골지체로 이동하여 저장되거나 변형된 후 세포 안팎으로 운반된다. 항체와 같은 단백질의 합성과 분비에는 소포체와 골지체가 필요하므로, 형질 세포는 항체의 생성과 분비에 필요한 세포 소기관인 소포체와 골지체가 발달하도록 분화되었다.

모범 답안 (1) (가)는 병원체의 종류를 구분하지 않고 일어나는 비특이적 방어 작용이고, (나)는 병원체의 종류를 구분하여 일어나는 특이적 방어 작용이다.

(2) 모세 혈관을 확장시켜 혈류량을 증가시키고, 백혈구가 상처 부위로 쉽게 이동할 수 있도록 해 준다.

(3) 세포 ⓑ는 세포 ⓐ보다 소포체와 골지체가 발달해 있다.

	채점 기준	배점(%)
(1)	(가)와 (나)의 주된 차이점을 옳게 서술한 경우	30
(2)	화학 물질 ㉠의 역할을 옳게 서술한 경우	40
	'모세 혈관을 확장시켜 혈류량을 증가시킨다.', '백혈구가 상처 부위로 쉽게 이동할 수 있도록 해 준다.' 중 한 가지만 서술한 경우	20
(3)	세포 ⓑ가 세포 ⓐ와 다른 점을 옳게 서술한 경우	30

04 (1) (가)는 모든 림프구가 생성되고 B 림프구의 성숙이 이루어지는 골수이며, (나)는 T 림프구의 성숙이 이루어지는 가슴샘이다.

(2) 세포 ㉠은 항원을 인식하여 활성화된 보조 T 림프구이다. 보조 T 림프구는 세포독성 T 림프구와 B 림프구를 활성화시킨다.

모범 답안 (1) (가) 골수, (나) 가슴샘

(2) 세포독성 T 림프구를 활성화시킨다. B 림프구를 활성화시켜 B 림프구의 분화를 촉진한다.

	채점 기준	배점(%)
(1)	(가), (나)에 해당하는 면역 기관을 모두 옳게 쓴 경우	40
(2)	세포 ㉠의 역할 두 가지를 모두 옳게 서술한 경우	60
	세포 ㉠의 역할 두 가지 중 한 가지만 옳게 서술한 경우	30

05 (1) (가)에서 대식세포가 제시하는 항원을 인식하여 활성화되는 세포 ㉠은 보조 T 림프구이고, B 림프구로부터 분화된 ㉡은 기억 세포, B 림프구로부터 분화된 후 항체를 생성하여 분비하는 ㉢은 형질 세포이다.

(2) 대식세포는 식균 작용을 통해 분해한 병원체 X의 조각(항원)을 세포 표면에 제시하여 보조 T 림프구가 항원을 인식할 수 있도록 해 준다.

(3) 구간 Ⅰ은 항원이 1차 침입했을 때 일어나는 1차 면역 반응의 일부이고, 구간 Ⅱ는 동일한 항원이 2차 침입했을 때 일어나는 2차 면역 반응의 일부이다. 2차 면역 반응에서는 항원을 인식한 기억 세포가 직접 증식하여 형질 세포로 분화하기 때문에 다량의 항체가 신속하게 생성될 수 있다.

(4) 후천성 면역 결핍증(AIDS)을 일으키는 바이러스인 사람 면역 결핍 바이러스(HIV)는 사람의 보조 T 림프구에 침입하여 증식한 후 보조 T 림프구를 파괴하고 나온다. 따라서 HIV에 감염되면 보조 T 림프구가 파괴되므로, 항원을 인식할 수 없어 세포독성 T 림프구의 활성화와 B 림프구의 분화가 촉진되지 못한다. 즉, HIV에 감염되어 보조 T 림프구의 수가 크게 감소하면 병원체에 대한 특이적 방어 능력을 상실하는 면역 결핍 상태가 된다.

모범 답안 (1) ㉠ 보조 T 림프구, ㉡ 기억 세포, ㉢ 형질 세포

(2) 보조 T 림프구에게 항원을 제시한다.

(3) 구간 Ⅰ에서는 항원의 종류를 인식하고 B 림프구가 활성화되어 형질 세포로 분화한 후 항체가 생성되므로, 항체 생성 속도가 느리다. 그런데 구간 Ⅱ에서는 1차 면역 반응 시 형성된 후 남아 있던 기억 세포가 직접 형질 세포로 분화하기 때문에 다량의 항체가 빠른 속도로 생성된다.

(4) 보조 T 림프구(㉠)의 수가 크게 감소하면 항원을 인식할 수 없어 세포독성 T 림프구의 활성화와 B 림프구의 분화가 촉진되지 못한다. 따라서 세포성 면역과 체액성 면역이 정상적으로 일어나지 못해 면역 결핍 상태가 될 수 있다.

	채점 기준	배점(%)
(1)	㉠~㉢에 해당하는 세포의 이름을 모두 옳게 쓴 경우	20
(2)	(가)의 방어 작용에서 대식세포의 역할을 옳게 서술한 경우	20
(3)	구간 Ⅰ과 구간 Ⅱ에서 항체의 생성 속도가 다른 까닭을 세포의 분화와 관련지어 옳게 서술한 경우	30
	구간 Ⅰ에서 항체 생성 속도가 느린 까닭 또는 구간 Ⅱ에서 항체 생성 속도가 빠른 까닭 중 한 가지만 옳게 서술한 경우	15
(4)	㉠의 수가 크게 감소할 경우 면역계에 미치는 영향을 옳게 서술한 경우	30
	항원을 인식하지 못한다고만 서술한 경우	10

06 (1) (가)는 바이러스에 감염된 세포를 직접 파괴하여 제거하는 세포성 면역이고, (나)는 항체를 생성하여 항원 항체 반응을 통해 바이러스를 제거하는 체액성 면역이다.

(2) 세포 ㉠은 세포독성 T 림프구이며, 화학 물질을 분비하여 병원체에 감염된 세포나 암세포 등을 직접 파괴한다.

(3) 세포 ㉡은 대식세포이며, 항원 항체 반응을 통해 항체에 둘러싸여 무력화된 바이러스를 식균 작용을 통해 제거한다.

모범 답안 (1) (가) 세포성 면역, (나) 체액성 면역

(2) 세포독성 T 림프구

(3) ㉡은 대식세포이며, 식균 작용을 통해 무력화된 바이러스를 제거한다.

	채점 기준	배점(%)
(1)	(가)와 (나)의 방어 작용을 모두 옳게 쓴 경우	20
(2)	세포 ㉠의 이름을 옳게 쓴 경우	20
(3)	세포 ㉡의 이름을 쓰고, 항원 항체 반응을 통해 무력화된 바이러스가 식균 작용을 통해 제거된다고 옳게 서술한 경우	60
	세포 ㉡의 이름만 옳게 쓴 경우	20

07 (1) 철수의 혈장은 B형 혈액(응집원 B)에만 응집하였으므로, 철수의 혈액형은 혈장에 응집소 β만 들어 있는 A형이다. 영희의 혈장은 A형 혈액(응집원 A)과 B형 혈액(응집원 B)에 모두 응집하였으므로, 영희의 혈액형은 혈장에 응집소 α와 β가 모두 들어 있는 O형이다.

(2) 응집소는 혈장에 들어 있어 수혈 시 희석되어 흩어지므로, 수혈받는 사람의 응집원과 응집되더라도 크게 문제를 일으키지 않는다. 따라서 소량의 혈액인 경우 수혈이 가능하다. 그러나 응집원은 세포인 적혈구에 있어서 희석되지 못하므로, 수혈받는 사람의 응집소와 응집하는 경우 적혈구가 터지고 모세 혈관이 막히는 등 심각한 문제를 일으킬 수 있다. O형인 영희의 혈액에는 응집원이 없고 응집소 α, β만 있으므로 A형인 철수에게 수혈하더라도 응집소 α가 철수의 혈장에 희석되어 응집원 A와 만나게 되므로 응집이 약하게 일어난다. 그러나 철수의 혈액을 영희에게 수혈할 경우 철수의 응집원 A가 희석되지 못하고 영희의 응집소 α와 만나게 되므로 응집이 강하게 일어나 위험하다.

모범 답안 (1)

구분	응집원	응집소	혈액형
철수	A	β	A형
영희	–	α, β	O형

(2) 영희의 혈액을 철수에게 소량 수혈하는 경우 영희의 응집소 α가 희석되어 철수의 응집원 A와 응집한다. 따라서 응집이 약하게 일어나므로 소량의 혈액인 경우 수혈할 수 있다. 그러나 반대로 철수의 혈액을 영희에게 수혈하는 경우 응집원 A가 희석되지 못해 응집이 강하게 일어나므로 수혈할 수 없다.

	채점 기준	배점(%)
(1)	철수와 영희의 ABO식 혈액형과 응집원, 응집소를 모두 옳게 쓴 경우	40
	철수와 영희 중 한 사람의 ABO식 혈액형과 응집원, 응집소만 옳게 쓴 경우	20
(2)	까닭을 옳게 서술한 경우	60

논구술 대비 문제

Ⅰ 생명 과학의 이해

1권 246쪽~247쪽

실전 문제 1

(1) 효소 역할을 수행하려면 다양한 입체 구조를 형성할 수 있어야 한다. DNA는 이중 가닥으로 이루어져 있어 안정한 구조이기 때문에 다양한 입체 구조를 형성할 수 없지만, RNA는 단일 가닥으로 이루어져 있어 불안정한 구조이기 때문에 DNA와 달리 다양한 입체 구조를 형성할 수 있다. RNA를 이루는 단일 가닥 내에서 상보적인 염기끼리 결합하면 다양한 형태의 입체 구조를 형성할 수 있다.

(2) 천연두 바이러스의 유전 물질은 DNA이고, 인플루엔자 바이러스의 유전 물질은 RNA이다. 천연두 바이러스는 안정한 구조인 이중 가닥의 DNA가 유전 물질이므로 돌연변이가 잘 일어나지 않아 변종이 잘 생겨나지 않지만, 인플루엔자 바이러스는 불안정한 구조인 단일 가닥의 RNA가 유전 물질이므로 돌연변이에 의해 변종이 쉽게 생겨난다. 변종이 많이 생기면 백신 접종으로 질병을 예방하기가 어려워진다.

예시 답안 (1) DNA는 이중 가닥으로 이루어져 있어 안정한 구조이기 때문에 다양한 구조를 형성할 수 없다. 그러나 RNA는 단일 가닥으로 이루어져 있어 불안정한 구조이기 때문에 단일 가닥 내에서 상보적인 염기끼리 결합하면 다양한 형태의 입체 구조를 형성하여 효소 역할을 수행할 수 있다.
(2) 천연두를 일으키는 천연두 바이러스는 유전 물질이 안정한 구조인 이중 가닥의 DNA이기 때문에 돌연변이에 의한 변종이 잘 생겨나지 않아 십여 년 간에 걸친 백신 접종으로 천연두를 퇴치할 수 있었다. 그러나 독감을 일으키는 인플루엔자 바이러스는 유전 물질이 불안정한 구조인 단일 가닥의 RNA이기 때문에 돌연변이에 의해 변종이 쉽게 생겨나 그 종류가 다양해져 백신 접종으로도 독감은 여전히 퇴치되지 않은 것이다.

실전 문제 2

(1) 연역적 탐구 방법에서는 대조군을 설정하여 실험군과 비교하는 대조 실험을 하는데, 과학자 A의 탐구 과정에는 대조군이 없다. 따라서 대조군으로 25마리의 건강한 양을 추가로 준비한 다음, 병원체를 주사하지 않은 상태로 병원체를 주사한 양들과 같은 조건에서 분리하여 기르면서 탄저병 증세가 나타나지 않는 것을 확인해야 한다.

(2) 과학자 B의 탐구 과정에도 과학자 A의 탐구 과정과 마찬가지로 대조군이 없다. 그리고 백신의 탄저병 예방 효과를 검증하는 실험이므로 실험군의 양들에게 백신을 먼저 주사한 후 탄저균을 주사해야 하며, 대조군의 양들에게는 백신을 주사하지 않고 탄저균을 주사해야 한다. 이후 백신을 주사하지 않은 대조군의 양에게서만 탄저병 증세가 나타나야 탄저병 백신이 탄저병 예방에 효과가 있다는 것이 검증된다.

예시 답안 (1) '이 배양한 병원체를 25마리의 건강한 양에게 주사한 후 탄저병 증세가 나타나는지 확인하였다.'라는 과정을 '50마리의 건강한 양을 25마리씩 두 집단으로 나눈 후 한 집단의 양에게만 배양한 병원체를 주사한 다음, 두 집단의 양 중 병원체를 주사한 집단의 양에게서만 탄저병 증세가 나타나는지 확인하였다.'로 개선해야 한다.
(2) '먼저 25마리의 건강한 양에게 독성을 약화하지 않은 탄저균을 주사하였다. 이후 이들 양에게 탄저병 백신을 추가로 주사한 다음, 탄저병 증세가 나타나는지 확인하였다.'라는 과정을 '50마리의 건강한 양을 25마리씩 두 집단으로 나눈 후 한 집단의 양에게만 탄저병 백신을 주사하였다. 이후 두 집단의 양에게 모두 독성을 약화하지 않은 탄저균을 주사한 다음, 탄저병 증세가 나타나는지 확인하였다.'로 개선해야 한다. 또, 실험 결과 백신을 주사하지 않은 집단의 양에게서만 탄저병 증세가 나타나야 탄저병 백신의 효과가 검증된다.

Ⅱ 사람의 물질대사

1권 250쪽~251쪽

실전 문제 1

(1) 인슐린 저항성이 발생한 지방 조직 세포에서는 인슐린에 의한 지방 분해 억제 효과가 저하되어 지방이 쉽게 분해된다. 그 결과 혈액으로 지방산이 방출되어 혈중 지방산 농도가 증가한다. 혈중 지방산이 과다해지면 간세포에서 인슐린 저항성이 발생하여 간세포는 포도당 대신 지방산을 흡수하므로 중성 지방의 생성량이 증가하고 그에 따라 콜레스테롤 생성량도 증가한다. 간세포에 중성 지방과 콜레스테롤이 과다해지면 이들 물질은 지단백질에 결합한 상태로 혈액으로 나와 혈액 내 중성 지방과 콜레스테롤을 증가시킨다. LDL과 HDL도 이러한 지단백질의 하나인데, LDL 콜레스테롤은 간에서 조직 세포로 콜레스테롤을 운반하고 HDL 콜레스테롤은 조직 세포에서 간으로 콜레스테롤을 운반한다. 그런데 간에 콜레스테롤이 많으면 LDL 콜레스테롤 생성량은 증가하고 HDL 콜레스테롤 생성량은 감소한다.

(2) 제2형 당뇨병은 비만으로 인해 인슐린 수용체 등에 이상이 생겨 인슐린 저항성이 증가하여 발생한다. 인슐린 수용체 이상으로 인슐린이 인슐린 수용체에 결합하지 못하면 인슐린이 제대로 작용하지 못해 혈당량이 정상적으로 낮아지지 않고, 그 결과 제2형 당

뇨병이 발생한다. 따라서 제2형 당뇨병은 인슐린 주사가 효과가 없거나 적고, 식습관과 생활 습관 개선 및 규칙적인 운동을 통해 체중을 줄이고 혈당 강하제를 투여하여 치료한다.

예시 답안 (1) 인슐린 저항성이 발생한 지방 조직 세포에서는 지방 분해가 늘어나 혈액으로 지방산을 방출하여 혈중 지방산을 증가시킨다. 인슐린 저항성이 발생한 간세포는 포도당 대신 혈액 속의 많은 지방산을 흡수하여 중성 지방과 콜레스테롤의 생성량을 늘린다. 그 결과 간세포에 중성 지방과 콜레스테롤이 과다해지고, 이 물질들은 혈액으로 나와 혈액 내 중성 지방과 콜레스테롤을 증가시킨다. 또한, 간세포에 콜레스테롤의 양이 많으면 간에서 조직으로 콜레스테롤을 운반하는 LDL 콜레스테롤의 생성량이 증가하고, 조직에서 간으로 콜레스테롤을 운반하는 HDL 콜레스테롤의 생성량은 줄어든다. 그 결과 이상 지혈증이 나타난다.

(2) 제2형 당뇨병은 간, 근육, 지방 조직의 세포에서 인슐린 수용체 이상 등으로 인슐린 저항성이 증가하여 인슐린의 효과가 떨어진 결과 포도당 흡수가 줄어들고, 간에서 방출되는 포도당이 증가하여 발생한다. 제2형 당뇨병은 비만(특히 복부 비만)으로 인한 인슐린 저항성 증가가 주요 원인이므로 식습관과 생활 습관 개선 및 규칙적인 운동을 통해 체중을 줄이고 혈당 강하제를 투여하여 치료한다.

실전 문제 2

(1) 아르키메데스 원리에 따르면 물속에서는 몸의 부피만큼에 해당하는 물의 무게와 같은 크기의 부력을 받으므로, 수중 체중은 체중에서 몸의 부피만큼에 해당하는 물의 무게를 뺀 값이 된다. 그런데 물의 밀도가 1.0 kg/L이므로, 몸의 부피만큼에 해당하는 물의 무게는 몸의 부피와 같은 값이다. 따라서 단위를 무시하면 수중 체중은 '체중−몸의 부피'이고 그에 따라 몸의 부피는 '체중−수중 체중'이 된다. 한편, 이렇게 구한 몸의 부피에는 잔기량이 포함되어 있으므로, 몸의 실제 부피는 몸의 부피에서 잔기량을 뺀 값이 된다. 따라서 몸의 실제 부피는 '체중−수중 체중−잔기량'이 된다.

(2) A는 체중과 수중 체중이 각각 70 kg과 0 kg이고, 잔기량이 2 L이다. 따라서 A는 몸의 실제 부피가 70−0−2=68(L)이고, 몸의 밀도는 $\frac{70}{68}$≒1.03(kg/L)이다. B는 체중과 수중 체중이 각각 70 kg과 5 kg이고, 잔기량이 2 L이다. 따라서 B는 몸의 실제 부피가 70−5−2=63(L)이고, 몸의 밀도는 $\frac{70}{63}$≒1.11(kg/L)이다. 체지방의 밀도는 0.9 g/cm^{3}로, 체지방을 제외한 나머지 조직의 평균 밀도 1.1 g/cm^{3}보다 낮으므로 체지방률이 높을수록 몸의 밀도는 낮다. 따라서 A와 B 두 사람 중 몸의 밀도가 낮은 A가 B에 비해 체지방률이 높다고 할 수 있다.

(3) 근육과 체지방은 수분 함량 차이로 전기 저항의 크기가 다르고, 그에 따라 전류의 흐름에 차이가 난다. 체지방은 근육에 비해 수분 함량이 적기 때문에 체지방률이 높을수록 생체 전기 저항이 크고 전류의 흐름은 나쁘다.

예시 답안 (1) 아르키메데스 원리에 따라 수중 체중은 체중에서 몸의 부피만큼에 해당하는 물의 무게를 뺀 값이다. 그런데 물 1 L의 무게가 1 kg이므로 몸의 부피만큼에 해당하는 물의 무게는 몸의 부피와 같은 값이다. 따라서 몸의 부피(L)는 '체중(kg)−수중 체중(kg)'이다. 또, 몸의 실제 부피(L)는 '몸의 부피(L)−잔기량(L)'이므로 몸의 실제 부피(L)를 구하는 식은 다음과 같다.

몸의 실제 부피(L)=체중(kg)−수중 체중(kg)−잔기량(L)

(2) A는 몸의 실제 부피가 70−0−2=68(L)이므로, 몸의 밀도는 $\frac{70}{68}$≒1.03(kg/L)이다. B는 몸의 실제 부피가 70−5−2=63(L)이므로, 몸의 밀도는 $\frac{70}{63}$≒1.11(kg/L)이다. 그런데 체지방의 밀도는 체지방을 제외한 나머지 조직의 평균 밀도보다 낮으므로, 몸의 밀도가 낮은 A가 B보다 체지방률이 높다.

(3) 체지방은 근육에 비해 수분 함량이 적기 때문에 체지방률이 높을수록 생체 전기 저항이 크고, 근육의 비율이 높을수록 생체 전기 저항이 작다. 따라서 생체 전기 저항을 측정하면 몸속의 근육과 체지방의 양을 추정할 수 있다.

Ⅲ 항상성과 몸의 조절

1권 254쪽~259쪽

실전 문제 1

(1) 복어는 독을 스스로 합성하는 것이 아니라 해양 세균의 독소가 먹이 사슬을 통해 복어의 체내에 축적된 것이다. 양식 복어의 경우 자연산 복어와 같은 먹이 사슬이 형성되지 않으므로 해양 세균의 독소가 체내로 들어오지 않는다.

(2) 뉴런에서 활동 전위는 Na^+ 통로가 열려 Na^+이 세포 안으로 유입되는 탈분극 과정을 통해 발생한다. 테트로도톡신은 뉴런이나 근육 세포의 세포막에 있는 Na^+ 통로(막단백질)에 결합하여 Na^+ 통로가 열리지 않게 함으로써 활동 전위의 발생을 억제한다.

(3) 테트로도톡신은 세포에 직접 피해를 주는 독소는 아니다. 그러나 테트로도톡신에 의해 신경이 마비되어 호흡 기관과 순환 기관의 작용이 멈추게 되면 세포의 생존에 필요한 산소, 포도당 등의 물질이 공급될 수 없어 개체는 죽음에 이르게 된다.

예시 답안 (1) 복어는 독을 스스로 합성하는 것이 아니라 해양 세균의 독소가 먹이 사슬을 통해 체내에 축적된 것이다. 따라서 양식 복어의 경우 해양 세균의 독소가 체내로 들어오지 않기 때문에 테트로도톡신을 갖고 있을 가능성이 매우 낮다.

(2) 테트로도톡신이 뉴런이나 근육 세포의 세포막에 있는 Na^+ 통로에 결합하면 역치 이상의 자극을 주어도 Na^+ 통로가 열리지 않기 때문에 탈분극이 일어나지 못한다. 따라서 막전위가 역치 전위에 도달하지 못하여 활동 전위가 발생하지 않는다.

(3) 테트로도톡신은 세포에 직접 피해를 주는 독소는 아니지만, 호흡 운동과 심장 박동 등 여러 기관의 작용을 조절하는 신경을 마비시킨다. 그 결과 호흡 곤란, 혈액 순환 장애 등이 일어나 세포의 에너지 생산에 필요한 산소, 포도당이 공급되지 못해 생명을 잃게 된다.

실전 문제 2

(1) 심장과 같은 내장 기관에 연결된 신경은 자율 신경이다. 자율 신경 중 교감 신경은 심장 박동을 촉진하고, 부교감 신경은 심장 박동을 억제한다. 신경 A를 자극한 결과 심장 A의 활동 전위 발생 빈도가 감소하였으므로, 신경 A는 심장 박동을 억제하는 부교감 신경이다.

(2) 생리식염수를 통해서만 연결된 심장 B도 시간 차를 두고 심장 A처럼 활동 전위 발생 빈도가 감소하였다. 이를 통해 신경 A의 말단에서 신경 전달 물질이 분비되었고, 이 물질이 생리식염수를 통해 용기 2로 이동하여 심장 B의 박동을 억제하는 작용을 하였음을 알 수 있다. 신경 A는 부교감 신경이므로 말단에서 분비되는 신경 전달 물질은 아세틸콜린이다.

(3) 부교감 신경의 말단에서 분비되는 신경 전달 물질과 골격근에 연결된 운동 신경의 말단에서 분비되는 신경 전달 물질은 모두 아세틸콜린이다. 즉, 부교감 신경의 말단에서 분비되는 아세틸콜린은 심장 박동을 억제하고, 체성 신경계를 구성하는 운동 신경의 말단에서 분비되는 아세틸콜린은 골격근의 수축을 일으킨다.

예시 답안 (1) 신경 A를 자극하였을 때 심장 A의 활동 전위 발생 빈도가 감소하였으므로, 신경 A는 심장 박동을 억제하는 역할을 한다. 따라서 신경 A는 심장에 연결된 자율 신경 중 부교감 신경에 해당한다.

(2) 신경 A의 말단에서 신경 전달 물질이 분비되었으며, 이 물질은 생리식염수를 통해 용기 2로 이동하여 심장 B의 박동까지 억제하는 역할을 하였다. 즉, 부교감 신경(A)의 말단에서 분비된 아세틸콜린이 심장 B의 박동을 억제한 것이다.

(3) 골격근이 수축한다. 그 까닭은 신경 A의 말단에서 분비되는 신경 전달 물질(아세틸콜린)과 골격근 수축을 일으키는 운동 신경의 말단에서 분비되는 신경 전달 물질(아세틸콜린)이 같기 때문이다.

실전 문제 3

(1) 세균은 세포 구조이며, 물질대사에 필요한 효소를 가지고 있어서 독자적으로 증식할 수 있다. 그러나 바이러스는 비세포 구조이며, 독자적인 효소가 없어서 스스로 물질대사를 하지 못하므로 숙주 세포 내에서 숙주 세포의 물질대사 기구를 이용해야만 증식할 수 있다. 따라서 질병을 일으키는 바이러스의 증식을 억제하기 위해 사용하는 항바이러스제는 숙주인 사람의 물질대사에 영향을 미칠 수밖에 없기 때문에 안전한 항바이러스제를 개발하는 데 어려움이 많다.

(2) 원핵생물인 세균은 진핵생물인 사람의 세포와 구조적인 차이가 있다. 즉, 동물인 사람의 세포는 세균과 달리 세포벽이 없고, 단백질을 합성하는 리보솜에도 차이가 있다. 따라서 항생제는 세균만이 갖는 특징에 영향을 미쳐 세균의 증식을 억제하는 방식으로 작용하므로 인체에는 비교적 안전하다.

예시 답안 (1) 세균은 독자적으로 증식하지만, 바이러스는 숙주 세포 내에서 숙주 세포의 물질대사 기구를 이용해서만 증식한다. 따라서 항바이러스제는 숙주 세포의 물질대사를 억제하는 독성을 나타낼 수 있기 때문에 안전한 항바이러스제의 개발에 어려움이 많다.

(2) 진핵생물인 사람의 세포에는 세포벽이 없고, 리보솜도 세균의 리보솜과는 달라서 페니실린이나 스트렙토마이신과 같은 항생제의 영향을 거의 받지 않는다. 이처럼 항생제는 원핵생물인 세균만이 갖는 특징에 작용하는 약제이므로, 진핵생물인 사람에게는 비교적 안전하다.

실전 문제 4

(1) 비특이적 방어 작용은 병원체의 공통 특징을 인식하여 감염 즉시 신속하고 광범위하게 일어나는 식균 작용과 이를 도와주는 염증 반응 등을 말한다. 이에 반해 특이적 방어 작용은 림프구가 중심이 되며, 특정 병원체만이 갖는 특징을 인식하여 해당 병원체에만 선별적으로 작용하는 방어 작용이다.

(2) 대식세포가 식균 작용으로 항원을 분해한 후 세포 표면에 항원 조각을 제시하는 것과 유사한 방식으로 항원에 감염된 세포의 표면에도 항원 조각이 제시된다. 항원 조각을 인식한 보조 T 림프구에 의해 활성화된 세포독성 T 림프구는 해당 항원을 인식할 수 있으므로, 항원에 감염된 세포만을 구별하여 선택적으로 파괴한다.

(3) 림프구에 의한 특이적 방어 작용은 항원에 대한 특이성과 기억 능력을 가진다. 항원의 최초 침입 후 항체가 생성되는 1차 면역 반응에 비해 동일한 항원의 재침입 후 항체가 생성되는 2차 면역 반응이 훨씬 신속하게 일어나고 항체 생성량도 많다. 그 까닭은 1차 면역 반응 시 형성된 기억 세포가 해당 항원의 재침입을 인식하면 곧바로 증식하여 형질 세포로 분화한 후 항체를 생성하기 때문이다.

예시 답안 (1) 병원체가 체내에 침입했을 때 일어나는 비특이적 방어 작용의 예로는 식균 작용과 염증 반응 등이 있다. 특이적 방어 작용은 특정 병원체만이 갖는 특징을 인식하여 일어나는 데 반해, 비특이적 방어 작용은 병원체의 종류를 구별하지 않고 병원체의 공통 특징을 인식하여 감염 즉시 신속하고 광범위하게 일어난다.

(2) 병원체가 체내로 침입하면 대식세포가 식균 작용으로 병원체를 분해한 후 병원체의 항원 조각을 세포 표면에 제시하고, 보조 T 림프구가 제시된 항원 조각을 인식하여 활성화된 후 세포독성 T 림프구를 활성화시킨다. 활성화된 세포독성 T 림프구는 병원체에 감염된 세포의 표면에 제시된 항원 조각을 인식하여 감염된 세포와 직접 접촉한 다음, 화학 물질을 분비하여 감염된 세포만을 선택적으로 파괴한다.

(3) 항원 A와 항원 B에 대한 항체 농도 변화 그래프

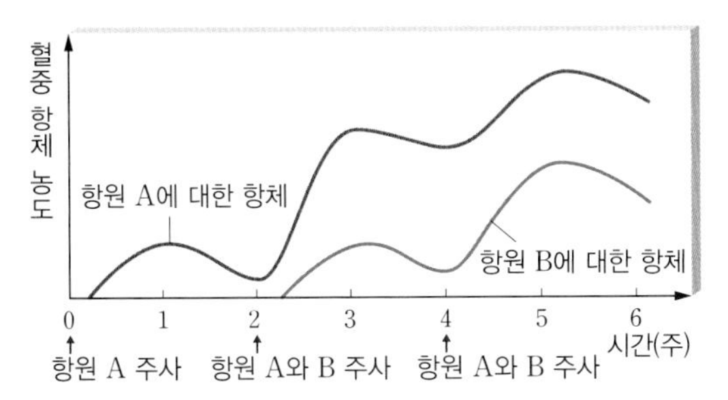

• 항원 A에 대한 항체의 농도 변화: 항원 A를 1차 주사한 후 항원 A에 대한 기억 세포가 형성되므로, 2주 때와 4주 때에 다시 항원 A를 주사하면 기억 세포가 형질 세포로 분화하여 항원 A에 대한 항체가 신속하게 다량 생성되는 2차 면역 반응이 일어난다.

• 항원 B에 대한 항체의 농도 변화: 2주 때 항원 B를 처음 주사하면 항원 A에 대한 기억 세포는 항원 B에 대한 항체 생성에 영향을 주지 않으므로, 항원 B에 대한 1차 면역 반응이 일어난다. 이때 기억 세포가 형성되므로 4주 때 항원 B를 2차 주사하면 2차 면역 반응이 일어난다.

실전 문제 5

(1) (제시문 1)을 통해 적혈구 세포막에 존재하는 탄수화물 사슬이 항원(응집원)으로 인식된다는 것을 알 수 있다. 또, (제시문 2)를 통해 B 림프구가 소화관 내 세균의 세포벽에 있는 탄수화물 사슬을 항원으로 인식하는데, 이 탄수화물 사슬은 적혈구 세포막에 있는 탄수화물 사슬과 매우 유사하다는 것을 알 수 있다. ABO식 혈액형이 A형인 사람의 혈액에서는 소화관 내 세균에 대항하여 응집원 B에 대한 항체가 만들어지므로 혈장에 응집소 β가 존재하게 되며, 자신이 가지고 있는 응집원 A에 대한 항체는 만들어지지 않는다. 이는 자기 물질을 항원으로 인식하는 B 림프구는 발달 과정 동안 제거되거나 불활성화되기 때문이다.

(2) 혈액형별 응집원과 응집소를 따져 수혈에 따른 응집 반응 여부를 판단한다. B형의 혈액에는 적혈구 세포막에 응집원 B가, 혈장에 응집소 α가 있으며, O형의 혈액에는 적혈구 세포막에 응집원이 없고 혈장에는 응집소 α와 β가 모두 있다. 따라서 B형인 사람의 혈액을 O형인 사람에게 수혈하면 응집원 B와 응집소 β가 응집 반응을 일으키므로 수혈할 수 없다.

(3) 모체와 태아의 Rh식 혈액형이 다를 경우 출산 과정에서 태아의 적혈구가 모체에 노출되므로 모체에 항체(Rh 응집소)가 생성될 수 있다. Rh^-형인 여성이 Rh^+형인 첫째 아이를 출산하는 과정에서 아이의 Rh 응집원에 노출되면 모체 내에 Rh 응집소가 생성된다. 이후 Rh^+형인 둘째 아이를 임신하면 모체의 Rh 응집소가 태반을 통과하여 태아의 Rh 응집원과 응집 반응을 일으키므로 적아 세포증이 발생할 수 있다. Rh식 혈액형의 Rh 응집소는 크기가 작아서 태반을 통과할 수 있지만, ABO식 혈액형의 응집소 α와 β는 크기가 커서 태반을 통과하지 못한다. 따라서 ABO식 혈액형의 경우 모체와 태아의 혈액형이 달라도 적아 세포증은 발생하지 않는다.

예시 답안 (1) ABO식 혈액형의 응집원은 적혈구 세포막에 있는 탄수화물 사슬인데, 소화관 내 세균의 세포벽에도 이와 매우 유사한 탄수화물 사슬이 존재한다. B 림프구는 소화관 내 세균의 세포벽에 존재하는 탄수화물 사슬을 항원으로 인식하여 항체를 생성할 수 있다. 이때 자신의 적혈구 세포막에 있는 탄수화물 사슬은 자기 물질에 해당하므로, 이와 다른 종류의 탄수화물 사슬에 대해서만 항체를 생성한다. 따라서 ABO식 혈액형의 경우 응집원 A, B에 직접 노출되지 않아도 혈액형에 따라 응집소 α, β가 자연적으로 생성된다.

(2) ABO식 혈액형이 B형인 사람의 혈액을 O형인 사람에게 수혈하면 B형의 적혈구 세포막에 있는 응집원 B와 O형의 혈장에 있는 응집소 β가 응집 반응을 일으키므로 수혈할 수 없다.

(3) Rh^-형인 여성이 Rh^+형인 첫째 아이를 출산하는 과정에서 아이의 Rh 응집원에 노출되면 모체 내에 Rh 응집소가 생성된다. 이후 Rh^+형인 둘째 아이를 임신하면 모체의 Rh 응집소가 태반을 통과하여 태아의 Rh 응집원과 응집 반응을 일으키므로 적아 세포증이 발생할 수 있다. ABO식 혈액형에서 적아 세포증이 발생하지 않는 까닭은 Rh식 혈액형의 Rh 응집소와 달리 ABO식 혈액형의 응집소 α와 β는 크기가 커서 태반을 통과할 수 없기 때문이다.

IV 유전

1. 세포와 세포 분열

01 유전자와 염색체

탐구 확인 문제 2권 17쪽

01 ②, ③ **02** 해설 참조

01 ② (나)의 핵형을 보면 1번 염색체가 2개 있다.
③ (나)는 22쌍의 상염색체와 1쌍의 성염색체, 총 23쌍의 상동 염색체를 가지고 있다.
바로 알기 ① 상동 염색체 쌍이 있으므로 체세포의 핵형이다.
④ 상염색체 중에는 성염색체인 X 염색체보다 길이가 긴 것도 있고, 짧은 것도 있다.
⑤ 성 결정에 관여하지 않는 상염색체는 22쌍, 즉 44개가 있다.

02 (1) 상동 염색체는 모양과 크기가 같은 염색체 쌍으로, 부모에게서 1개씩 물려받은 것이다.
(2) 핵형 분석은 염색체의 수, 모양, 크기와 같은 특징을 분석하는 것이다. 유전자는 유전 정보가 저장된 DNA의 특정 부분으로, DNA의 염기 서열로 되어 있어 핵형 분석만으로는 유전자 이상을 알아낼 수 없다.
모범 답안 (1) 부모에게서 각 번호의 염색체를 한 세트씩 물려받았기 때문에 상동 염색체가 쌍으로 존재한다.
(2) 유전자는 유전 정보가 저장된 DNA의 특정 부분이므로 염색체의 수, 모양, 크기 등을 분석하는 핵형 분석으로는 유전자 이상을 알 수 없다.

	채점 기준	배점(%)
(1)	상동 염색체가 쌍으로 존재하는 까닭을 옳게 서술한 경우	50
	체세포의 염색체이기 때문이라고 서술한 경우	20
(2)	염색체와 유전자의 관계를 들어 옳게 서술한 경우	50
	염색체와 유전자의 관계에 대한 서술이 명확하지 않은 경우	20

집중 분석 2권 18쪽

유제 ②, ④

유제 ㉠은 DNA, ㉡은 실처럼 풀어진 형태의 염색체, ㉢과 ㉣은 하나의 염색체를 구성하는 염색 분체이고, ⓐ는 G_2기, ⓑ는 M기(분열기), ⓒ는 G_1기이다.
② ㉡은 간기의 염색체 형태로, DNA와 히스톤 단백질로 구성되어 있다.
④ 염색 분체인 ㉢과 ㉣은 M기(ⓑ)의 후기에 분리되어 양극으로 이동한다.
바로 알기 ① DNA(㉠)의 기본 단위는 인산, 당, 염기로 구성된 뉴클레오타이드이다.
③ ㉢과 ㉣은 복제된 DNA가 응축되어 형성된 염색 분체이므로 유전자 구성이 같다.
⑤ ⓐ는 DNA가 복제된 이후인 G_2기이고, ⓒ는 DNA가 복제되기 전인 G_1기이다. 따라서 세포 1개의 DNA양은 ⓐ 시기 세포가 ⓒ 시기 세포의 2배이다.

개념 모아 정리하기 2권 21쪽

❶DNA ❷유전자 ❸유전체 ❹46
❺상동 염색체 ❻44+XX ❼n ❽대립유전자
❾같다 ❿S기

개념 기본 문제 2권 22쪽~23쪽

01 (1) 유전자 (2) DNA (3) 대립유전자 **02** 유전체, 염색체, 유전자 **03** (1) 뉴클레오솜, DNA와 히스톤 단백질 (2) ㄱ, ㄴ **04** (가) $n=6$, (나) $2n=6$ **05** (1) (가) 남자, (나) 여자 (2) ㉠ X 염색체, ㉡ Y 염색체 (3) 23쌍 (4) 44개 (5) ㄱ, ㄴ **06** ㉠ a, ㉡ A, ㉢ a **07** (1) ㉠ G_1기, ㉡ M기, ㉢ G_1기 (2) ㉢, S기, ㉠ (3) DNA 복제 (4) ㉡ **08** (1) D → A → B → E → C (2) ㉠ A, ㉡ E **09** B: $2n=16$, C: $2n=16$ **10** ㄱ, ㄷ

01 (1) DNA의 특정 부분에는 생물의 형질을 결정하는 유전 정보가 저장되어 있는데, 이 부분을 유전자라고 한다.
(2) 유전 물질인 DNA는 이중 나선 구조이다.
(3) 상동 염색체의 같은 위치에는 하나의 형질을 결정하는 대립유전자가 존재한다.

02 유전체는 한 생명체의 모든 염색체에 있는 유전 정보를 포함하며, 하나의 염색체에는 많은 수의 유전자가 있다.

03 (1) A는 DNA가 히스톤 단백질을 휘감고 있어 실에 꿰인 구슬처럼 보이는 뉴클레오솜이다.

(2) ㄱ. B는 세포 주기의 분열기(M기)에 응축되어 나타나는 염색체이다.

ㄴ. ㉠과 ㉡은 염색 분체로, 세포 주기의 S기에 복제된 DNA가 응축되어 형성되므로 유전자 구성이 같다.

바로 알기 ㄷ. 부모에게서 1개씩 물려받은 것은 상동 염색체이다.

04 (가)는 상동 염색체가 쌍을 이루고 있지 않으므로 핵상은 n이고, 염색체 수는 6개이다. (나)는 상동 염색체가 쌍을 이루고 있으므로 핵상은 $2n$이고, 염색체 수는 6개이다.

05 (1) 성염색체는 맨 끝에 있는 한 쌍의 염색체이다. (가)는 성염색체의 모양과 크기가 서로 다르므로 성염색체 구성이 XY인 남자이고, (나)는 성염색체 구성이 XX인 여자이다.

(2) 남녀에게 공통으로 있는 성염색체 ㉠이 X 염색체이고, ㉡은 남자에게만 있는 Y 염색체이다.

(3), (4) (나)에는 상염색체 22쌍(44개)과 성염색체 1쌍(2개), 총 23쌍의 상동 염색체가 있다.

(5) ㄱ. 염색체를 관찰하기에 가장 좋은 시기는 체세포 분열 중기이다.

ㄴ. 3번 염색체 2개는 아버지와 어머니에게서 1개씩 물려받은 것이다.

바로 알기 ㄷ. 생식세포에는 상동 염색체 중 1개씩만 들어 있어 핵상이 n이고, 염색체 수는 체세포의 반인 23개이다.

06 (가)와 (나)에 있는 한 쌍의 염색체들은 상동 염색체이다. 상동 염색체의 같은 위치에는 대립유전자가 존재하므로 ㉠과 ㉢은 각각 A의 대립유전자인 a이다. 또, 하나의 염색체를 구성하는 2개의 염색 분체는 유전자 구성이 같으므로 ㉡은 A이다.

07 (1) ㉠은 S기 이후에 진행되는 G_2기, ㉡은 M기(분열기), ㉢은 G_1기이다.

(2) 간기는 G_1기(㉢), S기, G_2기(㉠)로 구분한다.

(3) S기에는 DNA 복제가 일어난다.

(4) 실처럼 풀어져 있던 염색체가 응축되어 막대 모양으로 나타나는 것은 M기(분열기)이다.

08 (1) A는 전기, B는 중기, C는 말기, D는 간기, E는 후기이다. 세포 주기는 간기 → 전기 → 중기 → 후기 → 말기의 순서로 진행된다.

(2) 간기의 S기에 복제된 DNA가 각각 히스톤 단백질과 결합하여 응축되고, 세포 분열이 시작되면 더욱 응축되어 염색 분체로 나타난다. 따라서 2개의 염색 분체로 이루어진 염색체가 나타나는 시기는 분열기의 전기(A)이며, 염색 분체는 분열기의 후기(E)에 분리되어 양극으로 이동한다.

09 체세포 분열 결과 모세포와 염색체 수 및 유전자 구성이 같은 딸세포 2개가 만들어진다. 따라서 A, B, C의 핵상과 염색체 수는 모두 $2n=16$이다.

10 ㄱ. 구간 Ⅰ에서 DNA 상대량이 2배로 증가하므로 구간 Ⅰ은 간기의 S기이다.

ㄷ. 구간 Ⅱ는 세포 분열이 일어나는 분열기(M기)이다. 분열기의 전기에 2개의 염색 분체로 이루어진 염색체가 나타나며, 후기에 염색 분체가 분리된다.

바로 알기 ㄴ. 간기에는 핵막과 인이 관찰되며, 분열기의 전기에 핵막과 인이 사라진다.

개념 적용 문제

2권 24쪽~27쪽

01 ③　02 ②　03 ③　04 ⑤　05 ①　06 ⑤　07 ④　08 ④

01 ㄱ. A는 DNA(핵산)가 히스톤 단백질을 휘감고 있어 실에 꿰인 구슬처럼 보이는 뉴클레오솜이다.

ㄴ. B는 DNA이며, DNA의 기본 단위는 뉴클레오타이드이다. 뉴클레오타이드는 인산, 당, 염기로 구성되어 있다.

바로 알기 ㄷ. ㉠과 ㉡은 하나의 염색체를 구성하는 염색 분체이다. 염색 분체는 DNA가 복제된 후 응축되어 만들어진 것이므로 유전자 구성이 같다.

02 ㄴ. (가)의 핵상은 $2n$이고, 성염색체 수는 2개이다. (나)의 핵상은 n이고, 성염색체 수는 1개이다. 따라서 성염색체 수는 (가)가 (나)의 2배이다.

바로 알기 ㄱ. (가)에는 모양과 크기가 같은 상동 염색체가 쌍을 이루고 있으므로 핵상은 $2n$이고 염색체 수는 6개($2n=6$)이다. 그런데 ㉠은 모양과 크기가 다른 염색체와 쌍을 이루므로 성염색체이다.

ㄷ. ㉡과 ㉢은 상동 염색체 관계가 아니므로 ㉡과 ㉢ 모두 부계로부터 물려받은 것일 수 있다.

03 ㄱ. ㉠과 ㉡은 3번 염색체이며, 모양과 크기가 같은 상동 염색체이다.

ㄴ. 한 사람의 몸을 구성하는 모든 체세포는 핵형이 같다.

바로 알기 ㄷ. 제시된 핵형 분석 결과에서 상염색체는 22쌍, 즉 44개이다. 각 염색체는 2개의 염색 분체로 이루어져 있으므로 상염색체의 염색 분체 수는 88개이다.

04 (가)의 세포 ㉠의 유전자 구성은 AAb이고, (나)의 세포 ㉡의 유전자 구성은 AaBB이다. (가)는 b를 하나만 가지며 대립유전자가 없으므로 B와 b는 성염색체인 X 염색체에 있다. 따라서 (가)는 X 염색체를 1개 가지는 남자이고, (나)는 X 염색체를 2개 가지는 여자이다.

ㄱ. A와 b는 서로 다른 염색체에 있으며, b는 X 염색체에 있으므로 A와 a는 상염색체에 있다.

ㄴ. 남자 (가)의 X 염색체는 어머니에게서 물려받은 것이므로, X 염색체에 있는 유전자 b도 어머니에게서 물려받은 것이다.

ㄷ. (나)의 유전자형이 BB인 것은 부모에게 모두 B가 있어서 X 염색체와 함께 물려받았기 때문이다.

05 ㉠은 M기(분열기), ㉡은 G_1기, ㉢은 S기이다.

ㄱ. 핵막의 소실과 형성은 M기(㉠)의 전기와 말기에 각각 일어난다.

바로 알기 ㄴ. 핵 1개당 DNA양은 G_1기(㉡)에 1이라면 S기를 지난 G_2기에는 2가 된다. 따라서 $\frac{\text{㉡ 시기 세포}}{G_2\text{기 세포}}=\frac{1}{2}$이다.

ㄷ. ㉢은 DNA가 복제되는 S기이다. 염색체가 풀어져 있는 형태인 A가 응축된 형태인 B로 변하는 시기는 M기(㉠)의 전기이다.

06 ㄱ. 체세포의 핵상은 $2n$이므로 체세포에는 상동 염색체가 있어 대립유전자 T와 t가 모두 있다. 따라서 G_1기(㉠)뿐만 아니라 세포 주기의 전 시기 동안 세포에 T와 t가 모두 있다.

ㄴ. ⓑ는 M기(분열기) 후기의 세포이다. 체세포 분열 후기에는 염색 분체가 분리된다.

ㄷ. ⓐ는 염색 분체가 분리되기 전인 M기(분열기) 중기의 세포이며, ㉡은 DNA 복제가 끝난 G_2기이다. 따라서 ⓐ와 ㉡ 시기의 세포 1개당 T의 수는 2로 같다.

07 (가)는 체세포 분열 과정에서의 DNA양 변화를 나타낸 것인데, Ⅱ 시기에 핵 1개당 DNA양이 반감되므로 Ⅱ가 M기이다. 따라서 Ⅰ은 G_2기, Ⅲ은 G_1기이다.

(나)에는 상동 염색체가 있으므로 (나)의 핵상은 $2n$이고, 염색체 수는 4개이며($2n=4$), 염색체가 세포의 중앙에 배열되어 있으므로 (나)는 체세포 분열 중기의 세포이다.

ㄴ. Ⅱ는 체세포 분열의 M기이므로 (나)와 같은 세포가 관찰된다.

ㄷ. 체세포 분열 과정에서는 세포의 핵상과 염색체 수에 변화가 없다.

바로 알기 ㄱ. Ⅰ은 간기의 G_2기이므로 2개의 염색 분체로 이루어진 염색체가 관찰되지 않는다.

08 ④ 방추사가 관찰되는 세포는 분열기가 진행 중인 세포이다. DNA 상대량이 2인 구간 Ⅱ에는 G_2기 세포와 분열기(M기)의 세포가 있고, DNA 상대량이 1인 구간 Ⅰ에는 DNA 복제 전인 G_1기 세포가 있다. 따라서 방추사가 관찰되는 세포는 구간 Ⅱ에 있다.

바로 알기 ① 세포 주기의 각 시기에 걸리는 시간과 각 시기별 세포 수는 비례한다. G_1기 세포가 있는 구간 Ⅰ이 G_2기와 M기의 세포가 있는 구간 Ⅱ보다 세포 수가 많다. 따라서 집단 A의 세포 주기에서 G_1기가 G_2기보다 길다.

②, ③ 집단 B의 세포는 모두 DNA 상대량이 1~2 범위에 있으므로 세포 주기가 S기에서 G_2기로 진행되지 않는다. 이 시기는 간기이므로 세포에서 핵이 관찰된다.

⑤ 배양 시간을 늘리더라도 집단 B에서는 세포 주기가 더 이상 진행되지 않으므로, 시간이 경과할수록 총 세포 수는 집단 B가 집단 A보다 더 적다.

02 생식세포 형성과 유전적 다양성

탐구 확인 문제 2권 35쪽

01 ①, ⑤ **02** (1) 2^{23}가지 (2) 2^{46}가지

01 ① Y와 y는 상동 염색체의 같은 위치에 있으며, 하나의 형질을 결정하는 대립유전자이다.

⑤ 상동 염색체의 배열과 분리는 각각 감수 1분열 중기와 후기에 일어난다.

바로 알기 ② T와 t는 한 가지 형질을 결정하는 대립유전자이다.

③ R와 r는 각각 부모에게서 1개씩 물려받은 것이다.

④ 상동 염색체의 배열 방향은 무작위이므로 상동 염색체가 분리되어 형성된 생식세포는 유전적으로 다양하다.

02 (1) 상동 염색체의 무작위 배열과 독립적 분리에 의해 형성될 수 있는 생식세포의 염색체 조합은 2^n가지이므로 사람의 경우 2^{23}가지이다.

(2) 부모에게서 형성된 정자와 난자의 무작위 수정에 의해 자손이 태어나므로 자손의 염색체 조합은 최대 $2^{23}\times2^{23}=2^{46}$가지가 가능하다.

집중 분석 2권 37쪽

유제 ①, ⑤

유제 ① (가)와 (나)의 핵상은 각각 $2n$이고, 각 염색체는 2개의 염색 분체로 이루어져 있다. 따라서 세포당 DNA양은 (가)와 (나)에서 같다.

⑤ (가)는 체세포 분열 중기의 세포이고, (나)는 감수 1분열 중기의 세포이다. 따라서 (가)에서 형성된 딸세포의 핵상은 $2n$이고, (나)에서 형성된 딸세포의 핵상은 n이다.

바로 알기 ② (나)는 상동 염색체가 접합한 2가 염색체가 관찰되므로 감수 1분열 중기의 세포이다.
③ (가)와 (나)의 핵상과 염색체 수는 $2n=4$로 같다.
④ 상처 부위가 재생될 때에는 (가)와 같은 체세포 분열이 일어나 모세포와 유전적으로 동일한 딸세포가 형성된다.

개념 모아 정리하기

2권 39쪽

❶ 무성	❷ 유성	❸ 상동 염색체	❹ 염색 분체
❺ 2	❻ 4	❼ 형성된다.	❽ 감수 1분열
❾ 2^n	❿ $2^n \times 2^n$	⓫ 염색체 수	⓬ 유전적 다양성

개념 기본 문제

2권 40쪽~41쪽

01 ㄴ, ㄷ **02** (1) 무성 생식 (2) 자손의 유전적 다양성이 높아 급격한 환경 변화에도 적응하여 살아남는 개체가 있을 가능성이 높다. **03** ㉠ 염색 분체, ㉡ 상동, ㉢ 2가 **04** (1) 감수 2분열 후기 (2) 감수 1분열 후기 (3) 감수 1분열 전기 (4) 감수 1분열 중기 **05** (1) (가) 감수 2분열 말기가 끝난 상태, (나) 감수 1분열 중기, (다) 감수 2분열 후기, (라) 감수 2분열 중기, (나) → (라) → (다) → (가) (2) (나) (3) 4배 (4) 7개 (5) 정소, 난소 **06** (1) (나) (2) (가) (3) (다) (4) (나) **07** ㉠ 2, ㉡ 2, ㉢ 4, ㉣ n, ㉤ 반감된다, ㉥ 감수 1분열 전기, ㉦ 감수 2분열(후기), ㉧ 정소 **08** 감수 2분열 중기 **09** (1) 38개 (2) 2^{39}가지 **10** ㄱ, ㄷ **11** ㄴ, ㄷ

01 ㄴ, ㄷ. 무성 생식은 암수 생식세포의 결합 없이 한 개체의 세포 1개 또는 몸의 일부가 분리되어 새로운 개체를 만드는 방법이다. 따라서 모체와 유전적으로 동일한 자손이 만들어지며, 생식 방법이 간단하고 번식 속도가 빠르다.

바로 알기 ㄱ. 암수 생식세포가 결합하여 새로운 개체를 만드는 방법은 유성 생식이다.

02 (1) 체세포 분열은 모세포와 유전적으로 동일한 딸세포 2개를 만드는 과정이므로, 모체와 유전적으로 동일한 자손이 만들어지는 무성 생식과 관련이 깊다.

(2) 유성 생식은 암수 생식세포가 결합하여 새로운 개체를 만드는 방법이다. 감수 분열 과정에서 염색체 조합이 다양한 생식세포가 만들어지고, 암수 생식세포의 결합을 통해 자손의 염색체 조합은 더욱 다양해진다. 따라서 유성 생식을 하는 생물에서는 유전적으로 다양한 자손이 생기므로 급격한 환경 변화에 적응하여 살아남는 개체가 있을 가능성이 높다.

03 하나의 염색체를 이루는 각각의 가닥 ㉠은 염색 분체이고, 모양과 크기가 같은 한 쌍의 염색체는 상동(㉡) 염색체이며, 상동 염색체가 접합한 것은 2가(㉢) 염색체이다.

04 (1) 감수 2분열 후기에 염색 분체가 분리된다.
(2) 감수 1분열 후기에 상동 염색체가 분리된다.
(3) 2가 염색체는 감수 1분열 전기에 형성된다.
(4) 2가 염색체가 세포의 중앙에 배열되는 시기는 감수 1분열 중기이다.

05 (1) (가)는 4개의 딸세포가 형성되었으므로 감수 2분열 말기가 끝난 상태, (나)는 2가 염색체가 세포의 중앙에 배열되어 있으므로 감수 1분열 중기, (다)는 2개의 세포에서 각각 염색 분체가 양극으로 이동하고 있으므로 감수 2분열 후기, (라)는 2개의 세포에서 각각 염색체가 세포의 중앙에 배열되어 있으므로 감수 2분열 중기이다. 따라서 세포 분열이 일어나는 순서는 (나) → (라) → (다) → (가)이다.
(2) 2가 염색체는 감수 1분열 전기와 중기(나)에 관찰된다.
(3) (나) 시기의 세포가 2회 연속 분열하여 (가)가 된다. (가) 시기의 세포 하나에 들어 있는 DNA 상대량을 1이라고 할 때 (나) 시기의 세포 하나에 들어 있는 DNA 상대량은 4이다.
(4) (가) 시기 세포의 핵상은 n이므로, (가) 시기의 세포 하나에 들어 있는 염색체 수는 7개이다.
(5) 사람에서 감수 분열이 일어나는 장소는 정소와 난소이다.

06 (가)는 간기, (나)는 감수 1분열, (다)는 감수 2분열이다.
(1) 감수 1분열에서 상동 염색체가 분리되어 서로 다른 세포로 나뉘어 들어가므로 세포당 염색체 수와 DNA양이 반으로 감소한다.
(2) 간기에는 세포가 생장하고 세포 소기관의 수가 증가한다.
(3) 감수 2분열에서는 염색 분체가 분리되어 서로 다른 세포로 나뉘어 들어가므로 세포당 염색체 수는 변하지 않고 DNA양만 반으로 감소한다.
(4) 감수 1분열에서 상동 염색체의 무작위 배열과 독립적 분리가 일어나 생식세포의 유전적 다양성이 증가한다.

07 체세포 분열에서는 1회의 분열로 핵상과 DNA양이 모세포와 같은 딸세포 2개가 형성된다. 감수 분열에서는 2회의 분열로 4개의 딸세포가 형성되는데, 세포의 핵상은 $2n$에서 n으로 되고, DNA양은 반감된다. 감수 1분열 전기에 상동 염색체가 접합하여 2가 염색체가 형성되고, 감수 2분열 후기에 염색 분체가 분리된다. 사람의 경우 이와 같은 감수 분열은 정소와 난소에서 일어난다.

08 제시된 세포에는 상동 염색체가 없고(n), 염색체가 세포의 중앙에 배열되어 있으므로 감수 2분열 중기의 세포이다.

09 (1) 개의 체세포의 핵상과 염색체 수는 $2n=78$이므로 생식세포인 정자의 핵상과 염색체 수는 $n=39$이다. 정자의 성염색체 수는 1개이므로 상염색체 수는 38개이다.

(2) 감수 분열을 통해 형성될 수 있는 생식세포의 염색체 조합은 2^n가지이다. 개의 경우 $n=39$이므로 수컷 개에게서 형성될 수 있는 정자의 염색체 조합은 최대 2^{39}가지이다.

10 ㄱ, ㄷ. 자손의 유전적 다양성은 감수 1분열 시 상동 염색체의 무작위 배열과 독립적 분리, 암수 생식세포의 무작위 수정에 의해 증가한다.

바로 알기 ㄴ, ㄹ. 체세포 분열과 감수 2분열에서는 염색 분체가 분리된다. 염색 분체는 유전자 구성이 같으므로 염색 분체의 분리는 자손의 유전적 다양성 증가에 영향을 주지 않는다.

11 ㄴ. 유성 생식을 하는 생물에서는 암수 생식세포의 수정으로 자손이 만들어진다. 생식세포 형성 과정에서 염색체 수가 반으로 줄어들기 때문에 암수 생식세포의 수정으로 생긴 자손의 염색체 수는 부모와 같다.

ㄷ. 감수 1분열 과정에서 상동 염색체의 무작위 배열과 독립적 분리, 암수 생식세포의 무작위 수정에 의해 자손의 유전적 다양성이 증가한다.

바로 알기 ㄱ. 유성 생식에서는 자손의 유전적 다양성이 증가한다.

개념 적용 문제

2권 42쪽~44쪽

01 ② 02 ② 03 ⑤ 04 ③ 05 ④ 06 ⑤

01 (가)에서 핵 1개당 DNA양이 2번 반감되므로 감수 분열 과정에서의 변화를 나타낸 것이다. 구간 Ⅰ은 간기의 S기로 DNA가 복제되고, 구간 Ⅱ는 감수 2분열 과정의 일부이다. (나)는 2가 염색체가 세포의 중앙에 배열되어 있으므로 감수 1분열 중기의 세포이다.

ㄴ. (나)에는 상동 염색체가 있으므로 핵상이 $2n$이다. 구간 Ⅱ는 감수 2분열 과정의 일부이므로 구간 Ⅱ에서 관찰되는 세포의 핵상은 n이다.

바로 알기 ㄱ. (가)의 구간 Ⅰ에서는 DNA 복제가 일어난다. 방추사의 재료는 G_2기에 합성되고, 방추사는 분열기(M기)의 전기에 형성된다.

ㄷ. (나)는 감수 1분열 중기의 세포이므로 DNA 상대량이 4이고, 감수 분열이 완료되어 형성된 생식세포는 DNA 상대량이 1이다.

02 ㄴ. (나)는 상동 염색체가 분리되어 양극으로 이동하는 감수 1분열 후기의 세포이다. 이때 이동 중인 각 염색체는 2개의 염색 분체로 이루어져 있다.

바로 알기 ㄱ. (가)는 응축된 염색체가 나타나는 감수 1분열 전기의 세포이다. DNA 복제는 간기의 S기에 일어나며, S기에는 염색체가 관찰되지 않고, 핵이 관찰된다.

ㄷ. (다)는 감수 2분열이 완료되어 4개의 딸세포가 형성된 상태로, 각 세포의 핵상은 n이다. 따라서 각 세포에는 대립유전자 T와 t 중 한 가지만 들어 있다.

03 (가)의 ㉠~㉣과 (나)의 ⓐ~ⓒ의 핵 1개당 DNA양과 세포 1개당 염색체 수를 정리해 보면 표와 같다.

(가)의 세포	㉠	㉡	㉢	㉣
DNA양(상댓값)	2	4	2	1
염색체 수(상댓값)	2	2	1	1
(나)의 세포	−	ⓑ	ⓒ	ⓐ

ㄱ. 세포 1개당 염색체 수가 ㉠은 2, ⓒ는 1이므로 염색체 수는 ㉠이 ⓒ의 2배이다.

ㄴ. ㉢이 ㉣로 되는 감수 2분열 과정에서는 염색 분체가 분리되므로 염색체 수는 변하지 않고 DNA양만 반으로 감소한다.

ㄷ. $\frac{\text{핵 1개당 DNA양}}{\text{세포 1개당 염색체 수}}$의 값은 ㉢이 $\frac{2}{1}$이고, ⓑ가 $\frac{4}{2}$이므로 ㉢과 ⓑ가 같다.

04 (가)는 상동 염색체가 없으므로 핵상과 염색체 수가 $n=4$이다. 따라서 (가)는 B의 감수 분열 과정 중인 세포이고, B의 체세포의 핵상과 염색체 수는 $2n=8$이다.

ㄷ. B의 감수 1분열 중기 세포의 핵상은 $2n$이고, 각 염색체는 2개의 염색 분체로 이루어져 있으므로 세포 1개당 염색 분체 수는 $8\times2=16$개이다.

바로 알기 ㄱ. (가)는 B의 세포이다.

ㄴ. (나)는 상동 염색체가 쌍으로 존재하므로 핵상과 염색체 수가 $2n=4$인 A의 세포이다.

05 (가)에서 각 세포의 DNA 상대량을 이용해 유전자 구성을 나타내 보면 ㉠은 ABb, ㉡은 AaBb, ㉢은 BB이다. ㉠과 ㉡에는 대립유전자인 B와 b가 모두 있으므로 핵상이 $2n$인데, ㉠의 경우 A는 대립유전자가 없고 유전자 1개만 있으므로 Ⅰ은 수컷이고, A는 성염색체인 X 염색체에 있다. ㉡에는 대립유전자 A와 a가 모두 있으므로 X 염색체가 2개이다. 따라서 Ⅱ는 암컷이다.

ㄱ. A는 성염색체인 X 염색체에 있다.

ㄷ. ㉢에는 A와 a가 모두 없으므로 Y 염색체가 있으며, B가 2개 있으므로 ㉢은 감수 2분열 중인 세포이다. 따라서 ㉢으로부터 형성된 생식세포는 Y 염색체를 가진 정자이고, 이 정자가 X 염색체를 가진 난자와 수정하여 태어나는 자손은 성염색체 구성이 XY로 항상 수컷이다.

바로 알기 ㄴ. (나)는 핵상이 n이고, 대립유전자 A가 있는 X 염색체를 가지고 있다. X 염색체는 암수에 공통으로 있는 성염색체이고, A와 b는 Ⅰ과 Ⅱ에 공통적으로 있다. 따라서 (나)와 같은 염색체 구성을 가진 생식세포는 Ⅰ과 Ⅱ에서 모두 형성될 수 있다.

06 감수 1분열에서 대립유전자가 있는 상동 염색체가 분리되므로 ㉠과 ㉡에는 같은 대립유전자가 없다. 즉, ㉡에 d가 있으므로 ㉠에는 d가 없고, ㉠에 A가 없으므로 ㉡에는 A가 있다. 따라서 ⓐ는 0, ⓑ는 1이다. 같은 원리로 ㉢과 ㉣에도 같은 대립유전자가 없으므로 ㉢에는 A와 b가 있고, d가 없다. 그런데 ㉢은 감수 2분열 중인 세포로, 각 염색체가 2개의 염색 분체로 이루어져 있으므로 A와 b의 DNA 상대량은 각각 2이다. 따라서 ⓒ는 2, ⓓ는 2, ⓔ는 0이다.

ㄱ. ⓐ+ⓑ+ⓒ−ⓓ+ⓔ=0+1+2−2+0=1이다.

ㄴ. ㉣은 A, b, D를 가지므로 ㉣에서 염색 분체가 분리되어 형성된 ㉤의 유전자형은 AbD이다.

ㄷ. 그림에서 A와 D는 같은 세포로 이동할 수도 있고, 다른 세포로 이동할 수도 있음을 알 수 있다. 이것은 A와 D가 서로 다른 염색체에 있어 이들 염색체가 감수 분열 시 독립적으로 행동하기 때문이다.

통합 실전 문제

2권 46쪽~49쪽

01 ④	02 ④	03 ⑤	04 ①	05 ③	06 ⑤
07 ②	08 ②				

01 ㄴ. ㉡은 DNA를 응축시키는 데 관여하는 히스톤 단백질이다. 단백질은 아미노산이 펩타이드 결합으로 연결되어 형성된다.

ㄷ. ㉢은 두 가닥의 폴리뉴클레오타이드가 나선 모양으로 꼬여 있는 DNA이며, 이중 나선 안쪽의 염기 서열에 유전 정보를 저장한다.

바로 알기 ㄱ. 그림의 염색체는 복제된 DNA가 응축되어 형성된 2개의 염색 분체가 동원체에서 서로 붙어 있는 모습이다. 따라서 ㉠에는 A가 있다.

02 (가)와 (나)에는 상동 염색체가 없고, (다)에는 상동 염색체가 있으므로 핵상과 염색체 수가 (가)는 $n=4$, (나)는 $n=4$, (다)는 $2n=8$이다. (가)는 (나), (다)와 염색체의 모양과 크기가 다르므로 B와 C는 같은 종이고, A는 다른 종이다. 또, (다)는 모양과 크기가 같은 상동 염색체가 4쌍 있으므로 C는 성염색체 구성이 XX인 암컷이다.

ㄴ. (나)의 핵상은 n이고, (다)의 핵상은 $2n$이다. (다)에는 X 염색체가 2개 있는데, (다)에 있는 염색체가 (나)에서도 발견되므로 (나)에는 X 염색체가 1개 있다. 따라서 X 염색체의 수는 (다)가 (나)의 2배이다.

ㄷ. C는 성염색체 구성이 XX이므로 암컷이고, A와 B는 수컷이다. 따라서 B의 세포 (나)가 분열을 완료하면 정자가 형성된다.

바로 알기 ㄱ. A와 B는 다른 종이고, B와 C는 같은 종이다.

03 ㄴ. 유전자는 부모의 생식세포의 염색체를 통해 자손에게 전해진다. 같은 염색체에 있는 유전자 A와 B는 부모 중 한쪽에게서 물려받은 것이다.

ㄷ. ㉢은 성염색체이며, 짝을 이루는 다른 성염색체보다 크기가 큰 것으로 보아 X 염색체이다. X 염색체는 남자와 여자가 공통으로 가지고 있다.

바로 알기 ㄱ. G_1기 세포는 DNA가 복제되기 전이므로 염색 분체 1개만큼의 DNA 양이 있다.

04 세포당 DNA 상대량이 1인 세포는 G_1기 세포이고, 세포당 DNA 상대량이 2인 세포는 G_2기와 M기의 세포이다. G_1기 세포 수가 G_2기 세포 수보다 많으므로 G_1기가 G_2기보다 길다. 따라서 C가 G_1기이고, B가 S기, A가 G_2기이다.

ㄱ. 세포당 DNA양은 DNA가 복제된 후인 G_2기(A 시기)가 DNA가 복제되기 전인 G_1기(C 시기)의 2배이다.

바로 알기 ㄴ. B 시기는 DNA가 복제되는 S기이다. 이때 DNA는 히스톤 단백질과 분리된 후 복제되며, 복제가 끝나면 다시 히스톤 단백질과 결합하여 뉴클레오솜을 형성한다.

ㄷ. 구간 Ⅰ에는 G_2기 세포와 체세포 분열 중인 M기의 세포가 있다. 상동 염색체는 감수 1분열에서 분리되므로 구간 Ⅰ에는 상동 염색체의 분리가 일어나는 세포가 없다.

05 ㉠에는 A가 있고 B가 없으므로 A와 b가 있다. 또, 세포 1개당 A의 DNA 상대량이 1이므로 ㉠은 감수 2분열 결과 형성된 세포이고, 핵상은 n이다. ㉡에는 A가 없고 B가 있으므로 a와 B가 있다. 또, 세포 1개당 B의 DNA 상대량이 1이므로 ㉡도 감수 2분열 결과 형성된 세포이고, 핵상은 n이다. ㉢에는 B가 없고 A의 DNA 상대량이 2이므로 ㉢은 감수 2분열 중인 세포이고, 핵상은 n이다. ㉢이 분열하면 ㉠이 형성된다.

ㄱ. 세포의 핵상은 ㉠, ㉡, ㉢ 모두 n으로 같다.

ㄴ. ㉠과 ㉡은 감수 2분열 결과 형성된다.

바로 알기 ㄷ. ㉢은 감수 2분열 중기의 세포이므로, 상동 염색체가 접합한 2가 염색체는 관찰되지 않는다. 이때는 2개의 염색 분체로 이루어진 염색체가 세포의 중앙에 배열된다.

06 Ⅰ의 핵상은 $2n$이고, (가)의 유전자형은 R㉠Tty㉡이다. Ⅱ는 감수 2분열 중기의 세포이므로 각 염색체는 2개의 염색 분체로 이루어져 있어 R, t, Y의 수의 합은 짝수이다. Ⅰ에 있던 대립유전자들이 분리되어 생식세포로 들어간다. 따라서 'Ⅰ의 R, t, Y의 수의 합$=\frac{\text{Ⅱ의 R, t, Y의 수의 합}}{2}+$Ⅲ의 R, t, Y의 수의 합'이므로 Ⅰ은 세포 C이고, Ⅱ는 세포 A이며, Ⅲ은 세포 B이다.

⑤ Ⅲ은 세포 B이다. 세포 B는 R, t, Y의 수의 합이 3이므로 Ⅲ에는 R, t, Y가 모두 존재한다.

바로 알기 ① (가)는 핵상이 $2n$이며, DNA가 복제되기 전의 상태이므로 R, t, Y의 수의 합이 4이다. 따라서 ㉠은 R, ㉡은 Y이다.
② A(Ⅱ)와 B(Ⅲ)의 핵상은 n으로 같지만, C(Ⅰ)의 핵상은 $2n$이다.
③ Ⅰ은 DNA가 복제되기 전의 G_1기 세포이다. Ⅰ이 G_2기 세포라면 R, t, Y의 수의 합이 8이 되어야 한다.
④ Ⅱ는 감수 2분열 중기의 세포이므로 상동 염색체가 없다. 따라서 대립유전자 쌍이 존재하지 않는다.

07 ㄱ. (가)는 상동 염색체가 없으므로 핵상과 염색체 수가 $n=5$이고, 각 염색체가 2개의 염색 분체로 이루어져 있으므로 감수 2분열 중인 세포이다. 동물 A의 체세포($2n$)에는 10개의 염색체가 있으며, 그중 8개는 상염색체이고 2개는 성염색체이다. 따라서 A의 체세포에서 $\frac{\text{상염색체 수}}{\text{성염색체 수}}=\frac{8}{2}=4$이다.

ㄴ. (나)는 동물 B의 생식세포이므로 핵상과 염색체 수가 $n=5$이다. 따라서 동물 B의 체세포($2n$)에는 10개의 염색체가 있다. 체세포 분열 중기에는 각 염색체가 2개의 염색 분체로 이루어져 있으므로 체세포 분열 중기 세포 1개당 염색 분체 수는 $10\times2=20$개이다.

바로 알기 ㄷ. (가)와 (나)에서 공통적이지 않은 염색체가 성염색체이며, 하나는 X 염색체이고 다른 하나는 Y 염색체이다. 즉, (가)와 (나)에는 서로 다른 성염색체가 있으므로 (가)로부터 형성된 생식세포와 (나)가 수정하여 태어나는 자손의 성염색체 구성은 XY이다. 따라서 이 자손이 수컷일 확률은 1이다.

08 ㉠~㉣ 중 2개는 서로 대립유전자이다. Ⅲ은 대립유전자 쌍을 가지므로 핵상이 $2n$이다. Ⅰ과 Ⅱ에는 각각 ㉡과 ㉢ 중 하나만 있으므로 Ⅰ과 Ⅱ의 핵상은 n이고, ㉡과 ㉢은 대립유전자이다. 핵 1개당 DNA양은 G_2기 세포가 Ⅱ의 4배이므로 Ⅱ는 감수 분열이 완료되어 형성된 생식세포이다. 나머지 둘은 중기의 세포이므로 Ⅰ은 감수 2분열 중기, Ⅲ은 감수 1분열 중기의 세포이다.

ㄱ. ㉡과 ㉢은 감수 분열 과정에서 형성되는 세포 Ⅰ과 Ⅱ에서 함께 들어 있지 않으므로 대립유전자이다.

ㄴ. Ⅰ은 감수 2분열 중기의 세포이고, Ⅱ는 감수 분열이 완료되어 형성된 생식세포이다. 따라서 핵 1개당 DNA양은 Ⅰ이 Ⅱ의 2배이므로 세포 1개당 ㉠의 수도 Ⅰ이 Ⅱ의 2배이다.

바로 알기 ㄷ. Ⅲ은 감수 1분열 중기 세포로 핵상이 $2n$이므로 염색체 수는 6이고, DNA가 복제된 상태이므로 A의 수는 2이다. 따라서 $\frac{\text{염색체 수}}{\text{A의 수}}=\frac{6}{2}=3$이다.

사고력 확장 문제

2권 50쪽~53쪽

01 염색체는 DNA와 히스톤 단백질로 구성되어 있으며, DNA에 유전 정보가 저장되어 있다.

모범 답안 (1) A: 염색체, B: 뉴클레오솜, C: DNA
(2) 염색체는 DNA와 히스톤 단백질로 구성되며, 유전 정보가 저장된 DNA의 특정 부분이 유전자이다. 하나의 염색체에는 많은 수의 유전자가 있다.
(3) 유전 물질이 포함된 염색체가 응축되면 세포 분열이 일어나는 동안 유전 정보가 손상되는 것을 막고, 유전 물질이 딸세포에 정확하게 반씩 나뉘어 들어갈 수 있다.

	채점 기준	배점(%)
(1)	A~C의 이름을 모두 옳게 쓴 경우	20
	A~C의 이름 중 2개를 옳게 쓴 경우	10
(2)	염색체와 유전자의 관계를 옳게 서술한 경우	40
	염색체와 유전자의 의미를 한 가지만 옳게 서술한 경우	20
(3)	유전 정보의 손상을 막고, 유전 물질이 딸세포에 정확하게 나뉘어 들어간다는 것을 옳게 서술한 경우	40
	유전 정보의 손상 방지와 유전 물질이 딸세포에 정확하게 나뉘어 들어가는 것 중 한 가지만 옳게 서술한 경우	20

02 (1) 남자와 여자의 핵형에서 염색체 수 및 상염색체의 모양과 크기는 같지만, 성염색체 구성은 남녀에 따라 다르다.

(2) 염색체의 모습은 같더라도 형질을 결정하는 유전자의 DNA 염기 서열은 개인마다 다르다.

모범 답안 (1) • 공통점: 염색체 수가 46개로 같다. 상염색체의 수, 모양, 크기가 같다. 상염색체는 44개(22쌍)이고, 성염색체는 2개이다.
• 차이점: 남자는 모양과 크기가 다른 성염색체 쌍을 가지고, 여자는 모양과 크기가 같은 성염색체 쌍을 가진다. (또는 성염색체 구성이 남자는 XY이고, 여자는 XX이다.)

(2) 형질은 염색체를 구성하는 DNA에 있는 유전자에 의해 결정되며, 개인마다 유전자를 이루는 DNA 염기 서열이 다르므로 형질이 다르게 나타난다.

	채점 기준	배점(%)
(1)	공통점과 차이점을 모두 옳게 서술한 경우	50
	공통점과 차이점 중 한 가지만 옳게 서술한 경우	20
(2)	개인마다 유전자를 이루는 DNA 염기 서열이 다르기 때문이라고 옳게 서술한 경우	50
	개인마다 유전자가 다르기 때문이라고만 서술한 경우	30

03 세포 주기 중 간기의 S기에 DNA가 복제되어 DNA양이 2배로 증가하며, 염색체는 분열기의 전기에 응축되어 나타난다. 중심체는 G_2기에 복제되어 2개가 된다.

모범 답안 물질 A를 처리하면 DNA양은 2배가 되므로 S기는 정상적으로 진행되지만, 염색체가 관찰되지 않고 중심체가 1개이므로 물질 A는 S기가 끝나고 G_2기에 중심체가 복제되기 전의 상태에서 세포 분열을 멈추게 한다. 물질 B를 처리하면 DNA양이 2배가 되고 염색체가 관찰되며 중심체가 2개이므로, 물질 B는 M기 중 말기 이전의 상태에서 세포 분열을 멈추게 한다.

채점 기준	배점(%)
물질 A와 B가 각각 억제하는 시기를 근거를 들어 모두 옳게 서술한 경우	100
물질 A와 B가 각각 억제하는 시기를 근거를 들어 한 가지만 옳게 서술한 경우	50
물질 A와 B가 각각 억제하는 시기만 옳게 쓴 경우	30

04 (2) 체세포 분열 과정에서는 염색 분체가 분리되어 서로 다른 딸세포로 나뉘어 들어간다.

모범 답안 (1) ㉠과 ㉡은 염색 분체로, 간기의 S기에 복제된 DNA가 각각 응축되어 형성된 것이므로 유전자 구성이 같다.

(2) 체세포 분열에서는 간기에 복제되어 형성된 염색 분체 2개가 분열기의 후기에 분리되어 서로 다른 딸세포로 나뉘어 들어간다. 염색 분체는 유전자 구성이 같으므로 체세포 분열 결과 형성된 딸세포 2개는 염색체 수와 유전자 구성이 모세포와 동일하다.

	채점 기준	배점(%)
(1)	㉠과 ㉡은 DNA가 복제되어 형성된 염색 분체이므로 유전자 구성이 같다고 옳게 서술한 경우	50
	㉠과 ㉡은 염색 분체이므로 유전자 구성이 같다고만 서술한 경우	30
(2)	체세포 분열에서는 유전자 구성이 같은 염색 분체가 분리되어 딸세포로 들어가기 때문이라고 옳게 서술한 경우	50
	체세포 분열에서는 염색 분체가 분리되기 때문이라고만 서술한 경우	30

05 (1) 상동 염색체가 접합한 2가 염색체가 세포의 중앙에 배열되어 있으므로 감수 1분열 중기의 세포이다.

(2) 상동 염색체의 접합과 분리는 감수 분열에서만 일어난다.

모범 답안 (1) 감수 1분열 중기

(2) 제시된 세포에서는 상동 염색체가 접합하여 2가 염색체를 형성하고 있다. 상동 염색체의 접합과 분리는 감수 1분열에서만 일어나며, 체세포 분열에서는 일어나지 않는다.

	채점 기준	배점(%)
(1)	감수 1분열 중기라고 옳게 쓴 경우	30
(2)	상동 염색체의 접합과 분리는 감수 분열에서만 일어나기 때문이라고 옳게 서술한 경우	70
	2가 염색체가 형성되었기 때문이라고만 서술한 경우	50

06 (1) 감수 1분열에서는 세포당 염색체 수와 DNA양이 각각 반으로 줄어들고, 감수 2분열에서는 세포당 염색체 수는 변하지 않고 DNA양만 반으로 줄어든다.

(2) 상동 염색체가 분리되어 형성된 두 딸세포는 유전자 구성이 서로 다르고, 하나의 염색체를 이루던 염색 분체가 분리되어 형성된 두 딸세포는 유전자 구성이 같다.

모범 답안 (1) ㉠ n, ㉡ 2, ㉢ n, ㉣ 1

(2) C와 D는 감수 1분열 과정에서 상동 염색체가 분리되어 만들어진 각각의 딸세포로부터 형성되었으므로 유전자 구성이 서로 다르다. 그러나 D와 E는 감수 2분열 과정에서 B의 각 염색체를 이루던 염색 분체가 분리되어 형성되었으므로 유전자 구성이 같다.

	채점 기준	배점(%)
(1)	㉠~㉣을 모두 옳게 쓴 경우	40
	㉠~㉣ 중 옳게 쓴 것 1개당	10
(2)	C와 D는 유전자 구성이 다르고, D와 E는 유전자 구성이 같다는 것을 근거를 들어 옳게 서술한 경우	60
	C와 D는 유전자 구성이 다르고, D와 E는 유전자 구성이 같다고만 쓴 경우	30

07 (1) 무성 생식은 암수 생식세포의 결합 없이 자손을 만드는 방법이고, 유성 생식은 암수 생식세포가 결합하여 자손을 만드는 방법이다.

(2) 개체군의 유전적 다양성이 높을수록 환경이 급격하게 변하더라도 멸종하지 않고 환경에 적응하여 살아남는 개체가 있을 가능성이 높다.

모범 답안 (1) 무성 생식으로 생긴 자손은 한 개체의 유전자만을 물려받으므로 모체와 유전적으로 동일하다. 그러나 유성 생식을 할 때에는 감수 분열을 통해 형성된 암수 생식세포가 무작위로 수정하여 자손이 만들어지므로 유전적으로 다양한 자손이 생긴다.
(2) 유성 생식을 하면 자손의 유전적 다양성이 높아져 급격한 환경 변화에 적응하여 생존하는 개체가 있을 가능성이 높아 종을 유지하기에 유리하다.

	채점 기준	배점(%)
(1)	무성 생식으로 생기는 자손과 유성 생식으로 생기는 자손의 차이점을 유전적인 관점에서 옳게 서술한 경우	50
	무성 생식으로 생기는 자손보다 유성 생식으로 생기는 자손의 유전적 다양성이 높다고만 서술한 경우	30
(2)	유성 생식을 하여 자손의 유전적 다양성이 높아지면 환경 변화에 적응하여 생존하는 개체가 있을 가능성이 높음을 들어 옳게 서술한 경우	50
	유성 생식을 하면 자손의 유전적 다양성이 높아진다고만 서술한 경우	30

08 (1) 상동 염색체가 3개씩 있는 3배체는 염색체 수가 반으로 줄어드는 감수 분열이 정상적으로 일어나지 않는다.

(2) 무성 생식으로 만들어진 개체들은 유전적으로 동일하므로 특정 질병에 똑같이 취약하다.

모범 답안 (1) 상동 염색체가 3개씩 있는 3배체는 염색체 수가 반으로 정확하게 줄어드는 감수 분열이 정상적으로 일어나지 않아 생식세포를 형성하지 못하므로 씨를 만들지 않는다.
(2) 무성 생식으로 만들어진 개체들은 유전적으로 동일하므로 형질이 비슷하다. 이처럼 유전적 다양성이 낮은 집단은 감염성 질병의 번성과 같은 급격한 환경 변화에 똑같이 취약하여 멸종될 위험이 높다.

	채점 기준	배점(%)
(1)	감수 분열이 제대로 일어나지 않아 생식세포를 형성하지 못하기 때문이라고 옳게 서술한 경우	50
	감수 분열이 일어나지 않기 때문이라고만 서술한 경우	20
(2)	무성 생식을 하여 유전적 다양성이 낮은 집단은 환경 변화에 적응하지 못해 멸종될 위험이 높다는 것을 옳게 서술한 경우	50
	무성 생식을 하는 집단은 유전적 다양성이 낮기 때문이라고만 서술한 경우	20

2. 사람의 유전

01 사람의 유전 현상

탐구 확인 문제 2권 63쪽

01 ④, ⑤ **02** (1) 2^5가지 (2) $\frac{3}{512}$

01 ④ 같은 색깔의 나무 막대 2개는 모양과 크기가 같은 상동 염색체를 나타낸다.

⑤ 부모가 나무 막대를 색깔별로 하나씩 뽑는 것은 감수 분열 과정에서 상동 염색체가 무작위로 배열되고 분리되어 유전자 조합이 다양한 생식세포가 형성되는 것을 의미한다.

바로 알기 ① X와 Y는 성염색체를 의미한다.
② 귓불 모양의 대립유전자는 상염색체에 있다.
③ A와 B는 서로 다른 염색체에 있으며, 서로 다른 형질을 결정하는 유전자이다.

02 (1) 모의 활동에서 부모 역할을 맡은 두 사람이 5가지 색깔의 나무 막대를 각각 2개씩 가졌으므로 5쌍의 염색체를 이용하여 모의 활동을 한 것이다. 따라서 부모에게서 각각 형성될 수 있는 생식세포의 염색체 조합은 2^5가지이다.

(2) 쌍꺼풀, 보조개 있음, 분리형 귓불, M자형 이마선이 각각 우성 형질이다. 따라서 눈꺼풀이 외까풀(aa)일 확률이 $\frac{1}{4}$, 보조개가 없을(bb) 확률이 $\frac{1}{4}$, 귓불이 분리형(EE 또는 Ee)일 확률이 $\frac{3}{4}$, 이마선이 일자형(mm)일 확률이 $\frac{1}{4}$, 남자(XY)일 확률이 $\frac{1}{2}$이므로 구하고자 하는 확률은 $\frac{1}{4}\times\frac{1}{4}\times\frac{3}{4}\times\frac{1}{4}\times\frac{1}{2}=\frac{3}{512}$이다.

집중 분석 2권 64쪽

유제 ③, ⑤

유제 유전병 유전자는 성염색체에 있는데, 유전병이 남녀 모두에게 나타나므로 유전병 유전자는 X 염색체에 있다. 또, 유전병인 아버지에게서 정상인 딸이 태어났으므로 유전병 대립유전자(X^r)는 정상 대립유전자(X^R)에 대해 열성이다.

③ 2는 유전병인 어머니 1에게서 유전병 대립유전자를 물려받아 보인자(X^RX^r)이다.

⑤ 3의 혈액형이 O형이므로 3의 부모는 모두 열성 대립유전자 i를 가진다. 3의 아버지의 열성 대립유전자는 1에게서 물려받은 것이므로, 1과 2의 ABO식 혈액형 유전자형은 이형 접합성(I^Ai)이다. 따라서 4가 AB형일 확률은 $I^Ai \times I^AI^B$ → I^AI^A, $\underline{I^AI^B}$, I^Ai, I^Bi로 $\frac{1}{4}$이다. 또, 유전병 유전자형이 2는 X^RX^r이고 2의 남편은 X^rY이므로, 4가 유전병이 아닌 정상 여자일 확률은 $X^RX^r \times X^rY$ → $\underline{X^RX^r}$, X^rX^r, X^RY, X^rY로 $\frac{1}{4}$이다. 따라서 4가 AB형이고 유전병이 아닌 여자일 확률은 $\frac{1}{4} \times \frac{1}{4} = \frac{1}{16}$이다.

바로 알기 ① 유전병은 정상에 대해 열성 형질이다.
② 1의 ABO식 혈액형의 유전자형은 I^Ai로 이형 접합성이다.
④ ABO식 혈액형의 유전자는 상염색체에 있다.

개념 모아 정리하기 2권 67쪽

❶세대 ❷가계도 ❸우성 ❹열성
❺상 ❻복대립 유전 ❼X 염색체 ❽딸
❾아들 ❿여러

개념 기본 문제 2권 68쪽~69쪽

01 ㄴ **02** (1) 가계도 조사 (2) 핵형 분석 (3) 쌍둥이 연구 **03** (1) 열성 (2) 상염색체 (3) ㄱ, ㄴ **04** ㄱ **05** (1) 유전자형: 6가지, 표현형: 4가지 (2) ㄱ, ㄹ **06** Ⅰ-(가), Ⅱ-(나), Ⅲ-(다) **07** 정자 ㉠: 22+Y, 정자 ㉡: 22+X, 난자: 22+X **08** (1) 2 (2) 적록 색맹 대립유전자는 X 염색체에 있으며, 아들은 X 염색체를 어머니에게서 물려받기 때문이다. (3) 2, 3 (4) $\frac{1}{2}$(=50 %) **09** ㄴ, ㄷ **10** (1) 반성유전 (2) 다인자 유전 **11** ㄱ, ㄴ

01 사람은 한 세대가 길고, 자손의 수가 적으며, 자유로운 교배 실험이 불가능하여 유전 연구가 어렵다.

02 가계도 조사를 통해 특정 형질의 유전 방식을 알아볼 수 있고, 핵형 분석을 통해 염색체의 수와 구조 이상을 알아볼 수 있다. 또, 쌍둥이 연구를 통해 특정 형질의 발현에 유전자와 환경이 미치는 영향을 알아볼 수 있다.

03 (1), (2) 정상인 부모 사이에서 유전병인 딸이 태어났으므로 이 유전병은 열성 형질이며, 유전자가 상염색체에 있다.
(3) ㄱ, ㄴ. 1과 2는 정상이지만 딸인 3이 유전병을 나타내므로 둘 다 유전병 대립유전자를 가지고 있다. 즉, 1과 2의 유전병 유전자형은 이형 접합성으로 같다.

바로 알기 ㄷ. 3은 열성 형질인 유전병을 나타내므로 유전병 유전자형이 열성 동형 접합성이다.

04 ㄱ. 자녀는 A를 나타내지만 부모는 모두 A를 나타내지 않을 수 있으므로 A는 열성 형질이다.

바로 알기 ㄴ. A는 남녀에서 비슷한 비율로 나타나므로 유전자가 상염색체에 있다.
ㄷ. 부모가 모두 열성 형질인 A를 나타내면 자녀는 모두 A를 나타낸다.

05 (1) ABO식 혈액형의 유전자형은 I^AI^A, I^Ai, I^BI^B, I^Bi, I^AI^B, ii의 6가지이고, 표현형은 A형, B형, AB형, O형의 4가지이다.
(2) ㄱ. ABO식 혈액형은 대립유전자의 종류가 세 가지이므로 복대립 유전 형질이다.
ㄹ. AB형인 남자와 O형인 여자 사이에서 A형인 자녀가 태어날 확률은 $I^AI^B \times ii$ → $\underline{I^Ai}$, I^Bi로 $\frac{1}{2}$이고, 아들이 태어날 확률도 $\frac{1}{2}$이다. 따라서 A형인 아들이 태어날 확률은 $\frac{1}{2} \times \frac{1}{2} = \frac{1}{4}$이다.

바로 알기 ㄴ. ABO식 혈액형의 유전자는 9번 상염색체에 있다.
ㄷ. O형인 사람의 ABO식 혈액형 유전자형(ii)은 동형 접합성이다.

06 부모 중 한 명이라도 AB형이면 O형인 자녀가 태어날 수 없으므로 Ⅰ의 부모는 (가)이다. 부모 중 한 명이라도 O형이면 AB형인 자녀가 태어날 수 없으므로 Ⅲ의 부모는 (다)이다. 따라서 Ⅱ의 부모는 (나)이다.

07 정자 ㉠과 난자가 수정하여 아들(44+XY)이 태어났으므로 정자 ㉠은 22개의 상염색체와 Y 염색체를 가진다. 정자 ㉡과 난자가 수정하여 딸(44+XX)이 태어났으므로 정자 ㉡은 22개의 상염색체와 X 염색체를 가진다. 정상 난자의 염색체 구성은 모두 22+X이다.

08 (1), (2) 적록 색맹 대립유전자는 성염색체인 X 염색체에 있다. 아들의 X 염색체는 어머니에게서 물려받은 것이므로 3의 적록 색맹 대립유전자는 어머니인 2에게서 물려받은 것이다.
(3) 2와 3은 적록 색맹 대립유전자가 있는 것이 확실하고, 1과 5는 적록 색맹 대립유전자가 없는 것이 확실하다. 4는 적록 색맹 대립유전자가 있는지의 여부가 확실하지 않다.
(4) 어머니가 적록 색맹이면 아들은 모두 적록 색맹이다. 따라

서 5와 적록 색맹인 여자 사이에서 적록 색맹인 아들이 태어날 확률은 $\frac{1}{2}$($=50\ \%$)이다.

09 ㄴ. A는 여자보다 남자에서 많이 나타나므로, 유전자가 X 염색체에 있어 반성유전을 하며, 열성 형질이다.

ㄷ. A를 나타내는 여자는 유전자형이 열성 동형 접합성이며, A를 나타내는 대립유전자를 어머니와 아버지에게서 1개씩 물려받은 것이다. 남자는 A를 나타내는 대립유전자가 1개만 있어도 A를 나타낸다.

바로 알기 ㄱ. A는 열성 형질이다.

10 (1) 유전자가 성염색체에 있어 성에 따라 형질 발현 빈도가 다른 유전 현상을 반성유전이라고 한다.

(2) 여러 쌍의 대립유전자에 의해 형질이 결정되는 것은 다인자 유전이다.

11 ㄱ. 귓불 모양은 부착형과 분리형으로 표현형이 뚜렷하게 구분되는데, 이것은 우성과 열성이 뚜렷하게 구분되는 단일 인자 유전 형질이기 때문이다.

ㄴ. 키는 다인자 유전 형질이고, 귓불 모양은 단일 인자 유전 형질이다. 따라서 키는 귓불 모양보다 형질을 결정하는 데 관여하는 대립유전자의 수가 많다.

바로 알기 ㄷ. 키와 같은 다인자 유전 형질은 형질의 발현에 환경의 영향을 받기도 한다.

개념 적용 문제

2권 70쪽~73쪽

01 ② 02 ⑤ 03 ① 04 ③ 05 ① 06 ⑤ 07 ④ 08 ⑤

01 ㄴ. A와 B는 하나의 수정란이 발생 초기에 나뉜 후 각각 발생하여 태어난 1란성 쌍둥이이다. 1란성 쌍둥이는 유전자가 같으므로 ABO식 혈액형과 같이 유전자에 의해서만 결정되는 형질은 항상 같다.

바로 알기 ㄱ. A와 B는 유전자가 같으므로 성별이 같다.

ㄷ. A와 B의 형질 차이는 환경의 영향으로 나타난다.

02 ㄱ. 정상인 부모 사이에서 유전병 A인 딸이 태어났으므로 유전병 A는 정상에 대해 열성 형질이고, 유전자가 상염색체에 있다.

ㄴ. 영희는 어머니와 아버지에게서 유전병 A 대립유전자를 하나씩 물려받았다.

ㄷ. 정상 대립유전자를 T, 유전병 A 대립유전자를 t라고 할 때, 유전병 A 유전자형이 영희 어머니는 Tt, 아버지는 tt이다. Tt×tt → Tt, tt이므로 영희 부모 사이에서 유전병 A를 나타내는 자녀가 태어날 확률은 $\frac{1}{2}$이고, 아들이 태어날 확률도 $\frac{1}{2}$이다. 따라서 유전병 A를 나타내는 아들이 태어날 확률은 $\frac{1}{2}\times\frac{1}{2}=\frac{1}{4}$이다.

03 ㄴ. 어머니가 B를 나타내면 아들은 모두 B를 나타내므로 유전병 B는 유전자가 X 염색체에 있으며, 열성 형질이다.

바로 알기 ㄱ. 부모가 모두 A를 나타내더라도 자녀는 정상일 수 있으므로 유전병 A는 우성 형질이며, 단일 인자 유전 형질이다.

ㄷ. 정상인 부모에게서 C를 나타내는 딸이 태어날 수 있으므로 유전병 C는 열성 형질이며, 유전자가 상염색체에 있다.

04 4의 혈액은 항 A 혈청과 항 B 혈청에 모두 응집하지 않으므로 4는 O형이다. 5의 혈액은 항 A 혈청에만 응집하고, 항 B 혈청에는 응집하지 않으므로 5는 A형이다. 1과 2 사이에서 AB형과 O형인 자녀가 태어났고, 1은 5와 ABO식 혈액형 유전자형이 같으므로 1과 5는 유전자형이 I^Ai인 A형이다. 따라서 2는 B형이고, 유전자형이 I^Bi이다.

ㄱ. 1의 ABO식 혈액형은 A형이다.

ㄴ. 2의 ABO식 혈액형 유전자형은 I^Bi로 이형 접합성이다.

바로 알기 ㄷ. 4는 O형(유전자형 ii)이고, 5는 A형(유전자형 I^Ai)이다. $ii\times I^Ai \rightarrow I^Ai, ii$이므로 4와 5 사이에서 아이가 태어날 때, 이 아이의 ABO식 혈액형이 4와 같은 O형일 확률은 $\frac{1}{2}$이다.

05 2, 7, 11은 정상 남자이므로 적록 색맹 유전자형이 X^RY이고, 4, 6, 10은 적록 색맹 남자이므로 유전자형이 X^rY이다. 1과 5는 아들이 적록 색맹이므로 유전자형이 X^RX^r이고, 8과 9는 아버지가 적록 색맹이므로 유전자형이 X^RX^r이다.

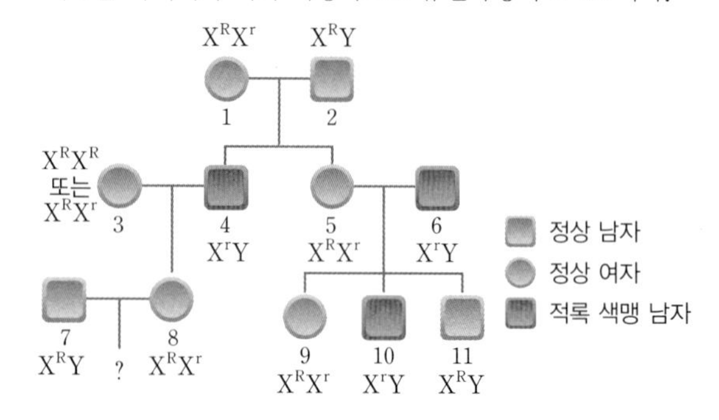

ㄱ. 5와 9의 적록 색맹 유전자형은 X^RX^r로 같다.

바로 알기 ㄴ. 10의 적록 색맹 대립유전자는 어머니인 5에게서 물려받은 것이다.

ㄷ. 7과 8 사이에서 적록 색맹인 아들(X^rY)이 태어날 확률은 $X^RY \times X^RX^r \rightarrow X^RX^R$, X^RX^r, X^RY, X^rY로 $\frac{1}{4}$이다.

06 ㄱ. 유전병 A의 유전자는 X 염색체에 있는데, 정상인 아버지에게서 유전병 A인 딸이 태어났으므로 유전병 A는 우성 형질이다.

ㄴ. 유전병 A인 1의 아들이 정상이므로, 1은 정상 대립유전자를 가지고 있다. 따라서 1의 유전병 A 유전자형은 이형 접합성이다.

ㄷ. 2와 3 사이에서 태어나는 딸은 아버지인 3에게서 유전병 A 대립유전자를 물려받으므로 유전병 A를 나타낼 확률이 1이다.

07 ㄱ. 6과 7이 각각 O형과 A형이므로 4는 ABO식 혈액형 유전자형이 I^Ai인 A형이고, 5의 유전자형은 I^Bi이다. 7은 5에게서 열성 대립유전자 i를 물려받았으므로 4와 7은 ABO식 혈액형 유전자형이 I^Ai로 같다.

ㄷ. 정상인 4와 5 사이에서 유전병 ㉠인 6이 태어났으므로 유전병 ㉠은 열성 형질이다. 정상 대립유전자를 X^R, 유전병 ㉠ 대립유전자를 X^r라고 하면, 4와 5의 유전병 유전자형은 각각 X^RX^r와 X^RY이다. 7의 동생이 태어날 때, 이 아이가 B형일 확률은 $I^Ai \times I^Bi \rightarrow I^AI^B$, I^Ai, I^Bi, ii로 $\frac{1}{4}$이다. 또, 이 아이가 유전병 ㉠을 나타낼 확률은 $X^RX^r \times X^RY \rightarrow X^RX^R$, X^RY, X^RX^r, X^rY로 $\frac{1}{4}$이다. 따라서 B형이고 유전병 ㉠을 나타낼 확률은 $\frac{1}{4} \times \frac{1}{4} = \frac{1}{16}$이다.

바로 알기 ㄴ. 6의 유전병 ㉠ 대립유전자는 어머니인 4에게서 물려받은 것이고, 4의 유전병 ㉠ 대립유전자는 1에게서 물려받은 것이다.

08 ① ㉠은 3쌍의 대립유전자에 의해 결정되므로 다인자 유전 형질이다.

② ㉠은 상염색체에 존재하는 유전자에 의해 결정되는 형질이므로 성에 따른 발현 빈도의 차이는 없다.

③ (가)의 ㉠에 대한 유전자형은 AaBbCc이고, ㉠의 표현형은 A, B, C 개수의 합에 의해서만 결정되므로 (가)는 A, B, C 개수의 합이 3개인 사람(AABbcc 등)과 표현형이 같다.

④ (가)에서 형성될 수 있는 생식세포의 유전자형은 ABC, ABc, AbC, Abc, aBC, aBc, abC, abc의 8가지이다.

바로 알기 ⑤ (가)가 ㉠에 대한 유전자형이 자신과 같은 사람과 결혼하여 아이를 낳을 때, 이 아이의 A, B, C 개수의 합은 0, 1, 2, 3, 4, 5, 6으로 최대 7가지가 가능하다. 따라서 이 아이에게서 나타날 수 있는 표현형은 최대 7가지이다.

02 사람의 유전병

탐구 확인 문제 2권 81쪽

01 ④　　02 해설 참조

01 ① 낱개로 된 비즈는 정상 헤모글로빈을 나타내며, 서로 달라붙지 않는다.

② 비즈를 실에 꿰는 것은 비정상 헤모글로빈이 길쭉하게 결합하는 것을 나타낸다.

③, ⑤ 물 풍선은 적혈구를 나타내며, 물 풍선 B는 산소 농도가 낮을 때 적혈구가 낫 모양으로 찌그러진 것을 나타낸다.

바로 알기 ④ 물 풍선 A가 아니라 B가 갈라진 구간에 걸려 잘 이동하지 못하는데, 이것은 낫 모양 적혈구가 모세 혈관을 잘 통과하지 못하는 것을 나타낸다.

02 DNA의 염기 서열이 바뀌면 지정하는 아미노산이 달라질 수 있다.

모범 답안 헤모글로빈 유전자의 염기 서열 변화로 아미노산 서열이 달라지고, 그에 따라 비정상 헤모글로빈이 만들어져 산소 농도가 낮을 때 헤모글로빈이 서로 달라붙어 적혈구가 낫 모양으로 변한다.

채점 기준	배점(%)
5가지 용어를 모두 사용하여 옳게 서술한 경우	100
4가지 용어를 사용하여 옳게 서술한 경우	60
3가지 용어만 사용하여 서술한 경우	30

집중 분석 2권 83쪽

유제 ②

유제 ㄴ. 영희는 X 염색체가 1개뿐이므로 터너 증후군을 나타낸다. 아버지가 정상인데 영희는 적록 색맹이므로 영희는 어머니에게서 적록 색맹 대립유전자가 있는 X 염색체를 물려받고, 아버지에게서는 X 염색체를 물려받지 않았다.

바로 알기 ㄱ, ㄷ. 영희 아버지의 정자 형성 시 성염색체의 비분리가 일어나 영희는 아버지에게서 22개의 상염색체만 물려받았다.

개념 모아 정리하기 2권 85쪽

❶ DNA　❷ 염색체 비분리　❸ 다운 증후군
❹ 44+X　❺ 클라인펠터 증후군　❻ 중복
❼ 전좌　❽ 헤모글로빈

개념 기본 문제 2권 86쪽~87쪽

01 ㄱ, ㄴ **02** ㄱ **03** (1) (가) 감수 1분열, (나) 감수 2분열 (2) A: 24개, B: 22개, C: 23개, D: 24개 (3) 터너 증후군 **04** (1) 남자 (2) 다운 증후군 (3) 부모의 생식세포 형성 과정에서의 염색체 비분리 현상 **05** (1) (가) 결실, (나) 전좌 (2) ㄷ, ㄹ (3) ㄴ **06** (1) (가) (2) ㉠ 45, ㉡ 44, ㉢ 44, ㉣ 2, ㉤ 1, ㉥ 3, ㉦ 47, ㉧ 45, ㉨ 47 **07** ㄴ, ㄷ **08** ㄱ, ㄴ, ㄷ **09** (1) ○ (2) ○ (3) × (4) × **10** ㄱ **11** ㄴ

01 ㄱ. 돌연변이에 의해 생명 활동에 필수적인 유전자에 이상이 생기면 유전병이 나타날 수 있다.
ㄴ. 돌연변이는 DNA의 유전 정보가 원래와 달라지는 것이다.
바로 알기 ㄷ. 체세포에 생긴 돌연변이는 자손에게 유전되지 않는다.

02 ㄱ. 염색체 돌연변이는 염색체의 수나 구조에 이상이 생긴 경우이다.
바로 알기 ㄴ. 염색체의 수나 구조 이상은 핵형 분석으로 알아낼 수 있다.
ㄷ. 염색체 비분리는 감수 1분열 또는 감수 2분열 과정에서 일어나며, 염색체 수 이상에 의한 유전병을 일으킬 수 있다.

03 (1) (가)에서는 X 염색체와 Y 염색체가 하나의 생식세포로 들어갔으므로 상동 염색체가 분리되는 감수 1분열 과정에서 성염색체의 비분리가 일어났다. (나)에서는 감수 2분열 과정에서 Y 염색체의 염색 분체가 비분리되었다.
(2) A와 D는 염색체 수가 정상 정자보다 1개 많아 24개이고, B는 염색체 수가 정상 정자보다 1개 적어 22개이며, C는 염색체 수가 정상으로 23개이다.
(3) B는 성염색체가 없어 염색체 구성이 22이다. 따라서 B와 정상 난자(22+X)가 수정되면 염색체 구성이 44+X가 되어 터너 증후군을 나타내는 아이가 태어날 수 있다.

04 (1) A는 성염색체 구성이 XY이므로 남자이다.
(2) A는 21번 염색체가 3개이므로 다운 증후군을 나타낸다.
(3) 부모의 생식세포가 형성되는 과정에서 염색체 비분리가 일어나 염색체 수가 비정상인 생식세포가 만들어진 후 다른 생식세포와 수정되어 아이가 태어날 경우, 이 아이에게는 염색체 수 이상에 의한 유전병이 나타날 수 있다.

05 (1) (가)는 염색체의 일부가 끊어져 없어진 결실이고, (나)는 상동 염색체가 아닌 다른 염색체와 염색체의 일부가 바뀌어 연결된 전좌이다.
(2) 윌리엄스 증후군은 7번 염색체의 결실, 고양이 울음 증후군은 5번 염색체의 결실에 의한 유전병이다.
(3) 만성 골수성 백혈병은 9번 염색체와 22번 염색체 사이의 전좌에 의해 나타난다.

06 (1) 21번 염색체가 3개인 다운 증후군(가)과 같은 상염색체 수 이상은 남녀 모두에게 나타날 수 있다. 그러나 X 염색체가 1개뿐인 터너 증후군(나)은 여자에게만, 성염색체가 XXY인 클라인펠터 증후군(다)은 남자에게만 나타난다.
(2) (가) 다운 증후군인 사람은 상염색체 45개, 성염색체 2개를 가져 총 염색체 수는 47개이다. (나) 터너 증후군인 사람은 상염색체 44개, 성염색체 1개를 가져 총 염색체 수는 45개이다. (다) 클라인펠터 증후군인 사람은 상염색체 44개, 성염색체 3개를 가져 총 염색체 수는 47개이다.

07 ㄴ. 유전자 돌연변이는 유전자를 구성하는 DNA의 염기 서열에 이상이 생겨 발생한다.
ㄷ. 유전자 돌연변이는 방사선, 자외선, 화학 물질 등과 같은 돌연변이원(돌연변이 유발원)에 의해 발생할 수 있다.
바로 알기 ㄱ. 유전자 돌연변이가 일어난 사람의 핵형은 정상인과 같기 때문에 유전자 돌연변이는 핵형 분석을 통해 알아낼 수 없다.

08 알비노증, 페닐케톤뇨증, 헌팅턴 무도병은 유전자 이상에 의해 나타나는 유전병이다. 만성 골수성 백혈병은 9번 염색체와 22번 염색체 사이의 전좌에 의해 나타난다.

09 (1) 낫 모양 적혈구는 헤모글로빈 유전자의 염기 서열 이상이 원인이 되어 형성된다.
(2) DNA의 염기 서열에 이상이 생기면 아미노산 서열에 변화가 생겨 비정상 단백질이 합성된다.
(3) 비정상 헤모글로빈은 아미노산 1개가 글루탐산에서 발린으로 바뀌었을 뿐 정상 헤모글로빈과 아미노산 개수는 같다.
(4) 낫 모양 적혈구 빈혈증은 유전자 이상에 의해 나타나므로 자손에게 유전될 수 있다.

10 ㄱ. 낭성 섬유증은 유전자 이상에 의한 유전병이다.
바로 알기 ㄴ. 고양이 울음 증후군은 5번 염색체의 결실에 의해 나타나는데, 고양이 울음 증후군인 사람의 염색체 수는 정상인과 같다.
ㄷ. 염색체의 일부가 떨어져 거꾸로 붙는 구조 이상은 역위이다.

11 알비노증인 사람과 고양이 울음 증후군인 사람의 염색체 수는 정상인과 같은 46개이다. 터너 증후군인 사람은 성염색체가 1개뿐이므로 염색체 수가 정상인보다 1개 적은 45개이다. 다운 증후군인 사람은 21번 염색체가 3개이므로 염색체 수가 정상인보다 1개 많은 47개이다.

개념 적용 문제

2권 88쪽~90쪽

01 ① 02 ⑤ 03 ④ 04 ③ 05 ② 06 ②

01 ㄱ. 감수 2분열(Ⅱ)에서 성염색체 비분리가 1회 일어났는데, ㉡에는 X 염색체가 1개 있으므로 ㉢이 형성되는 과정에서 염색체 비분리가 일어났다. 즉, ㉠은 정상적으로 분열하여 ㉡을 형성하였다. 따라서 ㉠과 ㉡은 핵상이 n으로 같다.

바로 알기 ㄴ. ㉡의 핵상은 n이지만, ㉢은 감수 2분열에서 성염색체가 비분리되어 형성되었으므로 핵상이 $n-1$ 또는 $n+1$이다.
ㄷ. ㉡의 염색체 구성은 22+X이고, 정상 난자의 염색체 구성도 22+X이다. 따라서 ㉡이 정상 난자와 수정되면 염색체 구성이 44+XX인 정상 딸이 태어난다.

02 ㄱ. 철수는 성염색체 구성이 XXY이므로 클라인펠터 증후군을 나타낸다.
ㄴ. 철수의 어머니는 적록 색맹이므로 철수는 어머니에게서 적록 색맹 대립유전자가 있는 X 염색체를 물려받았다.
ㄷ. 철수는 어머니에게서 적록 색맹 대립유전자를 물려받았지만 표현형이 정상이다. 이것은 아버지에게서 정상 대립유전자를 물려받았기 때문이다. 즉, 아버지에게서 정자가 형성될 때 감수 1분열 과정에서 성염색체 비분리가 일어나 X 염색체와 Y 염색체를 모두 가진 정자 ㉠이 만들어진 후 정상 난자와 수정되어 철수가 태어난 것이다.

03 ㄱ. (가)에서는 감수 1분열에서 21번 상동 염색체가 비분리되어 한쪽으로 이동하고 있다. 따라서 (가)가 감수 분열을 완료하면 21번 염색체가 없거나 21번 염색체가 1개 더 많아 핵상이 $n-1$과 $n+1$인 정자가 각각 형성된다.
ㄷ. 에드워드 증후군은 18번 염색체가 3개인 경우에 나타나는 유전병이다. (나)에서는 감수 2분열에서 18번 염색체의 염색 분체가 비분리되어 한쪽으로 이동하고 있다. (나)가 분열되었을 때 18번 염색체가 2개인 정자가 형성될 확률은 $\frac{1}{2}$이다. 따라서 (나)가 분열되어 형성된 정자가 정상 난자와 수정되어 태어난 아이가 에드워드 증후군을 나타낼 확률은 $\frac{1}{2}$이다.

바로 알기 ㄴ. 상동 염색체는 유전자 구성이 다르다. (가)에서 21번 상동 염색체가 비분리되었으므로 유전자 구성이 다른 21번 염색체 2개가 들어 있는 정자가 형성될 수 있다.

04 ㄱ. ㉠에서는 결실, ㉡에서는 역위가 일어났지만, ㉠과 ㉡의 염색체 수는 정상 정자와 같다.
ㄴ. ㉠과 ㉡에서 염색체 구조 이상이 일어날 때에는 공통적으로 염색체 일부가 절단된 후 결합하는 과정이 일어났다.

바로 알기 ㄷ. 고양이 울음 증후군은 5번 염색체의 결실에 의해 나타난다. 따라서 ㉠이 형성되는 과정에서 일어난 것과 같은 돌연변이가 고양이 울음 증후군의 원인이 된다.

05 수컷인 (가)와 암컷인 (나)의 염색체 구성으로 보아 A는 성염색체인 X 염색체에 있다.
ㄴ. (나)에서 대립유전자 a가 있던 X 염색체의 일부가 상염색체로 전좌되었다.

바로 알기 ㄱ. ㉠은 상염색체이고, ㉡은 X 염색체이다.
ㄷ. (다)에는 Y 염색체가 있으므로 (다)에서 A가 있는 X 염색체와 전좌가 일어나 a가 있는 상염색체는 모두 (나)에게서 물려받은 것이다.

06 ㄷ. (마) 에드워드 증후군은 18번 염색체가 3개일 때 나타나므로 에드워드 증후군인 사람의 체세포 염색체 수는 47개이다. (가) 터너 증후군은 성염색체가 X 1개일 때 나타나므로 터너 증후군인 사람의 체세포 염색체 수는 45개이다.

바로 알기 ㄱ. (나) 알비노증과 (라) 낫 모양 적혈구 빈혈증은 유전자 이상에 의해 나타나는 유전병이다.
ㄴ. (다) 윌리엄스 증후군은 7번 염색체의 결실에 의해 나타나므로 윌리엄스 증후군인 사람은 7번 염색체의 길이가 정상인에 비해 짧다.

통합 실전 문제

2권 92쪽~97쪽

01 ④ 02 ⑤ 03 ④ 04 ⑤ 05 ⑤ 06 ②
07 ⑤ 08 ⑤ 09 ② 10 ② 11 ④ 12 ①

01 ㄱ. 정상인 부모 1과 2 사이에서 유전병인 딸 4가 태어났으므로 정상이 우성, 유전병이 열성이며, 유전병 유전자는 상염색체에 있다. 따라서 1과 2의 유전병 유전자형은 Aa이다.
ㄷ. 3와 4 사이에서 유전병인 아들이 태어났으므로 3의 유전병 유전자형은 Aa이다. Aa×aa → Aa, aa이므로 3과 4 사이에서 정상인 아이가 태어날 확률은 $\frac{1}{2}$이다.

바로 알기 ㄴ. 1과 2는 유전병 유전자형이 Aa로, 유전병을 결정하는 대립유전자의 수가 1개로 같다.

02 ㄱ, ㄴ. A*가 1개 이상 있으면 남녀 모두 유전병 ㉠을 나타낸다. 따라서 유전병 ㉠ 대립유전자 A*는 정상 대립유전자 A에 대해 우성이며, A와 A*는 상염색체에 있다. 아버지의 유전병 ㉠ 유전자형은 A*A인데 철수가 A*A*, 형이 AA이므로 어머니의 유전자형은 A*A이다. A*가 우성이므로 어머니는 유전병 ㉠을 나타낸다.

ㄷ. 철수는 유전병 ㉠의 유전자형이 A^*A^*이므로 철수의 아이는 철수에게서 A^*를 물려받아 유전병 ㉠을 나타낸다.

03 3의 혈액에는 응집원 A만 있으므로 3은 A형이고, 4의 혈액에는 응집원 A와 B가 모두 있으므로 4는 AB형이다.

① 1과 O형인 부인 사이에서 A형인 딸이 태어났으므로 1은 A형 또는 AB형이다. A형과 AB형인 사람의 적혈구 표면에는 응집원 A가 있다.

② 2의 딸 중 하나는 A형인데, 이 딸과 O형인 남편 사이에서 O형인 자녀가 태어났으므로 A형인 2의 딸은 열성 대립유전자 i를 가지고 있다. 2의 남편은 AB형이므로 딸의 열성 대립유전자는 2에게서 물려받은 것이다. 4가 AB형이므로 2의 혈액형은 A형이나 B형이며, 유전자형은 이형 접합성이다.

③ 3은 A형인데, 어머니가 O형이므로 열성 대립유전자 i를 물려받아 유전자형이 이형 접합성(I^Ai)이다.

⑤ 3과 4 사이에서 B형인 자녀가 태어날 확률은 $I^Ai \times I^AI^B \rightarrow I^AI^A, I^Ai, I^AI^B, \underline{I^Bi}$로 $\frac{1}{4}$이고, 딸이 태어날 확률은 $\frac{1}{2}$이므로 B형인 딸이 태어날 확률은 $\frac{1}{4} \times \frac{1}{2} = \frac{1}{8}$이다.

바로 알기 ④ 4의 적혈구에는 응집원 A와 B가 있고, 2는 A형이나 B형이므로 혈장에 응집소가 있다. 따라서 4의 적혈구와 2의 혈장을 섞으면 응집 반응이 일어난다.

04 1과 4에서 A^*가 있으면 유전병 ㉠을 나타내므로 A^*는 유전병 ㉠ 대립유전자이고, 2는 A만 있어 5와 6은 A^*를 1개 가지는데 ㉠을 나타내므로 A^*는 정상 대립유전자 A에 대해 우성이다. 4가 우성인 ㉠을 나타내는데 딸인 8은 열성인 정상이므로 A와 A^*는 상염색체에 있다. 또, B^*가 1개 있을 때 여자 1은 유전병 ㉡을 나타내지 않지만, 남자 2는 ㉡을 나타내므로 B^*는 유전병 ㉡ 대립유전자이고, 정상 대립유전자 B에 대해 열성이며, B와 B^*는 X 염색체에 있다.

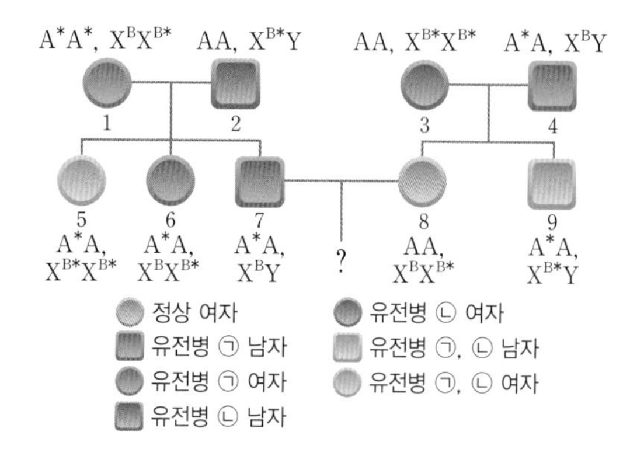

ㄱ. A^*가 1개만 있어도 ㉠을 나타내므로 ㉠은 우성 형질이다.

ㄴ. B^*는 성염색체인 X 염색체에 있다.

ㄷ. 7과 8의 유전병 ㉠의 유전자형은 각각 A^*A, AA이다. 이들 사이에서 ㉠을 나타내는 아이가 태어날 확률은 $A^*A \times AA \rightarrow \underline{A^*A}, AA$로 $\frac{1}{2}$이다. ㉡의 경우 8은 어머니인 3에게서 B^*를 물려받아 보인자이므로 7과 8의 ㉡의 유전자형은 각각 X^BY, $X^BX^{B^*}$이다. $X^BY \times X^BX^{B^*} \rightarrow X^BX^B, X^BX^{B^*}, X^BY, X^{B^*}Y$이므로 7과 8 사이에서 아들이 태어날 경우 ㉡을 나타낼($X^{B^*}Y$) 확률은 $\frac{1}{2}$이다. 따라서 7과 8 사이에서 태어난 아들이 ㉠과 ㉡을 모두 나타낼 확률은 $\frac{1}{2} \times \frac{1}{2} = \frac{1}{4}$이다.

05 ABO식 혈액형의 유전을 살펴보면, 1~4의 ABO식 혈액형이 모두 다르므로 2는 B형이고, 유전자형은 이형 접합성(I^Bi)이다. 4의 적혈구를 1, 3의 혈장과 각각 섞으면 모두 응집 반응이 일어나므로 4는 AB형이고, 3은 O형이다. 5의 ABO식 혈액형 유전자형은 2와 같으므로 I^Bi이다. 유전병 ㉠의 유전을 살펴보면, 1과 2는 각각 대립유전자 T와 T^* 중 한 가지만 가지는데, 딸인 3은 정상이고 아들인 4는 유전병 ㉠을 나타낸다. 따라서 유전병 ㉠ 대립유전자 T^*는 정상 대립유전자 T에 대해 열성이며, T와 T^*는 X 염색체에 있다.

ㄱ. 2의 ABO식 혈액형은 B형이므로 혈장에 응집소 α를 가진다.

ㄴ. 3은 1에게서 T^*를 물려받고, 5는 아버지에게서 T^*를 물려받아 유전병 ㉠의 유전자형이 $X^TX^{T^*}$이다.

ㄷ. 4와 5 사이에서 태어난 아이가 B형일 확률은 $I^AI^B \times I^Bi \rightarrow I^AI^B, \underline{I^BI^B}, I^Ai, \underline{I^Bi}$로 $\frac{1}{2}$이고, 유전병 ㉠을 나타낼 확률은 $X^{T^*}Y \times X^TX^{T^*} \rightarrow X^TX^{T^*}, \underline{X^{T^*}X^{T^*}}, X^TY, \underline{X^{T^*}Y}$로 $\frac{1}{2}$이므로, B형이고 유전병 ㉠을 나타낼 확률은 $\frac{1}{2} \times \frac{1}{2} = \frac{1}{4}$이다.

06 ㄱ. A는 터너 증후군을 나타내므로 A의 염색체 구성은 44+X이다. 부모는 모두 정상이지만 A는 적록 색맹이므로 어머니는 적록 색맹 보인자이며, A는 어머니에게서 적록 색맹 대립유전자가 있는 X 염색체를 물려받았고, 아버지에게서는 성염색체를 물려받지 않았다.

ㄴ. A 아버지의 정자 형성 과정에서 성염색체 비분리 현상이 일어나 성염색체가 없는 정자가 형성된 후 어머니의 정상 난자와 수정되어 A가 태어났다.

바로 알기 ㄷ. A의 체세포의 상염색체 수는 44개로, 정상 여자와 같다.

07 AaBbCc×AaBbCc에서 A, B, C 개수의 합이 3개인 유전자형이 나올 확률을 각각 구하고, 각 값을 더한다. Aa×Aa → AA, Aa, Aa, aa이므로 A가 0개일 확률과 2개일 확률이 각각 $\frac{1}{4}$이고, A가 1개일 확률이 $\frac{2}{4}=\frac{1}{2}$이다. Bb×Bb, Cc×Cc에서도 확률은 같다. 따라서 A, B, C 개수의 합이 3개인 경우를 모두 구해 보면 다음과 같다.

A	B	C	확률
2	1	0	$\frac{1}{4}\times\frac{1}{2}\times\frac{1}{4}=\frac{1}{32}$
2	0	1	$\frac{1}{4}\times\frac{1}{4}\times\frac{1}{2}=\frac{1}{32}$
1	1	1	$\frac{1}{2}\times\frac{1}{2}\times\frac{1}{2}=\frac{1}{8}$
1	2	0	$\frac{1}{2}\times\frac{1}{4}\times\frac{1}{4}=\frac{1}{32}$
1	0	2	$\frac{1}{2}\times\frac{1}{4}\times\frac{1}{4}=\frac{1}{32}$
0	2	1	$\frac{1}{4}\times\frac{1}{4}\times\frac{1}{2}=\frac{1}{32}$
0	1	2	$\frac{1}{4}\times\frac{1}{2}\times\frac{1}{4}=\frac{1}{32}$

따라서 $\frac{6}{32}+\frac{1}{8}=\frac{10}{32}=\frac{5}{16}$이다.

08 1, 3, 4에서 A*가 하나만 있어도 ㉠을 나타내므로 A*는 유전병 ㉠ 대립유전자이고, 정상 대립유전자 A에 대해 우성이다. 또, B*가 2개인 여자 2는 ㉡을 나타내지만 B*가 1개인 여자 4는 ㉡을 나타내지 않으므로 B*는 유전병 ㉡ 대립유전자이고, 정상 대립유전자 B에 대해 열성이다. 그런데 남자 3은 B*가 1개이지만 ㉡을 나타내므로 B*는 X 염색체에 있다. A*와 B*는 서로 다른 염색체에 존재하므로 A*는 상염색체에 있다. 유전병 ㉠의 유전자형을 가계도에 표시해 보면 다음과 같다.

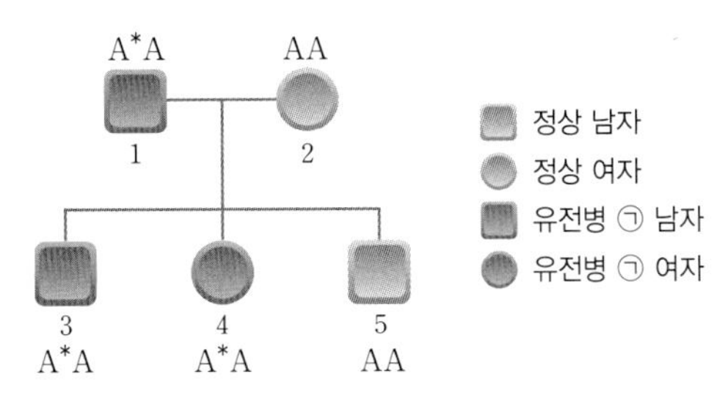

아들인 5는 2에게서 B*를 물려받았지만 ㉡을 나타내지 않으므로 1에게서 B도 물려받았다. 따라서 정자 ⓐ의 염색체 구성은 22+XY이고, ⓐ가 정상 난자(22+X)와 수정되어 태어난 5의 염색체 구성은 44+XXY로 클라인펠터 증후군을 나타낸다. 유전병 ㉡의 유전자형을 가계도에 표시해 보면 다음과 같다.

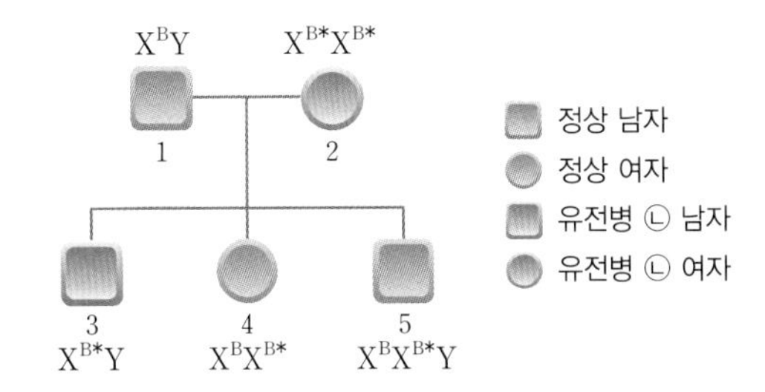

ㄱ. 유전병 ㉡의 유전자형이 4는 X^BX^{B*}이고, 5는 $X^BX^{B*}Y$이므로 4와 5의 체세포 1개당 B의 DNA 상대량은 1로 같다.
ㄴ. 정자 ⓐ는 X 염색체와 Y 염색체를 모두 가지므로 감수 1분열에서 성염색체가 비분리되어 형성된 것이다.
ㄷ. ㉠과 ㉡ 중 ㉡만 발현된 남자의 유전자형은 AA, $X^{B*}Y$이다. 이 남자와 4 사이에서 태어난 아이에게서 ㉠이 발현될 확률은 AA×A*A → AA, $\underline{\text{A*A}}$로 $\frac{1}{2}$이고, ㉡이 발현될 확률은 $X^{B*}Y\times X^BX^{B*}\rightarrow X^BX^{B*}$, $\underline{X^{B*}X^{B*}}$, X^BY, $\underline{X^{B*}Y}$로 $\frac{1}{2}$이므로, ㉠과 ㉡이 모두 발현될 확률은 $\frac{1}{2}\times\frac{1}{2}=\frac{1}{4}$이다.

09 적록 색맹 보인자인 여자의 난자 형성 과정 중 감수 1분열에서 성염색체가 비분리되면 정상 대립유전자가 있는 X 염색체와 적록 색맹 대립유전자가 있는 X 염색체가 하나의 난자로 들어갈 수 있다. 따라서 난자 ㉠의 염색체 구성과 적록 색맹 유전자형은 $22+X^RX^r$이다. 또, 난자 형성 과정 중 감수 2분열에서 성염색체가 비분리되면 염색 분체가 비분리되므로 같은 유전자가 있는 X 염색체 2개가 하나의 난자로 들어갈 수 있다. 따라서 난자 ㉡은 $22+X^rX^r$이다.
정상인 남자의 정자 형성 과정 중 감수 2분열에서 성염색체가 비분리되면 성염색체가 XX 또는 YY이거나 성염색체가 없는 정자가 형성될 수 있다. 따라서 정자 ㉢은 22+XX 또는 22+YY이고, 정자 ㉣은 22이다.
ㄷ. ㉡은 $22+X^rX^r$이고, ㉣은 22이므로, ㉡과 ㉣이 수정되면 $44+X^rX^r$가 되어 적록 색맹이며 염색체 수가 정상인 딸이 태어날 수 있다.

바로 알기 ㄱ. 적록 색맹 유전자형이 ㉠은 X^RX^r이고, ㉡은 X^rX^r이므로 적록 색맹 대립유전자의 DNA 상대량은 ㉡이 ㉠의 2배이다.
ㄴ. 염색체 구성이 ㉠은 22+XX이고, ㉢은 22+XX 또는 22+YY이므로 ㉠과 ㉢이 수정되면 클라인펠터 증후군(44+XXY)인 아이가 태어날 수 없다.

10 ⓓ는 X 염색체가 없고, 총 염색체 수는 정상보다 2개 많아 25개이다. 이는 감수 1분열과 감수 2분열에서 각각 비분리된 염색체가 모두 있으며, 성염색체는 Y 염색체가 2개인 경우이다. 따라서 ⓓ는 정자 형성 과정의 세포이며, 7번 염색체도 2개이다. ⓑ는 X 염색체가 없는데 총 염색체 수가 24개로 정상보다 1개 많으므로 성염색체로 Y 염색체가 있다. 따라서 ⓑ는 Ⅰ이며 7번 염색체가 2개 있고, Ⅰ로부터 Y 염색체가 비분리되어 들어간 Ⅲ이 ⓓ이다. Ⅳ는 7번 염색체가 없으므로 총 염색체 수가 22개이고, X 염색체가 1개 있는 ⓐ이다. ⓒ는 총 염색체 수가 24개로 정상보다 1개 많고 X 염색체 수가 1개이므로 Ⅱ이다. 따라서 ⓔ는 Ⅴ이며, 21번 염색체가 없고 X 염색체가 2개 있으므로 총 염색체 수(㉠)는 23개이다.

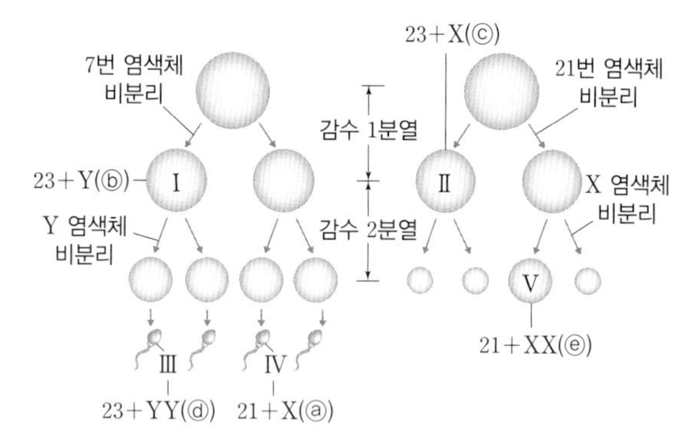

① ⓔ는 상염색체 21개와 X 염색체 2개를 가지므로 총 염색체 수(㉠)는 23개이다.

③ Ⅲ은 ⓓ이며, Y 염색체가 2개이다.

④ Ⅳ는 ⓐ이며, 7번 염색체가 없어 상염색체는 21개이다.

⑤ Ⅴ는 ⓔ이며, 감수 1분열 과정에서 21번 염색체가 비분리되어 21번 염색체 2개가 모두 Ⅱ로 들어갔으므로 Ⅴ에는 21번 염색체가 없다.

바로 알기 ② Ⅰ은 ⓑ이며, 총 염색체 수가 24개인데 감수 2분열 중기 세포이므로 각 염색체는 2개의 염색 분체로 되어 있어 염색 분체 수는 48개이다.

11 ㄱ. 부모의 유전자는 생식세포를 통해 자손에게 전달되는데, 정자를 형성하는 정원세포의 염색체 구조는 정상이다. 따라서 이 환자는 자손에게 이 유전병을 물려주지 않는다.

ㄷ. 조혈 모세포는 체세포 분열을 통해 조혈 모세포를 재생하고 일부는 혈구를 만드는데, 이 과정에서 9번과 22번 상염색체 사이에 전좌가 일어났다.

바로 알기 ㄴ. 이 유전병은 후천적으로 조혈 모세포에서 9번 염색체와 22번 염색체 사이에 전좌가 일어난 것이 원인이다.

12 ㄱ. 이 유전병은 단백질 ㉠을 결정하는 유전자의 DNA 염기 서열 이상에 의해 나타난다. 유전자가 상염색체에 있으므로 이 유전병은 남녀 모두에게 나타날 수 있다.

바로 알기 ㄴ. 유전자 이상에 의한 유전병을 가진 사람은 핵형이 정상인과 같으므로, 핵형 분석만으로는 유전병 환자를 진단할 수 없다.

ㄷ. 만일 6번째 아미노산을 암호화하는 염기 일부가 결실되었다면 6번째 이후의 아미노산 서열이 모두 바뀌었을 것이다. 그런데 6번째 아미노산만 바뀌었으므로 염기의 결실이 일어난 것이 아니라 6번째 아미노산을 암호화하는 염기 3개 중 일부가 다른 것으로 바뀐 것이다.

사고력 확장 문제

2권 98쪽~101쪽

01 (1) 표현형이 같은 부모에게서 부모와 표현형이 다른 자녀가 태어나면 부모의 형질이 우성이고, 자녀의 형질이 열성이다.

(2) 우성 형질의 부모에게서 열성 형질의 딸이 태어나면 형질을 결정하는 유전자는 상염색체에 있다.

(3) 유전병 대립유전자 A*는 정상 대립유전자 A에 대해 열성이다. 따라서 정상인 사람의 유전병 유전자형은 AA 또는 AA*이고, 유전병인 사람의 유전병 유전자형은 A*A*이다. 7은 아들 9가 유전병이고, 10은 유전병인 어머니 6에게서 유전병 대립유전자를 물려받았으므로 7과 10은 유전병 유전자형이 AA*이다.

모범 답안 (1) 정상인 부모 3과 4 사이에서 유전병인 자녀 8이 태어났으므로 유전병은 열성 형질이다.

(2) 우성 형질을 가진 부모 3과 4 사이에서 열성 형질을 가진 딸 8이 태어났으므로 유전병 유전자는 상염색체에 있다. 따라서 유전병의 발현 빈도는 이론적으로 남녀에서 같다.

(3) 7: AA*, 9: A*A*, 10: AA*

	채점 기준	배점(%)
(1)	근거를 들어 유전병이 열성 형질임을 옳게 서술한 경우	40
	유전병이 열성 형질이라고만 쓴 경우	20
(2)	근거를 들어 유전병의 발현 빈도가 남녀에서 같다고 옳게 서술한 경우	40
	유전병의 발현 빈도가 남녀에서 같다고만 쓴 경우	20
(3)	7, 9, 10의 유전자형을 모두 옳게 쓴 경우	20
	7, 9, 10 중 두 사람의 유전자형만 옳게 쓴 경우	10

02 (1) 유전자 이상은 유전자를 구성하는 DNA의 염기 서열에 이상이 생긴 것이다.

(2) 세 명의 아이가 태어날 때 적어도 한 명 이상이 페닐케톤뇨증을 나타낼 확률은 1−(세 명 모두 정상일 확률)로 계산하면 된다.

모범 답안 (1) 페닐케톤뇨증은 페닐알라닌을 타이로신으로 전환하는 효소 유전자의 DNA 염기 서열에 이상이 생겨 나타나며, 이것은 유전자 돌연변이에 해당한다.

(2) 우성인 정상 대립유전자를 A, 열성인 페닐케톤뇨증 대립유전자를 a라고 할 때, (가)와 (나)의 페닐케톤뇨증 유전자형은 각각 Aa이다. Aa×Aa → AA, 2Aa, aa로 (가)와 (나) 사이에서 태어난 아이가 정상일 확률은 $\frac{3}{4}$이다. 따라서 세 명의 아이가 태어날 때 적어도 한 명 이상이 페닐케톤뇨증을 나타낼 확률은 1−(세 명 모두 정상일 확률)이므로 $1-\left(\frac{3}{4}\times\frac{3}{4}\times\frac{3}{4}\right)=1-\frac{27}{64}=\frac{37}{64}$이다.

	채점 기준	배점(%)
(1)	유전자의 DNA 염기 서열 이상에 의한 유전자 돌연변이라고 옳게 서술한 경우	50
	유전자 돌연변이라고만 쓴 경우	20
(2)	과정을 옳게 서술하고, 확률을 정확하게 구한 경우	50
	확률만 옳게 쓴 경우	20

03 (1) 어머니가 유전병이지만 아들은 유전병이 아닌 경우 이 어머니는 열성인 정상 대립유전자를 가지고 있다.

(2) ㉠의 어머니는 정상 대립유전자를 2개 가지며, 아버지는 유전병 대립유전자를 가진다.

모범 답안 (1) 아들은 어머니로부터 X 염색체를 물려받는데, 이 유전병 대립유전자는 X 염색체에 있다. 유전병인 어머니에게서 정상인 아들이 태어났으므로 어머니는 유전병 대립유전자와 정상 대립유전자를 1개씩 가진다. 따라서 유전병 대립유전자를 1개만 가져도 유전병이 나타나므로 이 유전병은 우성 형질이다.

(2) 정상 대립유전자를 A, 유전병 대립유전자를 A*라고 할 때 ㉠의 어머니와 아버지의 유전병 유전자형은 각각 X^AX^A와 $X^{A^*}Y$이다. 이들 사이에서 태어날 수 있는 자녀의 유전자형은 $X^AX^A \times X^{A^*}Y \rightarrow X^AX^{A^*}$, X^AY이다. 따라서 ㉠이 아들이면 유전병이 나타날 확률은 0이고, 딸이면 유전병이 나타날 확률은 1이다.

	채점 기준	배점(%)
(1)	근거를 들어 유전병이 우성 형질임을 옳게 서술한 경우	50
	유전병이 우성 형질이라고만 쓴 경우	20
(2)	㉠이 아들일 때와 딸일 때 유전병이 나타날 확률을 과정을 포함하여 모두 옳게 구한 경우	50
	㉠이 아들일 때와 딸일 때 중 한 가지 경우에서만 유전병이 나타날 확률을 과정을 포함하여 옳게 구한 경우	20

04 유전병 ㉠의 유전자는 성염색체에 있는데, 남녀에서 모두 ㉠이 나타나므로 유전자는 X 염색체에 있다. 5는 유전병 ㉠인 아버지에게서 유전병 ㉠ 대립유전자를 물려받았지만 정상이므로 유전병 ㉠ 대립유전자는 열성인 T*이고, T는 우성인 정상 대립유전자이다. 따라서 유전병 ㉠의 유전자형이 1은 $X^{T^*}X^{T^*}$, 2는 X^TY, 3은 $X^TX^{T^*}$, 4는 $X^{T^*}Y$, 5는 $X^TX^{T^*}$, 6은 $X^{T^*}X^{T^*}$이다.

1, 2, 3, 4의 ABO식 혈액형이 모두 다른데, 1이 A형이므로 2는 B형(유전자형 I^Bi)이며, 3과 4는 각각 O형과 AB형 중 하나이다. A형인 1의 적혈구에는 응집원 A가 있다. 1의 적혈구와 3의 혈장을 섞으면 응집되므로 3의 혈장에는 응집소 α가 있고, 3의 적혈구를 1의 혈장과 섞으면 응집되지 않으므로 3의 적혈구에는 응집원 B가 없다. 따라서 3은 O형이므로 4는 AB형이다. 5와 6의 혈액형은 2와 같은 B형이다.

(1) 6과 7은 1란성 쌍둥이이므로 유전자가 같다. 따라서 유전자에 의해 결정되는 형질은 6과 7에서 일치한다.

(2) ABO식 혈액형 유전자형이 4는 I^AI^B이고, 5는 I^Bi이다. 또, 유전병 ㉠의 유전자형이 4는 $X^{T^*}Y$이고, 5는 아버지에게서 T*를 물려받았으므로 $X^TX^{T^*}$이다.

모범 답안 (1) ABO식 혈액형과 유전병 ㉠은 유전자에 의해 결정되는 형질이며, 7은 6과 1란성 쌍둥이로 유전자가 6과 같다. 따라서 7은 6과 마찬가지로 B형이며, 유전병 ㉠을 나타낸다.

(2) 4와 5 사이에서 태어나는 아이의 ABO식 혈액형이 A형일 확률은 $I^AI^B \times I^Bi \rightarrow I^AI^B$, I^BI^B, I^Ai, I^Bi로 $\frac{1}{4}$이고, 유전병 ㉠을 나타내는 아들일 확률은 $X^{T^*}Y \times X^TX^{T^*} \rightarrow X^TX^{T^*}$, $X^{T^*}X^{T^*}$, X^TY, $X^{T^*}Y$로 $\frac{1}{4}$이다. 따라서 A형이고 유전병 ㉠을 나타내는 아들일 확률은 $\frac{1}{4}\times\frac{1}{4}=\frac{1}{16}$이다.

	채점 기준	배점(%)
(1)	근거를 들어 7의 ABO식 혈액형과 유전병 ㉠의 발현 여부를 모두 옳게 서술한 경우	50
	7의 두 가지 형질만 옳게 쓴 경우	20
(2)	과정을 옳게 서술하고, 확률을 정확하게 구한 경우	50
	확률만 옳게 쓴 경우	20

05 (1) ㉠은 염색체 구성이 22+XY로 염색체 수가 24개이고, ㉡은 성염색체가 없어 상염색체만 22개 있다. ㉣에는 21번 염색체가 2개 있어 염색체 수가 24개이고, ㉢은 염색체 수가 23개로 정상이다.

(2) 상염색체 수가 정자 ㉠, ㉡, ㉢은 22개이고, ㉣은 23개이다.

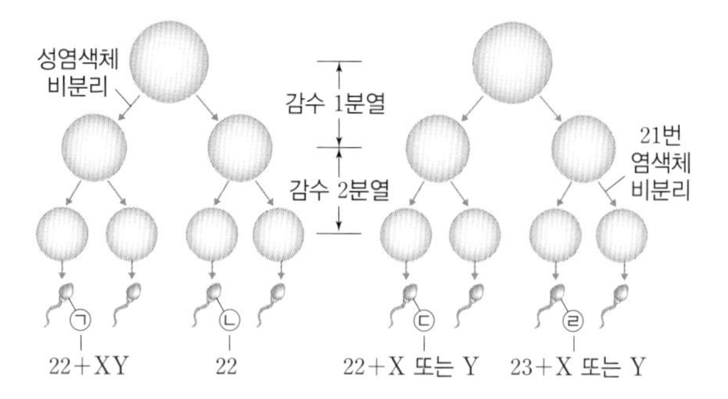

모범 답안 (1) • 정자 ㉠(22+XY)과 정상 난자(22+X)가 수정되면 염색체 구성이 44+XXY인 클라인펠터 증후군 아이가 태어난다.

• 정자 ㉡(22)과 정상 난자(22+X)가 수정되면 염색체 구성이 44+X인 터너 증후군 아이가 태어난다.

• 정자 ㉢(22+X 또는 22+Y)과 정상 난자(22+X)가 수정되면 염색체 구성이 44+XX 또는 44+XY인 정상 아이가 태어난다.

(2) 정자 ㉠, ㉡, ㉢의 상염색체 수는 22개이며, ㉣은 21번 염색체가 1개 더 있어 상염색체 수가 23개이다. 따라서 상염색체 수는 ㉣>㉠=㉡=㉢이다.

	채점 기준	배점(%)
(1)	정자 ㉠~㉢의 수정 결과와 유전병 발현 여부를 모두 옳게 서술한 경우	60
	정자 ㉠~㉢ 중 두 가지의 수정 결과와 유전병 발현 여부를 옳게 서술한 경우	40
	정자 ㉠~㉢ 중 한 가지의 수정 결과와 유전병 발현 여부를 옳게 서술한 경우	20
(2)	상염색체 수를 모두 설명하고, 등호와 부등호로 옳게 나타낸 경우	40
	상염색체 수를 등호와 부등호로만 옳게 나타낸 경우	20

06 (1) 유전병 ㉠은 한 쌍의 대립유전자에 의해 결정되므로 단일 인자 유전 형질이고, 여자보다 남자에서 많이 나타나므로 유전자가 X 염색체에 있으며 열성 형질이다.

(2) 철수 어머니는 유전병 ㉠을 나타내므로 유전병 ㉠의 유전자형이 열성 동형 접합성이다. 어머니는 유전병 ㉠을 나타내지만 철수는 정상이므로 철수는 아버지에게서 정상 대립유전자를 물려받았다.

모범 답안 (1) 유전병 ㉠은 남녀에 따라 발현 빈도가 다르므로 유전자가 성염색체인 X 염색체에 있으며, 여자보다 남자에서 많이 나타나므로 정상 대립유전자가 우성, 유전병 ㉠ 대립유전자가 열성이다.

(2) 어머니가 유전병 ㉠을 나타내는데 철수는 정상이므로 철수는 아버지에게서 정상 대립유전자가 있는 X 염색체와 Y 염색체를 모두 물려받았다. 따라서 철수의 아버지에게서 생식세포가 만들어질 때 감수 1분열 과정에서 성염색체가 비분리되어 X 염색체와 Y 염색체가 함께 들어간 정자가 형성된 후 정상 난자와 수정되어 철수가 태어났다.

	채점 기준	배점(%)
(1)	근거를 들어 유전병 ㉠ 유전자의 위치와 대립유전자의 우열 관계를 옳게 서술한 경우	50
	근거를 들어 유전병 ㉠ 유전자의 위치와 대립유전자의 우열 관계 중 한 가지만 옳게 서술한 경우	30
(2)	근거를 들어 아버지의 감수 1분열 과정에서 성염색체가 비분리되었음을 옳게 서술한 경우	50
	아버지의 감수 1분열 과정에서 성염색체가 비분리되었다고만 서술한 경우	30

07 (나)에는 정상 염색체에 비해 C, D, E 부위가 더 있으며, 그 위치가 거꾸로 되어 있다.

모범 답안 정상 염색체에 비해 C, D, E 부위가 더 있으므로 중복이 일어났으며, C, D, E 부위의 위치가 거꾸로 되어 있으므로 역위가 일어났다.

채점 기준	배점(%)
근거를 들어 중복과 역위가 일어났음을 옳게 서술한 경우	100
근거를 들어 중복과 역위 중 한 가지에 대해서만 서술한 경우	50
중복과 역위만 쓴 경우	30

08 DNA 염기 서열이 바뀌어 유전자 이상이 일어나면 암호화하는 아미노산의 종류가 달라지고, 그에 따라 합성된 단백질의 성질이 달라질 수 있다.

모범 답안 헤모글로빈 유전자의 DNA 염기 서열 중 염기 1개가 바뀌어 아미노산의 서열이 달라지고, 그 결과 비정상 헤모글로빈이 만들어진다. 비정상 헤모글로빈은 산소 농도가 낮을 때 서로 달라붙어 긴 바늘 모양이 되므로 적혈구가 낫 모양으로 찌그러진다.

채점 기준	배점(%)
DNA 염기 서열, 아미노산 서열, 비정상 헤모글로빈의 형성, 적혈구의 모양 변화를 모두 옳게 서술한 경우	100
DNA 염기 서열이 바뀌어 아미노산 서열이 달라짐으로써 낫 모양 적혈구가 된다고 서술한 경우	50

09 헌팅턴 무도병은 유전자 이상에 의한 유전병으로, 증세가 나타나면 사망에 이를 만큼 치명적이지만, 발병 시기가 늦다.

모범 답안 헌팅턴 무도병은 일반적으로 중년 이후에 발병하므로 자손에게 헌팅턴 무도병 대립유전자를 물려주어 후대로 유전될 수 있었다.

채점 기준	배점(%)
헌팅턴 무도병의 발병 시기가 늦어 유전자를 자손에게 물려주었음을 옳게 서술한 경우	100
헌팅턴 무도병이 발병하는 시기가 늦기 때문이라고만 서술한 경우	70

V 생태계와 상호 작용

1. 생태계의 구성과 기능

01 생물과 환경의 상호 작용

개념 모아 정리하기 2권 111쪽

❶개체군 ❷군집 ❸생산자 ❹소비자
❺작용 ❻반작용 ❼높 ❽울타리 조직
❾홍조류 ❿장일 ⓫단일 ⓬크
⓭작 ⓮저수 조직 ⓯적혈구

개념 기본 문제 2권 112쪽

01 ㉠ 개체군, ㉡ 군집, ㉢ 생태계 **02** (1) 소비자 (2) 생산자 (3) 분해자 **03** (1) (가) 작용, (나) 반작용, (다) 상호 작용 (2) ㄱ, ㄴ **04** (1) ㉠ 보상점, ㉡ 광포화점 (2) A, 양지 식물 **05** 광주기성 **06** (1) ㅁ (2) ㅂ (3) ㄴ (4) ㄱ (5) ㄷ

01 생물은 일정한 지역에서 살면서 같은 종의 개체끼리 모여 개체군을 이루고, 여러 개체군이 모여 군집을 이룬다. 군집은 군집을 둘러싼 비생물 환경과 서로 영향을 주고받으며 하나의 통합된 시스템인 생태계를 이룬다.

02 생태계에서 무기물로 유기물을 합성하는 생물은 생산자, 다른 생물을 먹이로 섭취하는 생물은 소비자, 사체나 배설물 속 유기물을 무기물로 분해하는 생물은 분해자에 해당한다.

03 (1) (가)는 비생물적 요인이 생물적 요인에 영향을 주는 작용, (나)는 생물적 요인이 비생물적 요인에 영향을 주는 반작용, (다)는 생물적 요인이 서로 영향을 주고받는 상호 작용이다.
(2) ㄱ. 토끼가 낮의 길이가 짧아지는 가을에 털갈이를 하는 것은 빛에 반응하여 나타나는 작용의 예이다.
ㄴ. 벼의 광합성량이 빛의 영향을 받는 것은 작용의 예이다.
바로 알기 ㄷ, ㄹ. 식물의 광합성으로 대기 중의 산소 농도가 증가하는 것과 지렁이에 의해 토양의 통기성이 증가하는 것은 모두 생물적 요인이 비생물적 요인에 영향을 주는 반작용(나)의 예에 해당한다.

04 (1) ㉠은 광합성을 하기 위해 흡수하는 이산화 탄소의 양과 호흡으로 방출하는 이산화 탄소의 양이 같아 외관상 이산화 탄소의 출입량이 0일 때의 빛의 세기이므로 보상점이다. ㉡은 식물 A와 B의 광합성량이 각각 최대가 되는 최소한의 빛의 세기이므로 광포화점이다.
(2) 강한 빛에 적응한 양지 식물은 약한 빛에 적응한 음지 식물보다 보상점과 광포화점이 모두 높다. 따라서 A는 양지 식물, B는 음지 식물이다.

05 일조 시간의 변화에 따라 식물의 개화나 동물의 생식 등 생물의 주기적인 행동이나 활동이 달라지는 것을 광주기성이라고 한다.

06 (1) 바다에서 수심에 따라 해조류의 분포가 다른 것은 수심에 따라 도달하는 빛의 파장과 양이 달라서 나타나는 현상이다.
(2) 양엽과 음엽에서 울타리 조직의 발달 정도가 다른 것은 빛의 세기와 관련이 있다.
(3) 북극여우가 사막여우보다 귀가 작고 몸집이 큰 것은 온도가 낮은 환경에 적응하기 위한 것이다.
(4) 선인장과 같은 건생 식물에서 저수 조직이, 연과 같은 수생 식물에서 통기 조직이 발달한 것은 서식 환경의 수분 조건에 적응한 현상이다.
(5) 공기 중에 산소가 희박한 환경에서 사는 고산 지대 사람은 산소 흡수 효율을 높이기 위해 평지에 사는 사람보다 적혈구 수가 많거나 폐의 표면적이 넓다.

개념 적용 문제 2권 113쪽~115쪽

01 ② **02** ③ **03** ③ **04** ③ **05** ② **06** ④

01 ㄷ. 지의류에 의해 암석의 풍화가 촉진되는 것은 생물적 요인에 의해 비생물적 요인이 영향을 받는 것이므로 ㉡ 반작용에 해당한다. ㉠은 비생물적 요인이 생물적 요인에 영향을 미치는 작용이다.
바로 알기 ㄱ. 생산자가 합성한 유기물은 생산자를 먹는 소비자로 전달된다. 또, 생산자와 소비자의 사체와 배설물 속의 유기물은 분해자로 전달된다. 따라서 (나)는 생산자, (가)는 소비자, (다)는 분해자이며, 무기물로 유기물을 합성할 수 있는 생물은 (나) 생산자이다.
ㄴ. 토양에 사는 세균은 생물이므로 비생물적 요인이 아니라 생물적 요인에 포함되며, 그중 분해자에 해당한다.

02 ㄱ. 선인장의 잎이 가시로 변한 것은 건조한 사막에 적응하여 나타난 현상이므로 비생물적 요인이 생물적 요인에 영향을 주는 (가) 작용에 해당한다.
ㄴ. 생물 군집을 이루는 개체군은 역할에 따라 생산자, 소비자, 분해자로 구분된다.

바로 알기 ㄷ. 적조 현상이란 바다의 수온이 상승하고 영양염류의 양이 증가하여 식물 플랑크톤이 대량 증식한 결과 바닷물의 색깔이 붉게 변하는 현상이므로, 비생물적 요인이 생물적 요인에 영향을 주는 (가) 작용에 해당한다. (나)는 생물적 요인이 비생물적 요인에 영향을 주는 반작용이다.

03 ㄱ. 광포화점은 광합성량(CO_2 흡수량)이 최대가 되는 최소한의 빛의 세기이므로 (가)는 (나)보다 광포화점이 높다.
ㄴ. A는 (나)의 보상점이고, B는 (가)의 보상점이다. 보상점은 식물의 광합성량과 호흡량이 같을 때의 빛의 세기이며, 식물은 빛의 세기가 보상점보다 낮으면 광합성량보다 호흡량이 많아서 살지 못한다. 식물은 빛의 세기가 보상점보다 높아야 광합성량이 호흡량보다 많아서 생존하며 생장할 수 있다. 따라서 빛의 세기가 A와 B 사이에서 지속되면 (가)는 살지 못하고, (나)는 살 수 있으며 생장할 수 있다.
바로 알기 ㄷ. 강한 빛에 적응한 양지 식물은 약한 빛에 적응한 음지 식물보다 보상점과 광포화점이 모두 높다. 따라서 (가)는 양지 식물, (나)는 음지 식물이다. 양지 식물(가)은 음지 식물(나)보다 잎에 울타리 조직이 발달하여 잎이 두껍다.

04 ㄷ. 수심에 따라 주로 서식하는 해조류의 종류가 다른 것은 수심에 따라 투과되는 빛의 파장과 양이 다르기 때문이다. 빛은 파장이 짧을수록 물에 대한 투과도가 높아 수심이 깊은 곳까지 도달하므로 투과되는 깊이는 적색광 < 황색광 < 청색광이다. 녹조류는 적색광을, 갈조류는 황색광을, 홍조류는 청색광을 주로 이용하여 광합성을 하므로 녹조류는 얕은 바다에 분포하고, 갈조류는 중간 깊이의 바다까지, 홍조류는 깊은 바다까지 분포한다.
바로 알기 ㄱ. 녹조류는 녹색광을 반사하기 때문에 몸 색깔이 녹색을 띠는 것이다. 녹조류는 녹색광을 대부분 반사하고, 주로 적색광을 흡수하여 광합성을 한다.
ㄴ. 홍조류는 적색광을 반사하기 때문에 몸 색깔이 적색을 띠는 것이다. 홍조류는 청색광을 가장 잘 흡수한다.

05 식물의 꽃눈 형성은 지속된 암기의 영향을 받는다.
ㄴ. A는 지속된 암기가 임계 암기보다 짧을 때 개화하므로 장일 식물이고, B는 지속된 암기가 임계 암기(한계 암기)보다 길 때 개화하므로 단일 식물이다. 도꼬마리는 일조 시간이 짧은 가을에 개화하므로 단일 식물(B)에 해당한다.
바로 알기 ㄱ. A는 장일 식물이므로 일조 시간이 긴 봄과 초여름에 개화하고, 일조 시간이 짧은 가을에는 개화하지 않는다.
ㄷ. 단일 식물인 B는 지속된 암기가 임계 암기(한계 암기)보다 짧으면 개화하지 않는다.

06 ㄱ. 추운 곳에 사는 여우일수록 몸집이 크고 몸의 말단부가 작은 경향이 있다. (가)는 몸의 말단부인 귀의 크기가 작으므로 추운 곳에 사는 북극여우, (다)는 귀의 크기가 가장 크므로 더운 곳에 사는 사막여우, (나)는 붉은여우이다. 몸집은 (가) 북극여우가 (다) 사막여우보다 크다.
ㄷ. 여우의 귀 크기가 서식 지역에 따라 다른 것은 서식 지역의 온도에 적응한 현상이다.
바로 알기 ㄴ. 귀, 꼬리, 주둥이 같은 몸의 말단부가 크면 열 방출량이 많아 체온의 상승을 막는 데 유리하다. (나) 붉은여우는 (다) 사막여우보다 몸의 말단부가 작아 몸의 단위 표면적당 열 방출량이 적다.

02 개체군

탐구 확인 문제 2권 121쪽

01 ②
02 해설 참조

01 ① 실험 결과 (가)와 (나)는 모두 S자 모양의 생장 곡선을 나타냈다.
③ 포도당 농도가 1 %인 배양액에서 배양한 (가)의 개체 수보다 포도당 농도가 0.5 %인 배양액에서 배양한 (나)의 개체 수가 적게 증가했으므로, 포도당 농도가 환경 저항 요인으로 작용하였음을 알 수 있다.
④ 환경 수용력은 개체군의 최대 개체 수에 해당한다. (나)의 최대 개체 수가 (가)의 최대 개체 수보다 적으므로 (나)는 (가)보다 환경 수용력이 작다.
⑤ (다)에서 온도를 15 ℃에서 35 ℃로 변화시켰을 때 효모의 개체 수가 빠르게 증가하였다. 따라서 35 ℃일 때가 15 ℃일 때보다 효모의 증식이 빠르다.
바로 알기 ② (가)는 S자 모양의 생장 곡선을 나타내므로 환경 저항이 작용하였다. 따라서 배양 시작 후 2~4시간 구간에서도 환경 저항이 작용하였다.

02 자연 환경에서 개체군의 생장 초기에는 개체 수가 급격하게 증가하지만, 개체 수가 증가함에 따라 먹이 부족, 생활 공간 부족, 노폐물 축적, 경쟁, 질병 등의 환경 저항이 증가하여 출생률은 낮아지고 사망률이 높아진다. 그러다가 출생률과 사망률이 같아지면 개체 수가 더 이상 증가하지 않고 일정해진다.
모범 답안 효모의 개체 수가 증가함에 따라 환경 저항이 증가하여 출생률은 낮아지고 사망률이 높아지는데, 10시간 이후부터 출생률과 사망률이 같아졌기 때문이다.

채점 기준	배점(%)
환경 저항, 출생률, 사망률을 모두 포함하여 옳게 서술한 경우	100
환경 저항이 증가했기 때문 또는 출생률과 사망률이 같아졌기 때문이라고만 서술한 경우	50

집중 분석 2권 122쪽

유제 ④

유제 ㄱ. 개체군은 같은 지역에서 함께 생활하는 같은 종의 개체로 이루어진 집단이므로, 개체군 A를 구성하는 개체는 모두 같은 종이다.

ㄷ. 개체군 밀도$=\frac{\text{개체군을 구성하는 개체 수}}{\text{개체군이 서식하는 공간의 면적}}$이므로 t_1에서 A의 개체군 밀도는 $\frac{200}{400}=\frac{1}{2}$이고, t_2에서 B의 개체군 밀도는 $\frac{100}{200}=\frac{1}{2}$이다.

바로 알기 ㄴ. 구간 Ⅰ에서 개체 수가 일정하게 유지되는 것은 출생률이 0이어서가 아니라 출생률과 사망률이 같기 때문이다.

개념 모아 정리하기 2권 123쪽

❶ 개체 수 ❷ J자 ❸ S자 ❹ 환경 저항
❺ 환경 수용력 ❻ 낮 ❼ 높 ❽ 계절
❾ 피식과 포식 ❿ 세력권 ⓫ 순위 ⓬ 리더

개념 기본 문제 2권 124쪽~125쪽

01 (1) 개체군 밀도 (2) 환경 저항 (3) 생존 곡선 **02** 개체군을 구성하는 개체 수 **03** (1) B (2) 환경 수용력 (3) ㄱ, ㄴ, ㄹ **04** (1) Ⅰ형 (2) ㄱ, ㄴ **05** (가) 발전형, (나) 안정형, (다) 쇠퇴형 **06** ㉠ 영양염류의 양, ㉡ 빛의 세기 **07** (1) A: 눈신토끼, B: 스라소니 (2) 피식과 포식 **08** 텃세 **09** ㄱ, ㄴ **10** (1) 리더제 (2) 사회생활 (3) 순위제 (4) 가족생활 **11** (1) ㄴ, ㅈ (2) ㅂ, ㅅ (3) ㄱ, ㅇ (4) ㄷ, ㅁ (5) ㄹ

01 (1) 일정한 공간에서 생활하는 개체군의 개체 수를 개체군 밀도라고 한다.

(2) 개체군의 생장을 억제하는 모든 환경 요인을 환경 저항이라고 한다.

(3) 동시에 출생한 개체들의 상대 연령별 생존 개체 수의 비율을 그래프로 나타낸 것을 생존 곡선이라고 한다.

02 개체군 밀도는 일정한 공간에 서식하는 개체군의 개체 수이다.

$$\text{개체군 밀도}=\frac{\text{개체군을 구성하는 개체 수}}{\text{개체군이 서식하는 공간의 면적}}$$

03 (1) 이론적 생장 곡선은 J자 모양을, 실제 생장 곡선은 S자 모양을 나타낸다.

(2) ㉠은 실제 생장 곡선에서 개체 수가 더 이상 증가하지 않고 일정해지는 한계선인 환경 수용력이다. 즉, 환경 수용력은 한 서식지에서 유지할 수 있는 개체군의 최대 개체 수이다.

(3) 환경 저항은 개체군의 생장을 억제하는 요인으로, 먹이 부족, 천적 증가, 노폐물 축적, 생활 공간 부족 등이 있다.

04 (1) 사람이나 코끼리와 같은 대형 포유류 개체군에서는 초기 사망률이 낮고 대부분의 개체가 수명을 다하고 죽는 Ⅰ형의 생존 곡선을 나타낸다.

(2) ㄱ. Ⅰ형은 한 번에 출생하는 자손의 수는 적지만 어릴 때 부모의 보호를 받아 초기 사망률이 낮고, 후기 사망률이 높다.

ㄴ. Ⅱ형은 전체 연령대에서 사망률이 비교적 일정하게 나타나는 유형이다.

바로 알기 ㄷ. Ⅲ형은 한 번에 출생하는 자손의 수는 많지만 초기 사망률이 높아 성체로 자라는 개체의 수가 적은 유형이다.

05 개체군의 연령대별 개체 수의 비율을 낮은 연령층부터 차례대로 쌓아 올린 그림을 연령 피라미드라고 한다. 연령 피라미드에서 (가)는 생식 전 연령층의 비율이 상대적으로 높으므로 개체군의 크기가 점점 커지는 발전형이고, (나)는 생식 전 연령층과 생식 연령층의 비율이 비슷하므로 개체군의 크기 변화가 작은 안정형이다. (다)는 생식 전 연령층의 비율이 상대적으로 낮으므로 개체군의 크기가 점점 작아지는 쇠퇴형이다.

06 겨울에는 영양염류가 풍부하지만 빛의 세기가 약하고 수온이 낮아서 돌말의 개체 수가 증가하지 않고 개체군의 크기가 작다. 여름에는 빛의 세기가 강하고 수온이 높지만 영양염류가 부족해서 돌말의 개체 수가 증가하지 않고 개체군의 크기가 작다. 따라서 ㉠은 영양염류의 양, ㉡은 빛의 세기이다.

07 (1) 안정된 생태계에서는 일반적으로 피식자가 포식자보다 개체 수가 많다. A가 B보다 개체 수가 많으며, A의 개체 수가 증가하면 B의 개체 수가 증가하고, A의 개체 수가 감소하면 B의 개체 수가 감소하므로 A는 피식자인 눈신토끼, B는 포식자인 스라소니이다.

(2) 눈신토끼와 스라소니의 개체 수가 약 10년을 주기로 변동하는 것은 눈신토끼와 스라소니가 피식과 포식의 관계이기 때문에 나타나는 현상이다.

08 은어 개체가 각각 일정한 생활 공간을 차지하고 있으므로 은어 개체 사이에 일어나는 개체군 내 상호 작용은 텃세이다.

09 ㄱ, ㄴ. 개체군 내에서 개체들은 불필요한 경쟁을 피하고 질서를 유지하기 위해 텃세, 리더제, 순위제, 사회생활 등의 다양한 상호 작용을 한다.

바로 알기 ㄷ. 개체군의 개체 수가 감소해도 개체 간의 상호 작용은 일어난다.

10 (1) 한 개체가 우두머리인 리더가 되어 개체군을 이끄는 상호 작용은 리더제이다.

(2) 개체들이 생식, 방어, 먹이 획득 등의 역할을 분담하고 서로 협력하는 체제를 이루는 상호 작용은 사회생활이다.

(3) 개체들 사이에 힘의 세기에 따라 순위를 정하여 먹이나 배우자를 차지하는 상호 작용은 순위제이다.

(4) 혈연관계인 개체들이 무리를 이루어 함께 생활하는 것은 가족생활이다.

11 (1) 텃세가 나타나는 동물은 버들붕어, 은어, 까치, 물개, 얼룩말 등이다.

(2) 리더제가 나타나는 동물은 코끼리, 기러기, 순록 등이다.

(3) 순위제가 나타나는 동물은 고릴라, 닭, 큰뿔양, 원숭이 등이다.

(4) 사회생활을 하는 동물은 꿀벌, 개미 등이다.

(5) 가족생활을 하는 동물은 사자, 코요테, 하이에나, 제비 등이다.

개념 적용 문제

2권 126쪽~129쪽

01 ④	02 ③	03 ④	04 ②	05 ①	06 ③
07 ③	08 ③				

01 ㄱ. 환경 저항이 없어 생식 활동에 제약을 받지 않는 이상적인 환경 조건에서는 개체 수가 기하급수적으로 증가하여 개체군의 생장 곡선이 J자 모양을 나타낸다. 따라서 환경 저항이 없을 때의 개체군 생장 곡선은 (가)이다.

ㄷ. (나)에서 개체 수의 증가 속도는 각 시점에서의 기울기에 해당하므로 t_1에서가 t_2에서보다 빠르다.

바로 알기 ㄴ. (나)는 자원의 제한이 있는 실제 환경에서의 생장 곡선으로, 환경 저항은 개체 수가 증가하기 시작하는 시점부터 작용한다. 따라서 t_1 시점 전에 환경 저항이 작용하기 시작한다.

02 ㄱ. 환경 수용력은 실제 생장 곡선에서 개체 수가 더 이상 증가하지 않는 최대 개체 수에 해당한다. 구간 Ⅱ에서 개체 수가 더 이상 증가하지 않고 최대 개체 수를 유지하므로 구간 Ⅱ에서의 개체 수가 이 개체군의 환경 수용력이다.

ㄴ. 구간 Ⅰ에서 개체 수가 증가하는 것은 출생률이 사망률보다 높기 때문이며, 구간 Ⅱ에서 개체 수가 일정하게 유지되는 것은 출생률과 사망률이 같기 때문이다. 따라서 $\frac{\text{출생률}}{\text{사망률}}$은 구간 Ⅰ에서가 구간 Ⅱ에서보다 크다.

바로 알기 ㄷ. 구간 Ⅰ에서는 개체 수가 증가하고 있고, 구간 Ⅱ에서는 개체 수가 일정하게 유지되므로 단위 시간당 개체 수 증가율은 구간 Ⅰ에서가 구간 Ⅱ에서보다 높다.

03 ㄱ. A는 한 번에 출생하는 자손의 수는 많지만 초기 사망률이 높은 유형으로, 많은 수의 알을 낳는 물고기 개체군에서 주로 나타난다.

ㄷ. C는 초기 사망률이 낮고, 대부분의 개체가 생리적 수명을 다하고 죽으므로 후기 사망률이 높다. 따라서 C의 사망률 곡선은 ㉢이다.

바로 알기 ㄴ. B는 전체 연령대에서 사망률이 비교적 일정한 유형으로, 다람쥐 같은 소형 포유류나 히드라의 개체군에서 주로 나타난다. 사람, 코끼리 등 대형 포유류 개체군에서 주로 나타나는 생존 곡선은 초기 사망률은 낮고 후기 사망률이 높은 C이다.

04 ㄴ. ㉠의 개체군에서는 어릴 때 사망 개체 수 비율이 낮고 노년층의 사망 개체 수 비율이 높다. 이를 통해 ㉠의 개체군에서 대부분의 개체는 생리적 수명을 거의 다하고 죽는다고 볼 수 있다.

바로 알기 ㄱ. ㉠의 개체군에서 나타나는 생존 곡선 유형은 초기 사망률이 낮고 후기 사망률이 높은 Ⅰ형이다.

ㄷ. 다람쥐 개체군은 전체 연령대에서 사망률이 비교적 일정한 Ⅱ형의 생존 곡선을 나타낸다.

05 ㄱ. 구간 Ⅰ에서는 영양염류가 풍부하고 빛의 세기가 증가하며 수온이 상승하여 돌말의 개체 수가 증가한 것이다.

바로 알기 ㄴ. 가을에는 영양염류는 풍부하지만 수온이 하강하고 빛의 세기가 약해져서 돌말 개체군의 개체 수가 감소하지만, 구간 Ⅱ에서는 개체 수가 계속 감소하지 않고 적은 상태로 유지된다.

ㄷ. 여름에 돌말의 개체 수가 적게 유지되는 까닭은 빛의 세기가 강하고 수온이 높기 때문이 아니라 영양염류가 부족하기 때문이다.

06 ㄷ. 눈신토끼와 스라소니의 개체 수는 피식과 포식의 관계에 의해 약 10년을 주기로 변동한다.

바로 알기 ㄱ. 안정된 생태계에서는 일반적으로 피식자의 개체 수가 포식자의 개체 수보다 많으며, 피식자의 개체 수가 변하면 포식자의 개체 수가 따라서 변한다. A의 개체 수는 B의 개체 수보다 많고, A의 개체 수가 증가하면 B의 개체 수가 증가하며, A의 개체 수가 감소하면 B의 개체 수가 감소한다. 이것으로 보아 A는 피식자인 눈신토끼, B는 포식자인 스라소니이다. 천적은 포식자를 말하므로 B가 A의 천적이다.

ㄴ. 구간 Ⅰ에서는 피식자인 A의 개체 수가 증가하고 포식자인 B의 개체 수도 증가하므로 구간 Ⅰ은 (나)의 ㉠에 해당한다. 구간 Ⅱ에서는 피식자인 A의 개체 수는 감소하고 포식자인 B의 개체 수는 증가하므로 구간 Ⅱ는 (나)의 ㉡에 해당한다.

07 ㄷ. 각 밀도에서 세력권을 형성하는 개체의 최소 몸 길이는 10 cm, 15 cm인데, 공동 생활 구역에서 생활하는 개체의 최소 몸 길이는 모두 5 cm이다.

바로 알기 ㄱ. (나)에서 개체군 밀도가 0.3일 때 세력권 형성 개체의 비율은 38 %이지만, 개체군 밀도가 5.5일 때 세력권 형성 개체의 비율은 5 %이다. 따라서 개체군 밀도가 높아져도 텃세를 나타내는 개체의 비율이 증가하는 것은 아니다.

ㄴ. 은어 개체 간에 일어나는 상호 작용은 텃세이다. 일을 분담하고 협력하며 살아가는 상호 작용은 사회생활이며, 은어는 공동 생활 구역에서 사회생활은 하지 않는다.

08 ㄷ. (가)는 순위제, (나)는 텃세에 해당한다. 순위제와 텃세는 모두 개체군 내 개체 간의 불필요한 경쟁을 피하고 질서를 유지하기 위한 개체군 내의 상호 작용이다.

바로 알기 ㄱ. 초원의 얼룩말 개체군 내에서 나타나는 상호 작용은 (나) 텃세이다.

ㄴ. 힘의 세기에 따라 개체들의 순위가 정해지는 개체군 내 상호 작용은 (가) 순위제이다.

03 군집

탐구 확인 문제

2권 139쪽

01 ④, ⑤
02 해설 참조

01 ①, ② 중요도는 상대 밀도, 상대 빈도, 상대 피도를 합한 값이며, 중요도가 가장 큰 종이 조사한 지역의 우점종이다.

③ 특정 종의 밀도는 $\frac{\text{특정 종의 개체 수}}{\text{전체 방형구의 면적}(m^2)}$이다.

바로 알기 ④, ⑤ 특정 종이 출현한 방형구 수를 전체 방형구 수로 나눈 값은 빈도이고, 특정 종이 차지한 면적을 전체 방형구의 면적으로 나눈 값은 피도이다.

02 중요도가 가장 큰 종이 우점종이며, 중요도는 상대 밀도, 상대 빈도, 상대 피도를 합한 값이다. 각 식물 종의 중요도는 A는 13.9+62.5+6.7=83.1, B는 8.3+8.3+4.2=20.8, C는 1.7+4.2+79.1=85.0, D는 52.8+6.9+5.4=65.1, E는 23.3+18.1+4.6=46.0이다.

모범 답안 C, A~E 중 C의 중요도가 가장 크기 때문이다.

채점 기준	배점(%)
C라고 쓰고, C의 중요도가 가장 크기 때문이라고 옳게 서술한 경우	100
C라고만 쓴 경우	50

집중 분석

2권 140쪽

유제 ②

유제 ㄷ. A와 C는 모두 단독 배양했을 때보다 혼합 배양했을 때 최대 개체 수가 증가하였으므로 A와 C는 상리 공생 관계이다.

바로 알기 ㄱ. (가)에서 A는 S자 모양의 생장 곡선을 나타내므로 구간 Ⅰ에서 환경 저항이 A의 개체 수 증가에 영향을 미친 것이다.

ㄴ. (나)에서는 (가)에 비해 A는 개체 수가 감소했고, B는 개체 수가 감소하다 결국 사라졌으므로, (나)는 A와 B가 종간 경쟁을 하여 경쟁·배타 원리가 적용된 결과이다.

개념 모아 정리하기

2권 141쪽

❶ 먹이 그물 ❷ 우점종 ❸ 핵심종 ❹ 밀도
❺ 우점종 ❻ 위도 ❼ 고도 ❽ 생태적 지위
❾ 경쟁 · 배타 원리 ❿ 상리 공생 ⓫ 편리공생
⓬ 극상 ⓭ 양수림 ⓮ 음수림 ⓯ 2차 천이

개념 기본 문제

2권 142쪽~143쪽

01 ㄱ, ㄴ **02** (1) ㄹ (2) ㄱ (3) ㄷ (4) ㄴ **03** ㄴ, ㄷ **04** (1) ㄷ (2) ㄱ (3) ㄹ (4) ㄴ **05** (1) 빛의 세기 (2) 교목층 **06** (가) 기온, 강수량 (나) 기온 **07** 경쟁 · 배타 원리 **08** 분서(생태 지위 분화) **09** A와 B 사이: 종간 경쟁, C와 D 사이: 편리공생 **10** ㉠ 기생, ㉡ 상리 공생, ㉢ 종간 경쟁 **11** (1) 포식과 피식 (2) 기생 (3) 상리 공생 (4) 편리공생 **12** (1) 2차 천이 (2) A: 양수림, B: 음수림

01 ㄱ. 군집은 여러 종의 개체군으로 구성되어 있으며, 각 개체군은 역할에 따라 생산자, 소비자, 분해자로 구분된다.
ㄴ. 군집은 같은 지역에서 생활하는 모든 개체군의 집합이다.
바로 알기 ㄷ. 다양한 종으로 이루어져 먹이 그물이 복잡한 군집일수록 생태계 평형이 잘 깨지지 않아 안정적이다.

02 (1) 군집을 구성하는 개체군 중 개체 수가 매우 적은 개체군을 희소종이라고 한다.
(2) 개체 수가 많거나 차지하는 면적이 넓어 그 군집을 대표하는 개체군은 우점종이다.
(3) 특정 환경 조건을 충족하는 군집에서만 발견되어 그 군집의 특징을 나타내는 개체군은 지표종이다.
(4) 우점종은 아니지만 군집의 구조에 결정적인 영향을 미치는 개체군은 핵심종이다.

03 ㄴ. 방형구법을 이용하여 식물 군집을 조사할 때에는 방형구에 나타난 식물 종의 밀도, 빈도, 피도를 측정한다.
ㄷ. 조사한 각 종의 상대 밀도, 상대 빈도, 상대 피도를 합하여 중요도를 구하고 우점종을 결정한다.
바로 알기 ㄱ. 중요도가 가장 큰 종이 우점종이다.

04 (1) 초원은 강수량이 적은 곳에 형성되며, 지표면의 50 % 이상이 초본 식물로 덮여 있는 군집이다.
(2) 삼림은 강수량이 많고 식물이 자라기에 온도가 적당한 곳에 형성되는 대표적인 육상 군집이다.
(3) 수생 군집은 물이 풍부한 지역에 형성되어 수중 생활에 적응한 식물이 자라는 군집이다.
(4) 사막은 강수량이 매우 적고 바람이 강한 곳에 형성되어 건조한 환경에 적응한 몇몇 식물만 자라는 군집이다.

05 (1) 삼림 군집의 층상 구조는 식물이 햇빛을 최대한 활용할 수 있는 구조이므로, 삼림 군집의 층상 구조에 가장 크게 영향을 미치는 환경 요인은 빛의 세기이다.
(2) 광합성이 가장 활발하게 일어나는 층은 가장 강한 빛을 받는 교목층이다.

06 (가)는 위도에 따른 기온과 강수량의 차이로 나타나는 수평 분포이고, (나)는 고도에 따른 기온의 차이로 나타나는 수직 분포이다.

07 생태적 지위가 같은 두 개체군이 함께 살면 두 개체군 사이에 종간 경쟁이 심하게 일어난다. 그 결과 경쟁에서 이긴 개체군은 살아남고 경쟁에서 진 개체군은 사라지는데, 이를 경쟁·배타 원리라고 한다.

08 한 나무에 서식하는 5종의 새가 활동 영역을 달리하는 것은 경쟁을 피하기 위한 분서(생태 지위 분화)이다.

09 개체군 A와 B의 혼합 배양에서 A는 살아남았지만, B는 사라졌으므로 개체군 A와 B 사이의 상호 작용은 종간 경쟁이다. 개체군 C와 D의 혼합 배양에서 C의 최대 개체 수는 단독 배양했을 때보다 증가하고 D의 최대 개체 수는 단독 배양했을 때와 같다. 따라서 개체군 C와 D가 함께 살 때 C는 이익을 얻고, D는 이익도 손해도 없으므로, 개체군 C와 D 사이의 상호 작용은 편리공생이다.

10 ㉠에서 종 Ⅰ은 이익(+)을 얻지만 종 Ⅱ는 손해(−)를 보므로 ㉠은 기생이다. ㉡에서는 종 Ⅰ과 종 Ⅱ가 모두 이익(+)을 얻으므로 ㉡은 상리 공생이다. ㉢에서는 종 Ⅰ과 종 Ⅱ가 모두 손해(−)를 보므로 ㉢은 종간 경쟁이다.

11 (1) 치타가 가젤을 잡아먹는 것은 군집 내 개체군 간의 상호 작용 중 포식과 피식의 예이다.
(2) 촌충은 사람의 몸속에 살며 이익을 얻고 사람에게 해를 입히므로 촌충은 기생 생물, 사람은 숙주이며, 이들 사이의 상호 작용은 기생이다.
(3) 말미잘과 흰동가리는 서로 이익을 얻는 경우이므로 말미잘과 흰동가리 사이의 상호 작용은 상리 공생이다.
(4) 따개비는 혹등고래에 붙어 살면서 이익을 얻지만 혹등고래는 이익도 손해도 없으므로 따개비와 혹등고래 사이의 상호 작용은 편리공생이다.

12 (1) 산불에 의해 기존의 식물 군집이 파괴되어 없어진 지역에서 시작하는 천이는 2차 천이이다.
(2) 천이 과정에서 양수림이 음수림보다 먼저 형성되므로 A는 양수림, B는 음수림이다.

개념 적용 문제

2권 144쪽~147쪽

01 ② **02** ④ **03** ③ **04** ④ **05** ③ **06** ③
07 ② **08** ②

01 ㄷ. 각 종이 전체 방형구를 덮고 있는 면적은 모두 동일하다고 하였으므로 A~C의 피도와 상대 피도는 모두 동일하다. 따라서 밀도와 빈도, 상대 밀도와 상대 빈도만 계산하여 우점종을 찾는다. 제시된 자료로 각 종의 밀도와 빈도를 구하고 상대 밀도와 상대 빈도를 계산하면 다음 표와 같다.

식물 종	밀도	빈도	상대 밀도(%)	상대 빈도(%)
A	$\frac{2}{1(m^2)}=2$	$\frac{2}{100}=0.02$	$\frac{2}{20}\times100=10$	$\frac{0.02}{0.16}\times100=12.5$
B	$\frac{8}{1(m^2)}=8$	$\frac{8}{100}=0.08$	$\frac{8}{20}\times100=40$	$\frac{0.08}{0.16}\times100=50$
C	$\frac{10}{1(m^2)}=10$	$\frac{6}{100}=0.06$	$\frac{10}{20}\times100=50$	$\frac{0.06}{0.16}\times100=37.5$
계	20	0.16	100	100

우점종은 상대 밀도, 상대 빈도, 상대 피도를 합한 중요도가 가장 큰 종이다. A~C의 상대 피도는 모두 동일하므로, 상대 밀도와 상대 빈도의 합이 90으로 중요도가 가장 큰 B가 우점종이다. 그리고 A~C 중 상대 빈도도 B가 가장 높다.

바로 알기 ㄱ. $\frac{㉡}{㉠}=\frac{8}{0.02}=400$이다.
ㄴ. 우점종은 B이다.

02 ㄱ. 선태층(지표층)에는 생산자인 선태류, 분해자인 균류, 소비자인 지네, 공벌레 등이 서식한다.
ㄷ. 교목층은 관목층보다 키가 커서 빛의 세기가 강한 높이에 잎이 분포하므로 잎에 울타리 조직이 발달해 잎이 두껍다.

바로 알기 ㄴ. 삼림의 층상 구조는 햇빛을 최대로 활용하도록 되어 있는 구조이므로, 삼림의 층상 구조를 결정하는 가장 중요한 환경 요인은 빛의 세기이다.

03 그림은 위도에 따른 기온과 강수량의 차이로 형성된 식물 군집의 분포인 수평 분포를 나타낸 것이다.
ㄷ. ㉠이 높은 지역에 삼림 군집이 분포하므로 ㉠은 연평균 강수량이고, ㉡이 높은 지역에 열대 우림, 초원, 사막이 분포하므로 ㉡은 연평균 기온이다.

바로 알기 ㄱ. 수평 분포는 위도에 따른 식물 군집의 분포이다.
ㄴ. 활엽수림은 침엽수림보다 강수량이 많고 기온이 높은 지역에 형성되므로 저위도에 분포한다.

04 ㄴ, ㄷ. (나)에서 혼합 배양 시 B의 개체 수가 단독 배양 시보다 적으며 계속 줄어들다가 사라지므로 A와 B는 혼합 배양 시 종간 경쟁을 하여 경쟁에서 이긴 종(A)은 살아남고 경쟁에서 진 종(B)은 사라지는 경쟁 · 배타 원리가 적용되었음을 알 수 있다.

바로 알기 ㄱ. 구간 Ⅱ에서보다 구간 Ⅰ에서 생장 곡선의 기울기가 크므로 A의 개체군 생장 속도는 구간 Ⅰ에서가 구간 Ⅱ에서보다 빠르다.

05 ㄱ. (가)는 개체군 A와 B가 모두 손해(−)를 입으므로 종간 경쟁이며, 종간 경쟁은 개체군 A와 B의 생태적 지위가 비슷하기 때문에 일어난다.
ㄷ. (라)는 한쪽은 이익(+)을 얻고, 다른 쪽은 손해(−)를 입으므로 포식과 피식이며, 이익을 얻는 A는 포식자, 손해를 입는 B는 피식자이다.

바로 알기 ㄴ. (나)에서 한 개체군은 이익을 얻고, 다른 개체군은 이익도 손해도 없으므로, (나)는 편리공생이다. 콩과식물은 뿌리혹박테리아가 고정한 암모늄 이온을 흡수하여 질소 동화 작용을 하며, 뿌리혹박테리아는 콩과식물로부터 양분과 서식지를 제공받는다. 따라서 콩과식물과 뿌리혹박테리아 사이의 상호 작용은 (다) 상리 공생이다.

06 ㄷ. A를 제거하면 B가 (나)에도 서식한다고 하였으므로, A를 제거하면 (나)에서 B의 개체군 밀도가 증가한다.

바로 알기 ㄱ. B를 제거하여도 A는 (가)에 서식하지 못하는 것으로 보아 건조에 대한 내성은 B가 A보다 강하다는 것을 알 수 있다.
ㄴ. A가 (가)에 서식하지 않는 것은 건조에 대한 내성이 약하기 때문이다. (나)에는 A만 서식하고, A를 제거하면 B가 (나)에도 서식하는 것을 통해 (나)에서는 A와 B가 종간 경쟁을 하며, 경쟁 · 배타 원리가 적용되어 (나)에 B가 살지 못한다는 것을 알 수 있다.

07 ㄷ. 여러 종의 아메리카솔새가 한 나무 내에서 서로 다른 높이와 위치에서 먹이를 먹는 것은 경쟁을 피하기 위한 분서(생태 지위 분화)의 예에 해당한다.

바로 알기 ㄱ. (가)는 개체군 내 개체 간의 상호 작용이고, (나)는 군집 내 개체군 간의 상호 작용이다.
ㄴ. (나)에서 분서는 불필요한 경쟁을 피하기 위한 상호 작용이지만, 공생 중 상리 공생은 서로 이익을 주고받기 위한 것이고, 기생은 한쪽은 이익을 얻고 다른 쪽은 손해를 보는 상호 작용이다. 따라서 (나)의 상호 작용이 모두 불필요한 경쟁을 피하기 위한 것이라고 할 수 없다.

08 ㄴ. 용암 대지와 같이 토양이 없는 척박한 땅에서 시작되는 천이는 1차 천이이며, 1차 천이의 개척자인 A는 지의류이다. 지의류는 용암 대지를 산성화시켜 풍화를 촉진함으로써 토양이 형성되는 것을 촉진한다.

바로 알기 ㄱ. 용암 대지와 같이 토양이 없는 곳에서 시작되므로 1차 천이이다. 2차 천이는 토양이 이미 형성되어 있는 곳에서 시작된다.
ㄷ. B는 양수림, C는 음수림이다. B에서 C로 천이가 진행될수록 숲이 우거지며 층상 구조가 발달하여 지표면에 도달하는 빛의 세기가 감소한다.

04 에너지 흐름과 물질 순환

집중 분석 2권 155쪽~156쪽

유제 1 ③ **유제 2** ④

유제 1 ㄱ. ㉠은 에너지를 처음 받아들이므로 생산자이고, ㉠에서 ㉡으로 먹이 사슬을 따라 에너지가 이동하므로 ㉡은 소비자이다. ㉠과 ㉡의 사체와 배설물을 통해 에너지가 ㉢으로 이동하므로 ㉢은 분해자이다.

ㄴ. A는 10(=20−6−4), B는 4(=6−2), C는 8 (=4+2+2), D는 6(=8−2)이므로 A+B+C+D= 10+4+8+6=28이다.

바로 알기 ㄷ. 생산자(㉠)의 총생산량은 20이며, 순생산량은 총생산량에서 호흡량(A) 10을 제외한 양이므로 10이다. 따라서 생산자의 $\frac{\text{총생산량}}{\text{순생산량}}=\frac{20}{10}=2$이다.

유제 2 ㄴ. A는 생산자의 호흡량이고, B는 생산자의 피식량, 고사·낙엽량을 합한 것이다. 따라서 낙엽에 들어 있는 유기물의 양은 B에 포함된다.

ㄷ. 총생산량에서 순생산량을 뺀 것(A)이 호흡량인데, 천이가 진행됨에 따라 구간 Ⅰ에서 총생산량은 일정한데 순생산량은 감소하므로 호흡량(A)은 증가한다.

바로 알기 ㄱ. 초식 동물의 호흡량은 생산자의 피식량 중 일부이므로 A가 아니라 B에 포함된다.

개념 모아 정리하기

2권 157쪽

❶ 빛에너지 ❷ 광합성 ❸ 호흡 ❹ 분해자 ❺ 에너지 효율 ❻ 총생산량 ❼ 순생산량 ❽ 이산화 탄소(CO_2) ❾ 암모늄 이온(NH_4^+) ❿ 질산화 ⓫ 탈질산화 ⓬ 먹이 사슬

개념 기본 문제

2권 158쪽~159쪽

01 ㄱ, ㄷ **02** ㉠ 화학, ㉡ 열 **03** (가) 에너지, (나) 물질 **04** 생태 피라미드 **05** (1) 1차 소비자: 10 %, 2차 소비자: 20 % (2) ㄱ **06** (1) 총생산량 (2) 순생산량 (3) 1차 소비자(초식 동물) **07** (1) A: 생산자, B: 소비자(1차 소비자), C: 소비자(2차 소비자), D: 분해자 (2) (가) (3) ㄱ, ㄴ, ㄷ **08** (1) ㄴ (2) ㄱ (3) ㄹ **09** (1) (가) (2) (다) (3) ㄱ, ㄴ, ㄷ **10** ㄴ−ㄱ−ㄷ

01 ㄱ. 생태계를 유지하는 에너지의 근원은 태양으로부터 오는 빛에너지이다.

ㄷ. 한 영양 단계가 보유한 에너지 중 일부는 호흡으로 사용되고, 일부가 다음 영양 단계로 이동하므로 상위 영양 단계로 갈수록 각 영양 단계의 에너지양은 감소한다.

바로 알기 ㄴ. 생태계에서 에너지는 순환하지 않고 먹이 사슬을 따라 한 방향으로 흐르며, 최종적으로 열에너지의 형태로 방출되어 생태계 밖으로 빠져나간다.

02 생태계에서 태양의 빛에너지는 생산자의 광합성을 통해 유기물의 화학 에너지로 전환되며, 유기물의 화학 에너지는 호흡을 통해 열에너지로 전환된다. 따라서 생태계에서의 에너지 전환은 빛에너지 → 화학 에너지 → 열에너지 순으로 이루어진다.

03 생태계에서 에너지는 순환하지 않고 먹이 사슬을 따라 한 방향으로 흐르며, 열에너지 형태로 방출되어 생태계 밖으로 빠져나간다. 에너지와 달리 물질은 생태계에서 먹이 사슬을 따라 이동하다가 비생물 환경으로 돌아가며, 다시 생물로 유입되어 생물과 비생물 환경 사이를 순환한다. 따라서 (가)는 에너지, (나)는 물질이다.

04 먹이 사슬을 이루는 각 영양 단계의 에너지양, 개체 수, 생물량(생체량)을 하위 영양 단계부터 상위 영양 단계로 순서대로 쌓아올린 그림을 생태 피라미드라고 한다.

05 (1) 에너지 효율(%)은 한 영양 단계에서 다음 영양 단계로 이동하는 에너지의 비율로, $\frac{\text{현 영양 단계의 에너지양}}{\text{전 영양 단계의 에너지양}}\times 100$으로 계산한다. 따라서 1차 소비자의 에너지 효율은

$\frac{\text{1차 소비자의 에너지양}}{\text{생산자의 에너지양}}\times 100=\frac{100}{1000}\times 100=10(\%)$이고,

2차 소비자의 에너지 효율은

$\frac{\text{2차 소비자의 에너지양}}{\text{1차 소비자의 에너지양}}\times 100=\frac{20}{100}\times 100=20(\%)$이다.

(2) ㄱ. 빛에너지는 생산자의 광합성을 통해 화학 에너지로 전환되어 유기물에 저장된 상태로 먹이 사슬을 따라 이동한다.

바로 알기 ㄴ. 생산자는 생태계로 들어온 태양 에너지 중 일부를 광합성에 이용한다.

ㄷ. 1차 소비자는 호흡을 통해 유기물에 저장된 에너지의 일부를 열에너지로 전환하여 방출하며, 방출된 열에너지는 생태계 밖으로 빠져나가므로 다른 생물이 이용하지 못한다.

06 (1) 식물 군집이 일정 기간 동안 광합성으로 합성한 유기물의 총량을 총생산량이라고 한다.

(2) 총생산량 (가)에서 호흡량을 뺀 (나)는 순생산량이다. 순생산량은 피식량, 고사·낙엽량, 생장량을 합한 양이다.

(3) 생산자의 피식량은 1차 소비자(초식 동물)의 섭식량과 같다.

07 (1) 생물 A는 대기 중의 이산화 탄소를 흡수하여 광합성을 하는 생산자이다. 생산자가 합성한 유기물은 먹이 사슬을 따라 소비자에게 전달되므로 생물 B는 1차 소비자, 생물 C는 2차 소비자이다. 생산자와 소비자의 사체와 배설물 속에 포함된 유기물은 분해자에 의해 이산화 탄소로 분해되어 대기 중으로 돌아가므로 생물 D는 분해자이다.

(2) 대기 중의 이산화 탄소에 포함된 탄소는 생산자(생물 A)의 광합성에 의해 유기물로 합성되므로 (가)가 광합성이다.

(3) ㄱ. 생산자의 광합성으로 합성된 유기물의 탄소는 먹이 사슬을 따라 소비자로 이동한다.

ㄴ. 사체나 배설물 속의 유기물에 포함된 탄소는 분해자의 호흡에 의해 이산화 탄소의 형태로 방출된다.

ㄷ. (라)는 석탄, 석유와 같은 화석 연료가 연소되는 과정으로, 이 과정에서 이산화 탄소가 방출되므로 이 과정이 과도하게 일어나면 대기 중의 이산화 탄소 농도가 증가한다.

08 (1) 토양 속의 질산화 세균이 암모늄 이온을 질산 이온으로 전환하는 과정은 질산화 작용이다.

(2) 대기 중의 질소가 뿌리혹박테리아와 같은 질소 고정 세균에 의해 암모늄 이온으로 전환되는 과정은 질소 고정이다.

(3) 식물이 뿌리를 통해 흡수한 암모늄 이온이나 질산 이온을 이용하여 단백질, 핵산과 같은 질소 화합물을 합성하는 과정은 질소 동화 작용이다.

09 (1) 질소 고정 세균은 대기 중의 질소(N_2)를 암모늄 이온(NH_4^+)으로 전환하는 질소 고정(가)에 관여한다.

(2) 탈질산화 세균은 질산 이온(NO_3^-)을 질소 기체(N_2)로 만드는 탈질산화 작용(다)에 관여한다.

(3) ㄱ. (가) 질소 고정에는 질소 고정 세균이, (나) 질산화 작용에는 질산화 세균이, (다) 탈질산화 작용에는 탈질산화 세균이 각각 관여한다.

ㄴ. 식물은 대기 중의 질소(N_2)를 직접 이용하지 못하고, (가) 질소 고정 과정을 통해 전환된 암모늄 이온(NH_4^+)이나 질산 이온(NO_3^-)을 이용한다.

ㄷ. 생산자인 식물의 질소 동화 작용으로 합성된 유기물에 포함된 질소는 먹이 사슬을 따라 소비자에게 전달된다.

10 1차 소비자의 개체 수가 증가하면 2차 소비자의 개체 수가 증가하고 생산자의 개체 수는 감소한다(ㄴ). 그 결과 1차 소비자의 개체 수가 감소하며(ㄱ), 이에 따라 생산자의 개체 수가 증가하고 2차 소비자의 개체 수는 감소하여(ㄷ) 생태계 평형을 회복한다.

개념 적용 문제 2권 160쪽~162쪽

01 ③ **02** ③ **03** ④ **04** ④ **05** ⑤ **06** ②

01 ㄱ. A는 태양의 빛에너지를 흡수하여 광합성을 통해 유기물의 화학 에너지로 전환하는 생산자이다. 생산자가 합성한 유기물은 먹이 사슬을 따라 소비자로 이동하므로 B는 1차 소비자, C는 2차 소비자이다.

ㄷ. 태양으로부터 생태계로 들어오는 에너지 중 일부만 생산자(A)의 광합성에 이용된다. 또, 생산자의 에너지 중 일부는 호흡을 통해 열에너지로 방출되며, 나머지가 소비자와 분해자에게 전달된다. 1차 소비자(B)와 2차 소비자(C)도 각각 에너지의 일부를 호흡을 통해 열에너지로 방출하고, 일부가 분해자로 전달된다. 따라서 태양으로부터 생태계로 들어오는 에너지양은 분해자로 전달되는 에너지양보다 많다.

바로 알기 ㄴ. 생태계에서 에너지는 순환하지 않고 먹이 사슬을 따라 한 방향으로 이동하며, 물질은 생물과 비생물 환경 사이를 순환한다.

02 ㄱ. A는 태양의 빛에너지를 흡수하여 광합성을 통해 유기물의 화학 에너지로 전환하는 생산자이다.

ㄷ. A(생산자)의 에너지양은 $1000000-999000=1000$이고, 1차 소비자(B)의 에너지 효율이 10 %이므로 1차 소비자(B)의 에너지양은 100이다. 2차 소비자의 에너지양은 $20(=15+5)$이므로 2차 소비자의 에너지 효율은

$$\frac{\text{2차 소비자의 에너지양}}{\text{1차 소비자(B)의 에너지양}}\times 100=\frac{20}{100}\times 100=20(\%)\text{이}$$

다. 따라서 에너지 효율은 2차 소비자(20 %)가 1차 소비자(10 %)의 2배이다.

바로 알기 ㄴ. A(생산자)의 에너지양 1000에서 호흡으로 800이 방출되고 1차 소비자(B)에게 100이 전달되므로 ㉠은 100이다. 1차 소비자(B)의 에너지양 100에서 10은 사체, 배설물로 방출되고, 20은 2차 소비자에게 전달되므로 ㉡은 70이다. 따라서 ㉠+㉡$=100+70=170$이다.

03 ㄴ. 에너지 피라미드는 에너지양을 하위 영양 단계부터 상위 영양 단계로 순서대로 쌓아 올린 것이다. 따라서 (가)에서 생산자의 에너지양은 100, 2차 소비자의 에너지양은 2로, 생산자의 에너지양이 2차 소비자의 에너지양보다 많다.

ㄷ. (나)에서 생산자의 에너지양은 100, 1차 소비자의 에너지양은 20, 2차 소비자의 에너지양은 2이다. 생산자에서 1차 소비자로 20이, 1차 소비자에서 2차 소비자로 2가 이동하므로, 상위 영양 단계로 갈수록 전달되는 에너지양은 감소한다.

바로 알기 ㄱ. 2차 소비자의 에너지 효율(%)은

$\frac{\text{2차 소비자의 에너지양}}{\text{1차 소비자의 에너지양}} \times 100$이므로 (가)에서는 $\frac{2}{10} \times 100 = 20(\%)$이고, (나)에서는 $\frac{2}{20} \times 100 = 10(\%)$이다. 따라서 2차 소비자의 에너지 효율은 (가)에서가 (나)에서의 2배이다.

04 ㄱ. (가)는 생산자의 총생산량, (나)는 1차 소비자의 섭식량이다. 생산자의 순생산량은 총생산량에서 호흡량을 제외한 양이므로 $100-40=60(\%)$이고 생장량은 30 %이다. 따라서 생산자의 순생산량은 생장량의 2배이다.

ㄷ. (가)의 피식량(15 %)이 1차 소비자의 섭식량(나)에 해당하고, (나)의 피식량(20 %)이 2차 소비자의 섭식량에 해당한다. 따라서 2차 소비자의 섭식량은 (가)의 피식량(15 %)의 20 %에 해당하므로 생산자의 총생산량 중 $3(=15\times0.2)$ %가 2차 소비자에게 전달된다고 볼 수 있다.

바로 알기 ㄴ. (가)에서 생산자의 호흡량은 40 %이고, 1차 소비자의 호흡량은 (가)의 피식량(15 %) 중 일부이다. 따라서 생산자의 호흡량은 1차 소비자의 호흡량보다 많다.

05 ㄱ. (가)는 대기 중의 이산화 탄소가 광합성에 의해 유기물로 합성되는 과정이다.

ㄴ. 생물 A는 생산자로 대기 중의 이산화 탄소를 흡수하여 유기물로 합성하며, 합성된 유기물은 먹이 사슬을 따라 생물 B(소비자)로 이동한다. 유기물에는 탄소가 포함되어 있으므로 탄소는 유기물의 형태로 생물 A에서 B로 이동하는 것이다.

ㄷ. 생물 C는 사체와 배설물을 분해하여 이산화 탄소를 대기 중으로 돌려보내므로 분해자이다. 곰팡이는 분해자에 해당한다.

06 ㄴ. (나) 과정은 질산화 작용으로, 질산화 세균에 의해 토양 속의 암모늄 이온(NH_4^+)이 질산 이온(NO_3^-)으로 전환된다.

바로 알기 ㄱ. (가) 과정은 질소 고정 세균에 의한 질소 고정 과정이다. 공중 방전에 의해서는 대기 중의 질소(N_2)가 질산 이온(NO_3^-)으로 전환된다.

ㄷ. (다) 과정은 탈질산화 세균에 의한 탈질산화 작용이다. 뿌리혹박테리아는 (가) 질소 고정 과정에서 작용한다.

통합 실전 문제

2권 164쪽~169쪽

01 ④	02 ④	03 ①	04 ②	05 ③	06 ⑤
07 ③	08 ③	09 ③	10 ②	11 ②	12 ①

01 ㄴ. 개체군은 같은 지역에서 생활하는 같은 종의 개체로 이루어진 집단이다. 따라서 개체군 A는 같은 종의 개체로 구성되어 있다.

ㄷ. ㉠은 비생물적 요인이 생물에 영향을 주는 작용, ㉡은 생물이 비생물적 요인에 영향을 주는 반작용이다. 낙엽이 쌓이면 토양이 비옥해지는 것은 생물이 비생물적 요인에 영향을 주는 것이므로 반작용(㉡)에 해당한다.

바로 알기 ㄱ. 생태계는 생물적 요인과 비생물적 요인으로 구성되며, 분해자는 생물적 요인에 해당한다.

02 ㄴ. A종의 식물 ㉠은 암기(빛이 없는 시간)가 임계 암기보다 짧은 조건(Ⅰ)에서는 개화하지 않았고, ㉡은 암기가 임계 암기보다 긴 조건(Ⅱ)에서 개화하였다. 따라서 A종의 식물은 지속된 암기가 임계 암기보다 길 때 개화하는 단일 식물이다. 단일 식물은 지속된 암기가 임계 암기보다 길어야 개화하는데, 조건 Ⅲ에서는 암기 중간에 빛을 비춰 주어 지속된 암기가 임계 암기보다 짧으므로 ㉢은 개화하지 않는다. 따라서 ⓐ는 '×'이다.

ㄷ. 이 실험에서 식물의 개화에 영향을 주는 환경 요인 X는 일조 시간이다. 일조 시간은 식물의 개화와 동물의 생식 시기에 영향을 미친다.

바로 알기 ㄱ. A종은 단일 식물이다.

03 ㄱ. 개체군 밀도는 일정한 공간에 서식하는 개체군의 개체 수이다. (가)에서 A의 개체 수는 t_1일 때 100, t_2일 때 200이다. 따라서 A의 개체군 밀도는 t_1일 때가 t_2일 때보다 낮다.

바로 알기 ㄴ. (나)의 구간 Ⅰ에서 A의 개체 수가 증가하지 않고 일정하게 유지되는 것은 환경 저항이 작용하기 때문이다.

ㄷ. (나)에서 일정 시간이 지나면 A는 개체 수를 일정하게 유지하지만 B는 점차 사라진다. 이는 혼합 배양 시 A와 B 사이에 종간 경쟁이 일어난 결과 경쟁·배타 원리가 적용되었기 때문이다.

04 ㄷ. 우점종은 군집에서 개체 수가 많거나 넓은 면적을 차지하여 중요도(중요치)가 가장 큰 종이다. 중요도는 상대 밀도, 상대 빈도, 상대 피도를 합하여 구한다. 조사 결과를 보면 A~C 중 C는 개체 수가 가장 많으므로 밀도가 가장 높고, 4개의 방형구에 모두 출현하였으므로 빈도도 높다. 또, 차지한 방형구 칸 수도 가장 많으므로 피도도 가장 높다. 따라서 A~C 중 C의 중요도가 가장 크며, 이 군집의 우점종은 C라는 것을 알 수 있다.

한편, A~C의 중요도를 계산하여 우점종을 알아볼 수도 있으며, 그 방법은 다음과 같다.

- 밀도 $= \dfrac{\text{특정 종의 개체 수}}{\text{조사한 면적}(m^2)}$
- 빈도 $= \dfrac{\text{특정 종이 출현한 방형구의 수}}{\text{조사한 방형구의 총 수}}$
- 피도 $= \dfrac{\text{특정 종이 차지한 면적}(m^2)}{\text{조사한 면적}(m^2)}$
- 상대 밀도(%) $= \dfrac{\text{특정 종의 밀도}}{\text{조사한 모든 종의 밀도 합}} \times 100$
- 상대 빈도(%) $= \dfrac{\text{특정 종의 빈도}}{\text{조사한 모든 종의 빈도 합}} \times 100$
- 상대 피도(%) $= \dfrac{\text{특정 종의 피도}}{\text{조사한 모든 종의 피도 합}} \times 100$

- 밀도는 A가 $\dfrac{4}{4(m^2)}=1$, B가 $\dfrac{10}{4(m^2)}=2.5$, C가 $\dfrac{25}{4(m^2)}=6.25$이다. A~C 밀도 합은 $1+2.5+6.25=9.75$이므로 상대 밀도(%)는 A가 $\dfrac{1}{9.75}\times100 \fallingdotseq 10.26$, B가 $\dfrac{2.5}{9.75}\times100 \fallingdotseq 25.64$, C가 $\dfrac{6.25}{9.75}\times100 \fallingdotseq 64.10$이다.
- 빈도는 A가 $\dfrac{2}{4}=0.5$, B가 $\dfrac{4}{4}=1$, C가 $\dfrac{4}{4}=1$이다.
  A~C 빈도 합은 $0.5+1+1=2.5$이므로 상대 빈도(%)는 A가 $\dfrac{0.5}{2.5}\times100=20$, B와 C가 $\dfrac{1}{2.5}\times100=40$이다.
- 방형구 1칸의 면적은 $\dfrac{1}{25}=0.04(m^2)$이다. 피도는 A가 $\dfrac{4\times0.04(m^2)}{4(m^2)}=0.04$, B가 $\dfrac{6\times0.04(m^2)}{4(m^2)}=0.06$, C가 $\dfrac{25\times0.04(m^2)}{4(m^2)}=0.25$이다.
  A~C 피도 합은 $0.04+0.06+0.25=0.35$이므로 상대 피도(%)는 A가 $\dfrac{0.04}{0.35}\times100 \fallingdotseq 11.43$, B가 $\dfrac{0.06}{0.35}\times100 \fallingdotseq 17.14$, C가 $\dfrac{0.25}{0.35}\times100 \fallingdotseq 71.43$이다.

A~C의 상대 밀도, 상대 빈도, 상대 피도를 합하여 중요도를 계산하면 표와 같으며, 계산 결과 C의 중요도가 가장 크므로 C가 우점종이다.

종	상대 밀도(%)	상대 빈도(%)	상대 피도(%)	중요도
A	10.26	20	11.43	41.69
B	25.64	40	17.14	82.78
C	64.10	40	71.43	175.53

바로 알기 ㄱ. 밀도가 가장 높은 종은 개체 수가 가장 많은 C이다.
ㄴ. B의 상대 빈도는 40 %이다.

05 ㄷ. t에서 A의 개체 수는 10^4마리이고, B의 개체 수는 10^3마리이므로 A의 개체군 밀도가 B의 개체군 밀도보다 높다.

바로 알기 ㄱ. A가 증가하면 B가 증가하고, A가 감소하면 B가 감소하므로 A는 피식자, B는 포식자이다.
ㄴ. 구간 Ⅰ은 피식자(A)의 개체 수가 감소하고 포식자(B)의 개체 수는 증가하므로 (나)의 ㉡에 해당한다.

06 ㄱ. 포식과 피식은 군집 내 개체군 간의 상호 작용이다. 따라서 ㉠은 '개체군 내의 상호 작용인가?'이며, C는 상리 공생이다. 텃세와 순위제 중 힘의 강약에 따라 서열이 정해지는 것은 순위제이다. 따라서 ㉡은 '힘의 강약에 따라 서열이 정해지는가?'이며, A는 순위제, B는 텃세이다. 호랑이가 배설물로 자기 영역을 표시하는 것은 개체군 내의 상호 작용인 텃세이므로 B의 예이다.
ㄴ. 상리 공생(C)은 함께 사는 두 종의 개체군이 모두 이익을 얻는 군집 내 개체군 간의 상호 작용이다.
ㄷ. 상리 공생(C) 관계인 두 개체군이 함께 살면 떨어져 살 때보다 둘 다 개체 수가 증가하므로 두 개체군 모두 환경 수용력이 증가한다.

07 ㄱ. 호수와 같이 습한 곳에서 시작하는 천이는 습성 천이이다.
ㄷ. C는 양수림이며, C에서는 상층부에서 하층부로 갈수록 빛의 세기와 양이 줄어든다. 보상점은 호흡량과 광합성량이 같을 때의 빛의 세기이며, 빛이 강한 곳에 사는 식물은 보상점이 높고, 빛이 약한 곳에 사는 식물은 보상점이 낮다. 따라서 C에서 보상점의 평균값은 상층부의 식물이 하층부의 식물보다 높다.

바로 알기 ㄴ. 습성 천이에서는 호수에 퇴적물이 쌓인 후 습생 식물이 개척자로 들어와 습원이 형성되고, 초원이 형성되면서 건성 천이와 같은 과정을 거친다. 따라서 A는 초원, B는 관목림, C는 양수림, D는 음수림이며, A의 우점종은 지의류가 아니라 초본 식물이다.

08 ㄱ. ㉠은 생산자, ㉡은 1차 소비자, ㉢은 2차 소비자, ㉣은 3차 소비자이다. 에너지가 생산자 → 1차 소비자 → 2차 소비자 → 3차 소비자로 이동하면서 각 영양 단계에서 에너지 일부가 호흡을 통해 열에너지로 빠져나가므로, 상위 영양 단계로 갈수록 전달되는 에너지양은 감소한다.
ㄷ. 분해자가 이용 가능한 에너지 총량은 $100+10+1+0.1=111.1$이고 소비자가 호흡을 통해 소모한 에너지 총량은 $70+15+3.9=88.9$이므로, 분해자가 이용 가능한 에너지 총량은 소비자가 호흡을 통해 소모한 에너지 총량보다 많다.

바로 알기 ㄴ. 생산자(㉠)의 에너지양은 1000, 1차 소비자(㉡)의 에너지양은 100(=1000−800−100), 2차 소비자(㉢)의 에너지양은 20(=100−70−10), 3차 소비자(㉣)의 에너지양은 4(=20−15−1)이다.
2차 소비자의 에너지 효율은
$\frac{\text{2차 소비자의 에너지양}}{\text{1차 소비자의 에너지양}} \times 100 = \frac{20}{100} \times 100 = 20(\%)$이고,
3차 소비자의 에너지 효율은
$\frac{\text{3차 소비자의 에너지양}}{\text{2차 소비자의 에너지양}} \times 100 = \frac{4}{20} \times 100 = 20(\%)$이다.
따라서 2차 소비자와 3차 소비자의 에너지 효율은 같다.

09 ㄱ. 총생산량은 식물 군집이 생산한 유기물의 총량이고, 호흡량은 총생산량 중 호흡에 소모된 유기물의 양이므로 A가 총생산량이고, B는 호흡량이다.
ㄷ. 식물 군집은 시간이 지나면서 양수림을 거쳐 음수림으로 변하고, 음수림이 되었을 때 안정된 상태를 유지하는 극상을 이룬다. 극상에 이르면 총생산량과 호흡량이 크게 변하지 않고 거의 일정한 상태를 유지한다. 따라서 구간 Ⅲ에서 이 식물 군집은 극상을 이룬 상태이다.

바로 알기 ㄴ. 순생산량은 총생산량(A)에서 호흡량(B)을 뺀 값이므로 각 구간에서 A와 B 사이의 면적에 해당한다. 구간 Ⅰ과 구간 Ⅱ에서 호흡량(B)은 거의 같은데 순생산량은 구간 Ⅰ에서가 구간 Ⅱ에서보다 많다. 따라서 $\frac{\text{B(호흡량)}}{\text{순생산량}}$는 구간 Ⅰ에서가 구간 Ⅱ에서보다 작다.

10 ㄴ. 대기 중의 질소(N_2)는 토양 속 질소 고정 세균에 의해 암모늄 이온(NH_4^+)으로 고정되고, 암모늄 이온(NH_4^+)은 식물의 뿌리로 흡수되거나 질산화 작용을 거쳐 질산 이온(NO_3^-)으로 산화되어 뿌리로 흡수된다. 따라서 A는 암모늄 이온(NH_4^+), B는 질산 이온(NO_3^-)이며, (가)는 질산화 작용이다.

바로 알기 ㄱ. A는 암모늄 이온(NH_4^+)이다.
ㄷ. 식물은 뿌리로 흡수한 질산 이온(NO_3^-)을 암모늄 이온(NH_4^+)으로 전환하여 핵산이나 단백질 같은 질소 화합물을 합성한다. 따라서 유기물 ㉠은 핵산이나 단백질 같은 질소 화합물이다. 글리코젠은 탄소, 수소, 산소로 구성된 탄수화물의 일종이다.

11 ㄴ. 뿌리혹박테리아에 의해 고정되는 기체는 질소(N_2)이므로, ㉠은 질소(N_2), ㉡은 이산화 탄소(CO_2)이다.

바로 알기 ㄱ. 뿌리혹박테리아는 질소 고정 세균으로, 대기 중 질소(N_2)를 암모늄 이온(NH_4^+)으로 전환시킨다.
ㄷ. (나)는 대기 중의 이산화 탄소(CO_2)를 받아들이기도 하고 대기 중으로 이산화 탄소(CO_2)를 방출하기도 한다. 생산자는 대기 중의 이산화 탄소(CO_2)를 흡수하여 광합성으로 유기물을 합성하고, 호흡으로 유기물을 분해하여 이산화 탄소(CO_2)를 대기 중으로 방출한다. 따라서 (나)는 생산자이고, (가)는 소비자이다.

12 ㄱ. 이 지역의 먹이 사슬은 풀 → 사슴 → 늑대이다. 따라서 1905년 사슴의 천적인 늑대의 사냥을 허가한 이후 사슴의 개체 수가 증가한 것은 포식자의 개체 수 감소에 따른 것이다. 이후 사슴의 개체 수 증가로 사슴의 먹이인 풀이 크게 줄어들어 초원의 생산량은 감소하게 되었다.

바로 알기 ㄴ. 사슴의 천적인 늑대의 사냥을 허가한 이후 사슴의 개체 수가 기하급수적으로 증가하였으나 이후 초원의 생산량 감소로 사슴의 개체 수가 급격하게 감소하였다. 따라서 사슴 개체군의 생장 곡선은 S자 모양을 나타내지 않는다.
ㄷ. 1925년 무렵부터 사슴의 개체 수가 감소하게 된 가장 큰 원인은 사슴의 먹이인 초원의 생산량 감소이다.

사고력 확장 문제

2권 170쪽~173쪽

01 (1) 생태계는 빛, 물, 공기, 토양, 온도 등의 비생물적 요인과 생물적 요인으로 구성된다. 생물적 요인은 생태계 내의 모든 생물을 말한다. 생물적 요인은 같은 종의 개체끼리 모여 개체군을 이루고, 여러 개체군이 모여 군집을 이룬다. 한편, 생물적 요인은 생태계에서 담당하는 역할에 따라 생산자, 소비자, 분해자로 구분된다.
(2) ㉠은 비생물적 요인이 생물에 영향을 주는 작용, ㉡은 생물이 비생물적 요인에 영향을 주는 반작용이다. ㉢과 ㉣은 생물끼리 서로 영향을 주고받는 상호 작용인데, ㉢은 군집 내 개체군 간의 상호 작용, ㉣은 개체군 내 개체 간의 상호 작용이다. 군집 내 개체군 간의 상호 작용으로는 종간 경쟁, 분서(생태 지위 분화), 포식과 피식, 공생, 기생이 있고, 개체군 내 개체 간의 상호 작용으로는 텃세, 순위제, 리더제, 사회생활, 가족생활이 있다.

모범 답안 (1) 생태계는 비생물적 요인과 생물적 요인으로 구성되어 있다. 비생물적 요인은 생물을 둘러싸고 있는 빛, 물, 공기, 토양, 온도 등의 무기 환경을 말하며, 생물적 요인은 생태계의 모든 생물로 생물 군집을 말한다. 생물 군집은 여러 개체군으로 이루어져 있고, 각각의 개체군은 같은 종의 개체끼리 모여 이루어진 집단이다.
(2) ㉠은 작용, ㉡은 반작용, ㉢은 군집 내 개체군 간의 상호 작용, ㉣은 개체군 내의 상호 작용이다. ㉠의 예로는 추운 지역에 사는 북극여우가 더운 지역에 사는 사막여우보다 몸집이 크고 귀가 작은 것이 있다. ㉡의 예로는 지렁이가 흙 속을 파헤치고 다니면 토양의 통기성이 높아

지는 것이 있다. ⓒ의 예로는 뿌리혹박테리아가 콩과식물과 공생하는 것, ⓓ의 예로는 여왕개미와 일개미가 역할을 분담하는 것이 있다.

	채점 기준	배점(%)
(1)	비생물적 요인, 생물적 요인, 군집, 개체군, 개체를 모두 포함하여 옳게 서술한 경우	50
	비생물적 요인, 생물 군집만 포함하여 서술한 경우	20
(2)	㉠~㉣에 해당하는 용어와 그 예를 모두 옳게 서술한 경우	50
	㉠~㉣에 해당하는 용어와 그 예 중 절반만 서술한 경우	25

02 (1) (나)에서 증가한 개체 수는 개체군 밀도가 증가할수록 증가하다가 개체군 밀도가 어느 수준에 이르면 점차 감소하여 0이 된다. (나)와 같이 증가한 개체 수가 0 이상이려면 출생한 개체 수가 사망한 개체 수보다 많아야 한다.

(2) (나)에서 증가한 개체 수는 개체군의 생장 속도를 의미하는데, 증가한 개체 수가 처음에는 증가하다가 개체군 밀도가 어느 수준에 이르면 점차 감소하여 0이 되는 것을 통해 개체군 ㉠의 생장 곡선은 실제 생장 곡선 형태인 S자 모양을 나타낸다는 것을 알 수 있다.

모범 답안 (1) A는 출생한 개체 수, B는 사망한 개체 수이다. 증가한 개체 수는 '출생한 개체 수−사망한 개체 수'인데 (나)에서 증가한 개체 수가 0 이상이므로 출생한 개체 수가 사망한 개체 수보다 많거나 같기 때문이다.

(2) S자 모양을 나타낸다. (나)에서 초기에는 개체군 밀도가 증가함에 따라 증가한 개체 수가 빠르게 증가하다가 개체군 밀도가 어느 수준에 이르면 점차 감소하여 결국 0이 되는데, 이러한 개체군의 생장 형태는 개체군 밀도가 증가함에 따라 환경 저항이 증가하여 개체 수 증가를 억제하기 때문에 나타난다.

	채점 기준	배점(%)
(1)	A와 B가 무엇인지 옳게 쓰고, 그와 같이 판단한 까닭을 옳게 서술한 경우	50
	A와 B가 무엇인지만 쓴 경우	20
(2)	개체군 ㉠의 생장 곡선 형태를 옳게 쓰고, 그와 같은 생장 곡선을 나타내는 까닭을 옳게 서술한 경우	50
	개체군 ㉠의 생장 곡선 형태만 쓴 경우	20

03 (가)는 어린 연령대의 사망률이 낮고 대부분의 개체가 수명을 다하고 사망하므로 생존 곡선 유형 중 Ⅰ형에 가깝다. (나)는 전체 연령대에서 사망률이 비교적 일정하므로 Ⅱ형에 가깝다. (다)는 어린 연령대의 사망률이 높으므로 Ⅲ형에 가깝다.

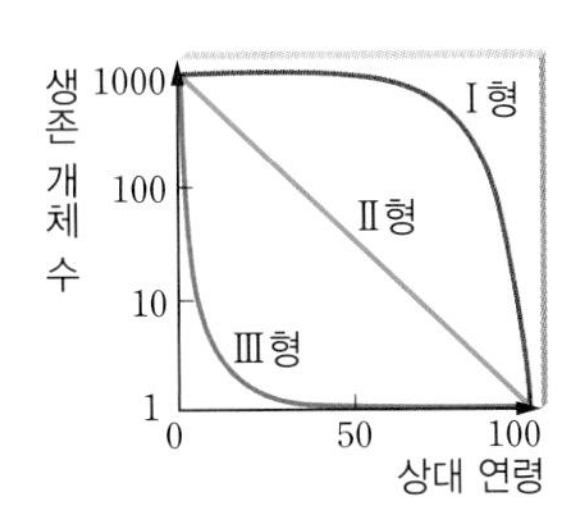

모범 답안 개체군 (가)~(다)의 생존 곡선 유형이 서로 다르게 나타나는 것은 연령대별 사망률이 서로 다르기 때문이다. (가)는 어린 개체의 사망률이 낮고 노년에 사망률이 높다. (나)는 전체 연령대에서 사망률이 비교적 일정하다. (다)는 어린 개체의 사망률이 높고 개체가 성장하면서 사망률이 낮아진다.

채점 기준	배점(%)
개체군 (가)~(다)의 생존 곡선 유형이 서로 다르게 나타나는 까닭을 사망률과 연관 지어 옳게 서술한 경우	100
개체군 (가)~(다)의 생존 곡선 유형을 사망률과 연관 지어 설명하지 못하고 유형만 옳게 구분한 경우	30

04 연령 피라미드는 발전형, 안정형, 쇠퇴형으로 유형이 구분되며, 연령 피라미드의 유형에 따라 그 개체군의 크기가 앞으로 어떻게 변할지 예측할 수 있다. (가)는 발전형, (나)는 안정형, (다)는 쇠퇴형이다.

모범 답안 (가)는 앞으로 개체 수가 증가할 것으로 예측되는데, 그 까닭은 생식 전 연령층의 비율이 상대적으로 높기 때문이다. (나)는 앞으로 개체 수의 변화가 거의 없을 것으로 예측되는데, 그 까닭은 생식 전 연령층의 비율이 생식 연령층의 비율과 비슷하기 때문이다. (다)는 개체 수가 감소할 것으로 예측되는데, 그 까닭은 생식 전 연령층의 비율이 상대적으로 낮기 때문이다.

채점 기준	배점(%)
(가)~(다)의 개체 수 변화를 옳게 예측하고, 그 근거를 생식 전 연령층의 비율과 연관 지어 옳게 서술한 경우	100
(가)~(다)의 개체 수 변화만 옳게 예측하고, 그 근거를 옳게 서술하지 못한 경우	50

05 (가)에서 A종은 Ⅰ~Ⅳ 구간에 서식하고 (나)에서 B종은 Ⅱ~Ⅴ 구간에 서식하므로, A종과 B종은 생태적 지위가 Ⅱ~Ⅳ 구간에서 겹친다. 따라서 (다)에서 A종과 B종은 Ⅱ~Ⅳ 구간에서 종간 경쟁이 일어났으며, 그 결과 Ⅱ와 Ⅳ 구간에서 각각 A종과 B종 중 한 종만 살아남는 경쟁·배타가 일어났다고 볼 수 있다.

모범 답안 (1) B종이 A종보다 건조에 대한 내성이 더 크다. (가)와 (다)에서 A종은 물속 및 물과 가까운 육지에 서식하지만, (나)와 (다)에서 B종은 A종보다 물과 먼 육지 쪽까지 넓게 퍼져서 서식하기 때문이다.

(2) 종간 경쟁

(3) (다)의 Ⅱ~Ⅳ 구간에서 A종과 B종은 생태적 지위가 겹쳐 종간 경쟁이 일어났고, Ⅱ와 Ⅳ 구간에서 종간 경쟁의 결과 경쟁·배타가 일어났기 때문에 A종과 B종 중 한 종만 살아남았다.

	채점 기준	배점(%)
(1)	B라고 쓰고, 그와 같이 판단한 까닭을 제시된 자료를 분석하여 옳게 서술한 경우	30
	B라고 썼지만, 그와 같이 판단한 까닭을 옳게 서술하지 못한 경우	10
(2)	종간 경쟁이라고 옳게 쓴 경우	20
(3)	Ⅱ, Ⅳ 구간에서 종간 경쟁 결과 경쟁·배타가 일어났기 때문이라고 옳게 서술한 경우	50
	Ⅱ, Ⅳ 구간에서 종간 경쟁 결과 한 종만 살아남았기 때문이라고 서술한 경우	30

06 (1) A는 B와 C로부터 유기물을 전달받아 이산화 탄소로 분해하여 대기 중으로 방출하는 분해자이다. B는 대기 중 이산화 탄소를 받아들이고 내보내는 생산자이며, C는 생산자(B)로부터 유기물을 전달받아 호흡을 통해 이산화 탄소로 분해하여 대기 중으로 방출하는 소비자이다.

(2) ㉠은 생산자(B)가 대기 중의 이산화 탄소를 흡수하여 유기물로 합성하는 광합성이고, ㉡은 소비자(C)가 유기물을 분해하여 생명 활동에 필요한 에너지를 얻고 그 결과 생성된 이산화 탄소를 대기 중으로 방출하는 호흡이다. 광합성과 호흡은 모두 생물체 내에서 일어나는 물질대사이다.

모범 답안 (1) 대기 중의 이산화 탄소는 광합성을 통해 유기물로 합성되며, 광합성은 생산자에서 일어나므로 B는 생산자이다. 생산자가 합성한 유기물은 먹이 사슬을 따라 소비자로 이동하므로 C는 소비자이다. 생산자와 소비자의 사체와 배설물 속 유기물은 분해자로 전달되고, 분해자에 의해 이산화 탄소로 분해되어 대기 중으로 방출되므로 A는 분해자이다.

(2) • 공통점: 생물체 내에서 일어나는 화학 반응인 물질대사이다, 효소가 관여한다, 에너지 출입이 일어난다 중 한 가지

• 차이점: ㉠은 유기물을 합성하는 과정이고 ㉡은 유기물을 분해하는 과정이다, ㉠은 동화 작용이고 ㉡은 이화 작용이다, ㉠은 흡열 반응(에너지 흡수)이고 ㉡은 발열 반응(에너지 방출)이다 중 한 가지

	채점 기준	배점(%)
(1)	A~C가 각각 무엇인지를 탄소 순환 과정과 연관 지어 옳게 서술한 경우	50
	A~C가 각각 무엇인지만 쓴 경우	20
(2)	㉠과 ㉡의 공통점과 차이점을 각각 한 가지씩 모두 옳게 서술한 경우	50
	㉠과 ㉡의 공통점과 차이점 중 한 가지만 서술한 경우	25

07 (1) 에너지 효율은 한 영양 단계에서 다음 영양 단계로 이동하는 에너지의 비율로, 다음과 같이 계산한다.

$$에너지\ 효율(\%)=\frac{현\ 영양\ 단계의\ 에너지양}{전\ 영양\ 단계의\ 에너지양}\times 100$$

(2) 식물 플랑크톤은 대부분 단세포 생물이며, 환경 조건이 알맞으면 분열법으로 증식하여 개체 수가 빠르게 증가한다.

모범 답안 (1) 에너지 피라미드에서 생산자의 에너지양에 대한 1차 소비자의 에너지양 비율이 초원 생태계에서가 삼림 생태계에서보다 크다. 따라서 1차 소비자의 에너지 효율은 초원 생태계에서가 삼림 생태계에서보다 높다.

(2) 해양 생태계의 생산자인 식물 플랑크톤은 대부분 단세포 생물로, 분열법으로 빠르게 증식하기 때문에 생물량이 적어도 1차 소비자에게 충분한 양분을 제공할 수 있기 때문이다.

	채점 기준	배점(%)
(1)	초원 생태계와 삼림 생태계의 1차 소비자의 에너지 효율을 생산자의 에너지양에 대한 1차 소비자의 에너지양 비율로 옳게 비교하여 서술한 경우	50
	초원 생태계가 삼림 생태계보다 1차 소비자의 에너지 효율이 높다고만 서술한 경우	20
(2)	생산자인 식물 플랑크톤이 분열법으로 빠르게 증식하기 때문이라고 옳게 서술한 경우	50
	생산자가 빠르게 증식하기 때문이라고만 서술한 경우	30

08 (1) 먹이 사슬에서 3차 소비자가 없어지면 2차 소비자의 개체 수는 증가하고, 1차 소비자의 개체 수는 감소한다.

(2) 안정된 생태계에서는 어느 한 영양 단계의 개체 수가 일시적으로 증가하거나 감소하여 평형이 깨지더라도 시간이 지나면 먹이 사슬에 의해 다시 평형을 회복한다.

모범 답안 (1) 3차 소비자가 없어지면 2차 소비자의 개체 수는 많아지고, 1차 소비자의 개체 수는 적어진다. (가)에서 ㉠의 개체 수는 3차 소비자가 있을 때보다 없을 때 적고, ㉡의 개체 수는 3차 소비자가 있을 때보다 없을 때 많다. 따라서 ㉠은 1차 소비자인 B이고, ㉡은 2차 소비자인 A이다.

(2) ㉡은 2차 소비자이므로 ㉡의 개체 수가 크게 증가하면 2차 소비자에게 잡아먹히는 1차 소비자인 ㉠의 개체 수는 감소하며, 이에 따라 1차 소비자에게 먹히는 생산자의 개체 수는 증가한다.

	채점 기준	배점(%)
(1)	㉠은 1차 소비자인 B, ㉡은 2차 소비자인 A라는 것을 자료를 분석하여 옳게 서술한 경우	50
	㉠은 B, ㉡은 A라고만 쓴 경우	20
(2)	㉠의 개체 수는 감소하고, 생산자의 개체 수는 증가한다는 것을 먹이 관계와 연관 지어 옳게 서술한 경우	50
	㉠의 개체 수는 감소하고, 생산자의 개체 수는 증가한다고만 서술한 경우	20

2. 생물 다양성과 보전

01 생물 다양성의 중요성

집중 분석 2권 180쪽

유제 ㄱ

유제 ㄱ. (가)는 생물종 수가 적어 먹이 그물이 단순하며, (나)는 생물종 수가 많아 먹이 그물이 복잡하다. 먹이 그물이 복잡할수록 생태계 평형이 잘 깨지지 않으므로, (나)가 (가)보다 생태계 평형이 잘 유지되는 안정된 생태계이다.

바로 알기 ㄴ. (가)에서 생산자는 풀이고, 3차 소비자는 매이다. (나)에서 생산자는 풀, 나무이고, 3차 소비자는 매, 뱀, 호랑이이다. 따라서 $\frac{\text{생산자의 종 수}}{\text{3차 소비자의 종 수}}$는 (가)에서는 1, (나)에서는 $\frac{2}{3}$이다.

ㄷ. (가)에서 개구리가 사라지면 매는 먹이가 없어 사라질 수 있다. 하지만 (나)에서는 개구리가 사라져도 들쥐와 토끼가 개구리를 대체하므로 개구리와 함께 사라지는 종은 없다.

개념 모아 정리하기 2권 182쪽

❶ 유전적 다양성 ❷ 종 다양성 ❸ 생태계 다양성
❹ 높은 ❺ 낮은 ❻ 생물 자원

개념 기본 문제 2권 183쪽

01 (1) (가) 종 다양성, (나) 유전적 다양성, (다) 생태계 다양성 (2) ㄴ, ㄷ **02** (가) **03** 유전적 다양성 **04** (1) (가) (2) (나) **05** (1) ㄹ (2) ㄴ, ㄷ (3) ㄱ

01 (1) (가)는 한 생태계 내의 군집에 다양한 생물종이 존재하는 것이므로 종 다양성이다. (나)는 같은 종의 개체 간에 몸의 형태, 크기, 색깔 등의 형질이 다르게 나타나는 것이므로 유전적 다양성이다. (다)는 지구에 다양한 생태계가 존재하는 것이므로 생태계 다양성이다.

(2) ㄴ. 개체군 내 개체 간의 형질 차이는 (나)유전적 다양성에 해당하며, 유전적 다양성은 개체가 가진 유전자가 서로 다르기 때문에 나타난다.

ㄷ. 생태계는 생물의 서식지를 포함하므로, (다) 생태계 다양성은 생물 서식지의 다양한 정도를 포함한다.

바로 알기 ㄱ. 환경이 급변할 때 멸종 가능성은 (가) 종 다양성보다는 (나) 유전적 다양성과 관계가 깊다. 유전적 다양성이 높을수록 환경이 급변할 때 멸종 가능성이 낮다.

02 (가)와 (나)에서 식물 종 수는 4종, 개체 수는 20개체로 같지만, (가)는 (나)보다 식물 종이 더 고르게 분포하므로 식물의 종 다양성은 (가)에서가 (나)에서보다 높다.

03 같은 종의 곤충 개체마다 겉 날개 무늬와 색깔이 다른 것은 개체가 가진 유전자의 차이로 나타나는 유전적 다양성의 예에 해당한다.

04 (1) (가)의 생물종 수가 (나)보다 많으므로 (가)와 (나) 중 종 다양성이 더 높은 생태계는 (가)이다.

(2) (가)에서는 뒤쥐가 사라져도 수리부엉이는 생쥐, 오리, 참새, 도요새와 같은 다른 먹이를 먹을 수 있으므로 사라질 가능성이 낮다. (나)에서는 뒤쥐가 사라지면 수리부엉이는 먹이가 없어 사라질 가능성이 높다.

05 (1) 제주도의 올레길은 휴식 공간과 여가 공간을 제공하여 관광 자원으로 이용되는 생물 자원이다.

(2) 푸른곰팡이로부터 항생제인 페니실린을 얻고, 버드나무 껍질로부터 아스피린의 주성분인 살리실산을 얻으므로 푸른곰팡이와 버드나무 껍질은 모두 의약품의 원료로 이용되는 생물 자원이다.

(3) 목화는 의복의 재료가 되므로 의식주 자원으로 이용되는 생물 자원이다.

개념 적용 문제 2권 184쪽~185쪽

01 ③ **02** ④ **03** ① **04** ②

01 ㄱ. ㉠은 생태계 다양성으로, 서식지의 다양함과 생태계 구성 요소 사이에서 일어나는 상호 작용의 다양성까지 포함하므로 생물적 요인과 비생물적 요인의 다양함을 모두 포함한다.

ㄴ. 한 개체군을 이루는 달팽이 개체들의 껍데기 무늬와 색깔이 다양한 것은 개체가 가진 유전자의 차이로 나타나는 유전적 변이로, 유전적 다양성(㉡)의 예에 해당한다.

바로 알기 ㄷ. ⓒ은 종 다양성이며, 지구는 지역에 따라 기온, 강수량 등 환경 조건이 달라 서식하는 생물종도 다르다. 따라서 지역마다 종 다양성은 차이가 있다.

02 ㄴ. 개체군 밀도는 일정한 지역에 서식하는 개체군의 개체 수이다. (가)와 (나)는 면적이 같고, (가)에서 A의 개체 수는 6개체, (나)에서 A의 개체 수도 6개체이다. 따라서 A의 개체군 밀도는 (가)와 (나)에서 같다.

ㄷ. 종 다양성은 종 풍부도와 종 균등도를 모두 고려하여 나타내므로 종의 수가 많고, 각 종의 분포 비율이 고를수록 종 다양성이 높다. (가)와 (나)에서 식물 종 수와 총 개체 수는 같지만, (가)에서보다 (나)에서 식물 종이 더 고르게 분포되어 있으므로 종 다양성은 (가)에서보다 (나)에서 높다.

바로 알기 ㄱ. 우점종은 개체 수가 가장 많고 점유하는 면적이 넓은 종이므로 (가)에서 우점종은 C가 아니라 B이다.

03 ㄱ. 생물과 비생물의 관계에 대한 다양성을 포함하는 A는 생태계 다양성이다. 심해저에 해령, 해산, 해구와 같이 환경이 다른 서식지가 있는 것은 생태계 다양성(A)의 예에 해당한다.

바로 알기 ㄴ. B는 종 다양성이며, 종 다양성은 한 생태계 내의 군집에 서식하는 모든 생물종의 다양한 정도를 의미한다.

ㄷ. 한 개체군 내의 생물 다양성은 유전적 다양성이므로, '한 개체군 내의 생물 다양성인가?'는 (가)에 해당하지 않는다. '한 생태계 내의 군집에 서식하는 생물종의 다양한 정도인가?'는 (가)에 해당할 수 있다.

04 ㄴ. (가)의 생물종 수는 4종이고, (나)의 생물종 수는 10종이다. 따라서 종 다양성은 (나)에서가 (가)에서보다 높다.

바로 알기 ㄱ. 안정된 생태계에서 생물량은 상위 영양 단계로 갈수록 감소한다. (가)에서 메뚜기는 매보다 하위 영양 단계이므로 생물량은 메뚜기 개체군이 매 개체군보다 많다.

ㄷ. 개구리가 사라질 경우 (가)에서는 매가 먹이가 없어 사라질 수 있다. (나)에서는 개구리가 사라져도 매는 토끼, 들쥐, 뱀을 잡아먹을 수 있으므로 사라지지 않는다. 따라서 개구리가 사라질 경우 매가 멸종할 가능성은 (가)에서가 (나)에서보다 높다.

02 생물 다양성 보전

집중 분석 2권 190쪽

유제 ④

유제 ㄱ. 벌목으로 숲이 3개의 서식지로 분리되었으므로 서식지 단편화 현상이 일어났다.

ㄷ. A 지역은 B 지역보다 서식지 면적이 작고 서식하는 생물종의 감소 비율이 높다. 따라서 벌목 후 A 지역과 B 지역의 종 다양성이 서로 다르며, 이는 서식지 면적과 관계있다고 볼 수 있다.

바로 알기 ㄴ. 벌목으로 A 지역과 B 지역에 서식하는 생물종의 비율이 감소하였다. 이는 벌목 후 일부 생물종의 개체군 크기가 작아져 결국 멸종으로 이어진 것이다. 따라서 벌목은 숲에 서식하는 생물의 개체군 크기에 영향을 주었다고 볼 수 있다.

개념 모아 정리하기 2권 191쪽

❶ 단편화 ❷ 남획 ❸ 외래 생물(외래종)
❹ 생물 농축 ❺ 지구 온난화 ❻ 생태 통로 ❼ 보호 구역
❽ 멸종 위기종 ❾ 종자 은행

개념 기본 문제 2권 192쪽

01 서식지 단편화 **02** ㄱ **03** 외래 생물(외래종) **04** 생태 통로
05 ㄴ, ㄷ, ㄹ **06** 종자 은행 **07** ㄱ, ㄴ

01 도로 건설 등으로 대규모의 서식지가 소규모로 나누어지는 현상을 서식지 단편화라고 한다. 서식지 단편화는 생물종 수의 감소를 초래할 수 있다.

02 ㄱ. 인간의 활동으로 인한 서식지 파괴는 개체군의 크기를 감소시켜 결국에는 멸종에 이르게 할 수 있으므로 생물 다양성을 위협하는 가장 큰 원인이다.

바로 알기 ㄴ. 불법 포획뿐만 아니라 생물을 과도하게 많이 잡는 남획도 특정 생물종의 개체 수를 크게 감소시켜 종 다양성을 감소시키는 원인이 된다.

ㄷ. 지구 온난화로 인한 기후 변화는 생물의 서식지 환경을 변화시키거나 번식 시기를 교란하여 생물 다양성을 감소시킨다.

03 붉은귀거북, 꽃매미, 가시박은 모두 과거에는 우리나라에 서식하지 않았고 다른 서식지로부터 들어온 외래 생물이다. 외래 생물은 포식자나 질병이 없는 경우 대량 번식하여 고유종의 서식지를 침범하고 먹이 사슬에 변화를 일으켜 생물 다양성을 감소시킨다.

04 도로 등으로 서식지가 분리된 지역에 서식지를 이어 주는 생태 통로(A)를 설치하면 야생 동물이 도로를 건너다 차에 치여 죽는 로드킬을 막을 수 있다.

05 ㄴ, ㄷ, ㄹ. 국립 공원을 지정 · 관리하고, 천연기념물을 지정 · 보호하며, 소백산여우와 같은 멸종 위기종을 복원하는 사업은 모두 생물 다양성 보전을 위한 노력에 해당한다.

바로 알기 ㄱ. 대규모 서식지가 소규모로 나누어지는 서식지 단편화는 생물 다양성 감소의 주요 원인이다.

06 종자 은행은 멸종에 대비하여 다양한 식물의 종자를 수집하여 저장했다가 필요 시 제공하는 것을 목적으로 하는 기관으로, 식물의 멸종을 방지하고 유용한 유전자를 보존한다.

07 ㄱ. 2010년 제10차 생물 다양성 협약 당사국 총회에서 채택된 나고야 의정서는 생물 자원에 대한 주권을 보호하기 위한 것으로, 생물 다양성 보전을 위한 국제적 노력에 해당한다.
ㄴ. 물새 서식지로 중요한 습지를 보호하기 위한 람사르 협약에 국가가 가입하고, 가입된 국가에 있는 중요한 습지를 람사르 습지로 지정하여 관리하는 것은 생물 다양성 보전을 위한 국제적 노력에 해당한다.

바로 알기 ㄷ. 국립 공원에서 생물의 서식지 보호를 위해 지정 탐방로를 이용하는 것은 개인과 사회가 생물 다양성 보전을 위해 해야 할 노력에 해당한다.

개념 적용 문제

2권 193쪽~194쪽

01 ① 02 ③ 03 ③ 04 ⑤

01 ㄱ. (가)에서 서식지 파괴의 영향을 받는 생물종의 비율은 약 80 %이고, 남획의 영향을 받는 생물종의 비율은 약 20 %이다. 이를 통해 서식지 파괴가 남획보다 생물 다양성 감소에 더 큰 영향을 미친다는 것을 알 수 있다.

바로 알기 ㄴ. (나)에서 서식지 면적이 50 % 감소하면 원래 서식하던 생물종의 비율이 10 % 감소하므로 멸종되는 생물종의 비율은 10 %이다.
ㄷ. (가)에서 서식지 파괴는 생물 다양성 감소에 가장 크게 영향을 주는 원인이며, (나)에서 보존되는 서식지 면적이 감소할수록 멸종되는 생물종의 비율이 증가한다. 따라서 서식지를 군집 단위로 넓게 보호하는 것이 개체군 단위로 작게 보호하는 것보다 생물 다양성 보전에 더 효과적이다.

02 ㄷ. 서식지가 분할되기 전(가)에는 서식지 내부에 D와 E가 분포했지만, 서식지가 분할된 후(나)에는 서식지 내부에 D만 분포한다. 이를 통해 생존에 필요한 서식지의 크기는 E가 D보다 크다는 것을 알 수 있다.

바로 알기 ㄱ. 서식지가 분할되기 전(가)의 생물종 수는 5종이고, 서식지가 분할된 후(나)의 생물종 수는 4종이며, 서식지가 분할되기 전(가)이 분할된 후(나)보다 각 생물종이 고르게 분포한다. 따라서 종 다양성은 (가)에서가 (나)에서보다 높다.
ㄴ. 서식지가 분할되면 내부 면적은 감소하고 가장자리 면적은 증가한다. 따라서 $\frac{\text{내부 면적}}{\text{가장자리 면적}}$은 (나)에서가 (가)에서보다 작다.

03 ㄱ. 이끼 서식지 (가)와 (나) 중 (나)에서 소형 동물의 종 수가 더 적은 것으로 조사되었다. 이를 통해 서식지가 분할되는 서식지 단편화는 종 다양성을 감소시킨다는 것을 알 수 있다.
ㄷ. 이끼 서식지 (나)와 (다) 중 (다)에서 소형 동물의 종 수가 더 많은 것으로 조사되었다. 이를 통해 서식지를 연결해 주는 생태 통로를 설치하면 종 다양성 보전에 도움이 된다는 것을 알 수 있다.

바로 알기 ㄴ. (가)에는 여러 종의 소형 동물이 서식하며, 개체군은 같은 종으로 이루어진 개체들의 집단이다. 따라서 (가)에 서식하는 소형 동물은 종에 따라 각기 다른 개체군에 속한다.

04 ㄴ. 생물 다양성 협약 당사국 총회와 나고야 의정서는 모두 생물 다양성 보전을 위한 국제적 노력에 해당한다.
ㄷ. 나고야 의정서가 채택되면서 모든 국가는 자국의 자생 생물에 대한 주권적 권리를 갖게 되었다. 따라서 다른 나라의 생물 자원을 무단으로 활용할 수 없으며, 이용하려면 반드시 그 국가의 승인을 받아야 한다.

바로 알기 ㄱ. 생물 다양성 협약은 강제력이 있는 사항이 아니며 자국의 생물 자원에 대한 주권은 자국에 있는 것이므로, 자신의 나라에서 상업적 이익을 위해 자생 생물을 사용할 수 있다.

통합 실전 문제

2권 196쪽~199쪽

01 ③ 02 ② 03 ③ 04 ③ 05 ⑤ 06 ③
07 ① 08 ④

01 ㄱ. (가)는 일정한 지역에 존재하는 생태계의 다양함을 나타낸 것이므로 생태계 다양성이다.

ㄴ. (나)는 들쥐 개체군에서 개체 간의 유전자 차이를 나타낸 것이므로 유전적 다양성이다. 들쥐 개체군에서 개체 간의 유전자 차이는 유성 생식에 의한 유전자 재조합과 돌연변이로 나타난다. 따라서 돌연변이는 (나)유전적 다양성을 증가시키는 요인 중 하나이다.

바로 알기 ㄷ. 사람마다 지문선 수가 다른 것은 사람마다 가지고 있는 지문선 수에 대한 유전자가 다르기 때문이므로 (나)유전적 다양성의 예에 해당한다. (다)는 한 서식지에서 생물종이 다양한 정도를 나타내므로 종 다양성이다.

02 ㄷ. (나)는 같은 종의 개체로 구성된 개체군 내에서의 개체 간 형질 차이를 나타낸 것이므로 유전적 다양성의 예에 해당한다. 개체 간의 형질 차이는 개체가 가진 유전자의 차이로 나타나므로 (나)에서 각 개체는 유전자 구성이 서로 다르다.

바로 알기 ㄱ. 식물의 종 다양성은 식물의 종 수와 분포 비율을 모두 고려해야 한다. ㉠과 ㉢에서 식물 개체 수는 40개체로 동일하고 식물의 종 수도 4종으로 동일하지만, 각 종의 분포 비율은 ㉠에서가 ㉢에서보다 고르다. 따라서 식물의 종 다양성은 ㉠에서가 ㉢에서보다 높다.
ㄴ. 개체군 밀도는 일정한 지역에 서식하는 개체군의 개체 수를 의미한다. ㉠과 ㉡에서 B의 개체 수는 같은데 면적은 ㉡이 ㉠의 2배이다. 따라서 B의 개체군 밀도는 ㉠에서가 ㉡에서보다 높다.

03 ㄱ. ㉠과 ㉡ 지역에서 생물종 수는 4종으로 같지만, 각 종의 분포 비율은 ㉠에서가 ㉡에서보다 고르다. 따라서 종 다양성은 ㉠에서가 ㉡에서보다 높다.
ㄷ. (나)에서 유전자 변이 수는 개체군 크기가 $100(=10^2)$마리일 때보다 $10000(=10^4)$마리일 때가 많다. 유전자 변이 수가 많을수록 환경 변화가 일어났을 때 개체군이 환경 변화에 적응하여 살아남을 가능성이 높으므로, 개체군 크기가 100마리일 때보다 10000마리일 때가 환경 변화에 대한 적응력이 높다고 볼 수 있다.

바로 알기 ㄴ. (나)에서 개체군 크기가 커질수록 유전자 변이 수가 증가하다가 개체군 크기가 일정 수준에 도달하면 유전자 변이 수가 더 이상 증가하지 않고 일정하게 유지된다. 따라서 개체군 크기가 커질수록 유전적 다양성이 계속 증가하는 것은 아니다.

04 ㄱ. (가)와 (나) 지역에 서식하는 식물 종 수는 5종으로 같지만, (가)에서가 (나)에서보다 각 종의 분포 비율이 고르다. 따라서 식물의 종 다양성은 (가)에서가 (나)에서보다 높다.
ㄴ. 개체군 밀도는 일정한 면적에 서식하는 개체군의 개체 수이다. (가)와 (나) 지역의 면적이 같고, C의 개체 수는 (가) 지역에서 30 그루, (나) 지역에서 20 그루이므로 C의 개체군 밀도는 (가)에서가 (나)에서보다 높다.

바로 알기 ㄷ. 상대 밀도(%)는 $\frac{\text{특정 식물 종의 밀도}}{\text{모든 식물 종의 밀도 합}} \times 100$인데, (가)와 (나)에 서식하는 식물의 개체 수는 150그루로 동일하므로 D의 상대 밀도는 D의 개체 수에 비례한다. D의 개체 수는 (가)에서 30그루, (나)에서 20그루이므로 D의 상대 밀도는 (가)에서가 (나)에서보다 높다.

05 ㄴ. A는 생태계 다양성, B는 유전적 다양성, C는 종 다양성이다. 유전적 다양성은 한 개체군에 속하는 개체의 형질이 차이 나는 정도이므로, '한 개체군 내에서의 생물 다양성이다.'는 유전적 다양성의 특징인 ㉠에 해당한다.
ㄷ. C는 종 다양성이며, 종 다양성이 높을수록 먹이 그물이 복잡하여 생태계 평형이 쉽게 깨지지 않는다. 따라서 종 다양성은 생태계 평형 유지에 중요하다.

바로 알기 ㄱ. A는 생태계 다양성으로, 일정한 지역에 존재하는 생태계의 다양한 정도를 의미한다. 따라서 생태계 다양성은 한 생태계 내에서 확인할 수 있는 생물 다양성은 아니다.

06 ㄱ. 벌목 후 서식지가 소규모로 나누어진 A, B, C 지역에서 생존한 종의 비율이 모두 벌목 전보다 낮아졌다. 이를 통해 서식지 단편화는 종 다양성 감소에 영향을 준다는 것을 알 수 있다.
ㄷ. A 지역은 대규모 서식지와 연결되어 있고 B 지역은 고립되어 있는데, A 지역에서 생존한 종의 비율이 B 지역에서 생존한 종의 비율보다 훨씬 높다. 따라서 두 서식지를 이어주는 생태 통로 설치가 종 다양성 보전에 도움이 될 수 있음을 알 수 있다.

바로 알기 ㄴ. C 지역은 A 지역보다 서식지 면적이 넓지만 생존한 종의 비율은 낮다. 따라서 벌목 후 생존한 종의 비율은 서식지 면적에 비례하지 않는다는 것을 알 수 있다.

07 ㄱ. ㉠은 철도와 도로 개발로 발생한 서식지 단편화를 의미한다. 철도와 도로 개발로 서식지가 4곳으로 분할되면서 서식지 면적이 $640000\,m^2$에서 $87000\,m^2 \times 4 = 348000\,m^2$로 줄어들었다.

바로 알기 ㄴ. 도로 개발로 서식지 단편화(㉠)가 일어나면 야생 동물이 도로를 건너다 차에 치여 죽는 로드킬이 많이 발생할 수 있다.
ㄷ. 철도와 도로 개발로 서식지 단편화(㉠)가 일어나면 전체 서식지 중 가장자리의 길이와 면적이 증가하므로 깊은 숲속에서 살아가는 생물의 서식지는 크게 줄어든다.

08 ㄱ. (가)에서 개체군 크기가 클수록 멸종률이 낮다. 그러므로 개체군 크기가 클수록 종 다양성이 보전될 가능성이 높다고 할 수 있다.

ㄷ. (나)의 방안은 서식지 단편화(A)로 고립된 두 서식지를 연결하는 생태 통로를 설치하는 것이다. 생태 통로를 설치하면 서식지가 고립되지 않아 개체군 크기가 감소하는 것을 줄일 수 있다.

바로 알기 ㄴ. (나)의 생태 통로 설치는 서식지 단편화에 의한 생물 다양성 감소를 막기 위한 것이다. 따라서 생물 다양성을 감소시키는 요인 A는 서식지 단편화이며, 외래 생물 도입은 A에 해당하지 않는다.

사고력 확장 문제

2권 200쪽~201쪽

01 1954년 아프리카의 빅토리아 호수에 외래 생물인 나일농어가 도입되어 시클리드를 마구 잡아먹은 결과 500여 종의 시클리드 중 200여 종이 멸종되었다. 또, 수질 오염이 심해져 물이 탁해지면서 몸 색깔 차이로 짝을 찾는 시클리드 종이 짝을 제대로 찾지 못해 유전적 다양성이 감소하여 70 % 이상의 시클리드 종이 사라졌다.

모범 답안 빅토리아 호수 생태계에서 종 다양성이 감소한 원인은 외래 생물 도입과 환경 오염이다. 1954년 외래 생물인 나일농어가 도입되어 대량 번식하면서 다양한 종류의 시클리드를 포식하여 개체 수가 적은 시클리드 종이 멸종되었고, 환경 오염에 따른 부영양화로 호수의 물이 탁해져 짝짓기를 하지 못한 시클리드 종이 멸종되기도 하였다.

채점 기준	배점(%)
종 다양성 감소 원인과 과정을 외래 생물 도입과 환경 오염으로 옳게 서술한 경우	100
종 다양성 감소 원인과 과정을 외래 생물 도입과 환경 오염 중 한 가지로만 서술한 경우	50

02 (1) 야생종 바나나는 암수 생식세포의 결합으로 만들어진 씨로 번식하는 유성 생식을 하기 때문에 유전자 구성이 다양한 자손이 생긴다. 이와 달리 그로 미셸 품종의 바나나는 줄기의 일부를 잘라 심는 무성 생식으로 번식시켜 유전자 구성이 동일한 자손이 생긴다.

(2) 캐번디시 품종의 바나나는 씨 없이 무성 생식으로 번식시켜서 대부분의 개체가 동일한 유전자 구성을 갖기 때문에 유전적 다양성이 매우 낮다.

모범 답안 (1) 야생종 바나나(㉠)가 그로 미셸 품종(㉡)의 바나나보다 유전적 다양성이 높다. 야생종 바나나(㉠)는 암수 생식세포가 결합하여 씨를 만들어 번식하는 유성 생식을 하므로 유전자 구성이 다양한 개체가 만들어지지만, 그로 미셸 품종(㉡)은 줄기의 일부를 잘라 심는 무성 생식으로 번식시켜 유전자 구성이 거의 동일한 개체가 만들어지기 때문이다.

(2) 캐번디시 품종의 바나나는 줄기의 일부를 잘라 심는 무성 생식으로 번식시켜서 개체 간에 유전적 차이가 거의 없으므로 변종 파나마병에 저항성을 가진 개체가 생길 가능성이 매우 낮기 때문이다.

	채점 기준	배점(%)
(1)	㉠의 유전적 다양성이 더 높다고 쓰고, 그와 같이 판단한 까닭을 번식 방법과 연관 지어 옳게 서술한 경우	50
	㉠의 유전적 다양성이 더 높다고만 쓴 경우	20
(2)	무성 생식으로 번식시켜 개체 간에 유전적 차이가 거의 없기 때문이라는 내용을 포함하여 옳게 서술한 경우	50
	유전적 다양성이 낮기 때문이라고만 서술한 경우	20

03 종 다양성은 군집을 구성하는 생물종의 다양한 정도로, 군집을 구성하는 종의 수인 종 풍부도와 군집을 구성하는 각 종의 개체 수가 균일한 정도인 종 균등도를 모두 고려한다.

모범 답안 (가)와 (나) 지역은 식물 종 수가 4종으로 종 풍부도가 서로 같다. 하지만 (가) 지역은 각 종의 분포 비율이 비슷하여 종 균등도가 높은데, (나) 지역은 B종의 분포 비율이 다른 종에 비해 월등히 높아 종 균등도가 (가) 지역보다 낮다. 따라서 식물의 종 다양성은 (가) 지역에서가 (나) 지역에서보다 높다.

채점 기준	배점(%)
(가)의 종 다양성이 더 높다는 것을 (가)와 (나)의 종 풍부도와 종 균등도를 비교하여 옳게 서술한 경우	100
(가)의 종 다양성이 더 높다는 것을 (가)와 (나)의 종 균등도만 비교하여 서술한 경우	80
(가)의 종 다양성이 더 높다고만 서술한 경우	30

04 마다가스카르는 아프리카 동쪽에 있는 섬으로, 열대 우림이 존재한다. 마다가스카르에 인간이 거주한 이후 전 지역에서 행해진 화전 농업과 불법 벌채 등으로 열대 우림이 파괴되어 그 면적이 줄어들었고, 그 결과 많은 고유종이 멸종되었다.

모범 답안 (가)를 보면 인간이 거주한 이후부터 1985년까지 열대 우림의 면적이 절반 이상 줄어들었으며, (나)에서 보존되는 면적이 줄어들면 살아남은 생물종의 비율도 줄어든다. 따라서 마다가스카르 열대 우림 군집의 종 다양성은 인간이 거주한 이후부터 1985년까지 낮아졌을 것이라고 유추할 수 있다. 이처럼 종 다양성이 낮아진 까닭은 열대 우림 면적이 점차 감소하면서 서식지 면적 감소로 멸종하는 생물종 수가 많아졌기 때문이다.

채점 기준	배점(%)
(가)와 (나)를 토대로 마다가스카르 열대 우림 군집의 종 다양성이 낮아졌다는 것과 그 까닭을 서식지 면적 감소로 인한 멸종이라고 옳게 서술한 경우	100
마다가스카르 열대 우림의 면적 감소 또는 서식지 면적 감소로 종 다양성이 낮아졌다고만 서술한 경우	40

논구술 대비 문제

IV 유전

2권 206쪽~207쪽

실전 문제 1

(1) 세포당 DNA 상대량이 1인 Ⅰ에는 DNA 복제가 일어나기 전인 G_1기의 세포들이 있고, DNA 상대량이 1보다 크고 2보다 작은 Ⅱ에는 S기의 세포들이 있다. 그리고 DNA 상대량이 2인 Ⅲ에는 DNA 복제가 끝난 후인 G_2기와 분열기(M기)의 세포들이 있다.

(2) 구간 Ⅰ, Ⅱ, Ⅲ에 있는 세포의 수는 세포 주기에서 각 시기에 걸리는 시간에 비례하므로 각각 G_1기, S기, G_2기+M기에 걸리는 시간인 8시간, 6시간, 6시간에 비례한다. 또, 항암제 A는 G_1기에서 S기로의 진행을 억제하므로 G_1기의 세포들은 그대로 G_1기에 머물러 있고, S기, G_2기, M기의 세포들은 분열이 진행되어 세포 수가 2배로 된 후 G_1기에 머무르게 된다.

(3) 항암제 B는 M기에서 진행을 멈추게 하므로 세포들은 모두 DNA 복제가 일어나 DNA 상대량은 2이고, 세포 수는 증가하지 않는다.

예시 답안 (1) Ⅰ의 세포들은 세포당 DNA 상대량이 1이므로 DNA 복제가 일어나기 전인 G_1기의 세포들이다. Ⅱ의 세포들은 세포당 DNA 상대량이 1과 2 사이이므로 DNA 복제가 일어나고 있는 S기의 세포들이다. Ⅲ의 세포들은 세포당 DNA 상대량이 2이므로 DNA 복제가 끝난 후부터 분열이 끝나기 전까지인 G_2기와 M기의 세포들이다.

(2) 전체 세포 중 세포 주기의 각 시기별 세포 수는 세포 주기에서 각 시기의 소요 시간에 비례하므로 Ⅰ, Ⅱ, Ⅲ의 세포 수는 각각 전체 세포 수의 40 %, 30 %, 30 %를 차지한다. 따라서 Ⅰ의 세포 수가 그래프에서 2눈금에 해당한다면, Ⅱ와 Ⅲ의 세포 수는 둘 다 1.5눈금에 해당한다. 한편, 세포 주기가 20시간이므로 항암제 A를 첨가한 배양액에서 24시간 배양했을 때 각 시기의 세포는 모두 G_1기에서 S기로 진행되지 않아 G_1기와 S기의 경계에 위치하게 된다. 이 과정에서 M기를 거치지 않는 G_1기의 세포 Ⅰ로부터는 원래대로 2눈금에 해당하는 수의 세포가, M기를 거치는 S기의 세포 Ⅱ와 (G_2기+M기)의 세포 Ⅲ으로부터는 원래의 2배인 3눈금에 해당하는 수의 세포가 각각 생성된다. 따라서 세포 집단 ㉡의 총 세포 수는 8눈금에 해당하므로 세포 집단 ㉡에 속하는 세포들의 절반을 대상으로 세포당 DNA양에 따른 세포 수를 조사하여 그래프로 나타내면, DNA 상대량이 1인 위치에 4눈금 높이로 나타난다.

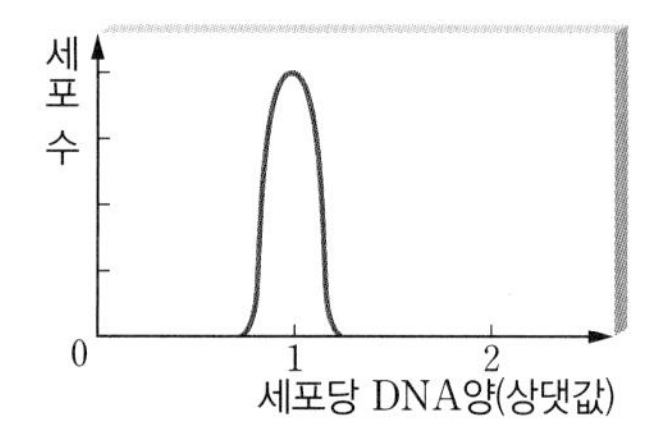

(3) 항암제 A를 첨가한 배양액에서 배양한 세포 집단 ㉡에 속하는 나머지 절반의 세포들에서 항암제 A를 제거한 후 항암제 B를 첨가한 배양액으로 옮겨 12시간 더 배양하면 이 세포들은 모두 다시 S기를 진행하여 DNA양이 2배로 증가한 후 M기에서 진행을 멈추게 된다. M기가 완료되지 않아 세포 수의 변화는 없으므로, 세포 집단 ㉢에 속하는 세포들 전체를 대상으로 세포당 DNA양에 따른 세포 수를 조사하여 그래프로 나타내면, DNA 상대량이 2인 위치에 4눈금 높이로 나타난다.

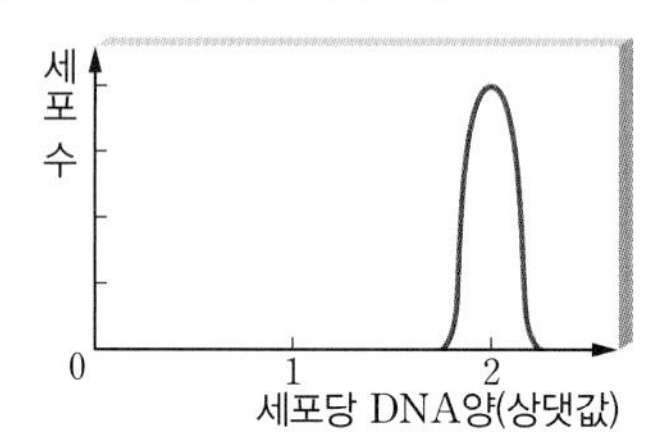

실전 문제 2

(1) 감수 분열 과정에서 각 상동 염색체 쌍이 무작위로 배열되었다가 독립적으로 분리되므로 한 개체에서 만들어질 수 있는 생식세포의 염색체 조합은 2^n가지이다.

(2) 유전자가 성염색체에 있어 반성유전을 하는 형질은 남녀에 따라 발현 빈도가 다르다.

(3) (가)의 유전자형은 I^Ai, Rr, X^TX^{T*}이고, (나)의 유전자형은 I^Bi, Rr, X^TY이다. ABO식 혈액형, Rh식 혈액형, 뒤센 근위축증 유전자는 서로 다른 염색체가 있으므로 각각 독립적으로 유전되며, 아이가 특정 형질을 함께 나타낼 확률은 각각의 형질을 나타낼 확률의 곱으로 구한다.

예시 답안 (1) 정자와 난자가 만들어질 때 감수 1분열에서 각 상동 염색체 쌍이 무작위로 배열된 후 독립적으로 분리되므로 형성될 수 있는 정자와 난자의 염색체 조합의 수는 각각 $2^n=2^{23}$이며, 정자와 난자의 무작위 수정으로 형성될 수 있는 수정란의 염색체 조합의 수는 $2^{23}\times2^{23}=2^{46}$이다.

(2) 뒤센 근위축증이 주로 남자에게서 발병하는 것은 뒤센 근위축증 유전자가 X 염색체에 있으며, 뒤센 근위축증 대립유전자가 정상 대립유전자에 대해 열성이기 때문이다.

(3) ① (가)의 유전자형은 I^Ai, Rr, X^TX^{T*}이므로, I^A, r, T*를 모두 가진 난자가 형성될 확률은 $\frac{1}{2}\times\frac{1}{2}\times\frac{1}{2}=\frac{1}{8}$이다.

② (가)의 유전자형은 I^Ai, Rr, X^TX^{T*}이고, (나)의 유전자형은 I^Bi, Rr, X^TY이다. (가)와 (나) 사이에서 태어나는 둘째 아이의 ABO식 혈액형 유전자형이 I^Ai일 확률은 $I^Ai\times I^Bi \rightarrow I^AI^B$, $\underline{I^Ai}$, I^Bi, ii로 $\frac{1}{4}$이고, Rh식 혈액형 유전자형이 Rr일 확률은 Rr×Rr → RR, $\underline{\text{Rr, Rr}}$, rr로 $\frac{1}{2}$이며, 뒤센 근위축증이 나타날 확률은 $X^TX^{T*}\times X^TY \rightarrow X^TX^T$, X^TX^{T*}, X^TY, $\underline{X^{T*}Y}$로 $\frac{1}{4}$이다. 따라서 이 모든 형질이 동시에 나타날 확률은 $\frac{1}{4}\times\frac{1}{2}\times\frac{1}{4}=\frac{1}{32}$이다.